JN045539

第2版 民法・税法

2つの視点で見る

贈与

弁護士法人ピクト法律事務所
代表弁護士
永吉啓一郎［著］

清文社

第２版の発刊にあたって

2022年２月に本書を発刊してから２年以上が経過しました。

初版執筆後、民法においては、令和５年４月１日施行の民法改正により、遺産分割における特別受益や寄与分の主張の期間制限などが設けられたり、令和５年度税制改正により、相続税申告における生前贈与加算期間の延長や相続時精算課税における基礎控除創設などがなされ、「贈与」というテーマに大きく影響を与える法改正がされています。

初版の発刊により、筆者自身もそれまで以上に多くの税理士の先生方から、「贈与」を主題とするご相談などを受けることとなりました。今回の改訂では、新たな制度の記載の追加だけではなく、初版執筆後の筆者自身の実務上の経験や税理士の先生からのご相談も踏まえた上で、Q&Aを追加しています。また、初版と同様に、未だ実務上の明確な解がない部分についても、僭越ながら私見として解説しております。

本書は、税理士の先生を主な読者として想定しておりますが、初版発刊後、弁護士・司法書士の先生方、FPの方などその他、多くの実務家の方々からも、温かいお言葉をいただき、感謝の念に堪えません。本書を改訂するにあたり、私が運営する「税理士法律相談会」の会員である税理士の先生をはじめ、私と関係性をもっていただいた実務家の方々に心より御礼申し上げます。皆様からいただくご相談やご紹介などによる経験が、改訂の礎となっております。

最後に、初版の執筆に引き続き、機会を与えてくださった藤本優子様をはじめとする株式会社清文社の皆様、私に執筆の時間を与えてくれた当事務所の弁護士・スタッフに心より感謝申し上げます。

2024年３月

弁護士法人ピクト法律事務所
代表弁護士　永吉啓一郎

はじめに

本書は、税理士の皆様が実務を行っていく上で知っておくべき「贈与」について、筆者が税理士の先生からご相談いただく事項を中心に、民法と税法の２つの視点から解説するものです。

「贈与」というテーマは、民法という視点のみから考えても、「贈与契約」のみならず、遺産分割や遺留分侵害額請求における特別受益とされる贈与の意義などの理解が必要となる上、税法の視点からはさらに相続税法上の「みなし贈与」の問題などへの配慮が必須となるため、民法と税法を横断した理解が求められます。

日常的な税務判断はもとより、相続・事業承継などの事前対策を行うためには、この民法・税法を横断的に理解した上でのコンサルティングが必須となり、税理士と弁護士の連携が求められることも多いでしょう。

税務的な視点のみの対策が、将来想定していない民事上の問題（いわゆる「争族」等）を生じさせてしまうことやその逆もあるからです。

本書では、第１章において、民法上の「贈与契約」について解説し、民法上の整理および基本的な課税関係から、名義財産や贈与契約の取消し等の課税問題など民事と税務が交錯する問題についても、Q&A（ケーススタディ）を交えながら解説しています。また、第２章では、税務上の「みなし贈与」などにあたる贈与契約ではない類型の法律行為などについて取扱っています。

第３章では、遺産分割と贈与の関係（相続税法上の「相続」と「贈与」の峻別の問題を含む）、第４章では、相続対策等で必須となる遺留分について解説した後、第５章および第６章では、実務上頻繁に問題となる「不動産」と「非公開会社の株式」に関する贈与の問題を民法・税法の視点から横断的に分析し、解説するという形としました。

本書が、税理士の先生などの実務家の皆様、ひいてはその先にいらっしゃるお客様への一助となれば、これほど著者冥利に尽きることはありません。

本書を刊行するにあたり、私が運営する「税理士法律相談会」の会員である税理士の先生をはじめ、私と関係性をもっていただいた実務家の方々に心より御礼申し上げます。皆様からいただくご相談やご紹介などによる経験が、本書の礎となっております。

最後に、本書を執筆する機会を与えてくださった藤本優子様をはじめとする株式会社清文社の皆様、私に執筆の時間を与えてくれた当事務所の弁護士・スタッフに心より感謝申し上げます。

2022年1月

弁護士法人ピクト法律事務所
代表弁護士　永吉啓一郎

CONTENTS

第1章 贈与契約

第3章 遺産分割と贈与

第4章 遺留分侵害額請求と贈与

第5章 不動産と贈与

第6章 非公開会社の株式の贈与

【凡　例】

◆法律名略称

法法……………………………法人税法

法令……………………………法人税法施行令

法規……………………………法人税法施行規則

法基通…………………………法人税基本通達

所法……………………………所得税法

所令……………………………所得税法施行令

所規……………………………所得税法施行規則

所基通…………………………所得税基本通達

相法……………………………相続税法

相令……………………………相続税法施行令

相基通…………………………相続税法基本通達

評基通…………………………財産評価基本通達（相続税財産評価に関する基本通達）

消法……………………………消費税法

消令……………………………消費税法施行令

消規……………………………消費税法施行規則

消基通…………………………消費税法基本通達

措法……………………………租税特別措置法

措令……………………………租税特別措置法施行令

措規……………………………租税特別措置法施行規則

国通法…………………………国税通則法

国通令…………………………国税通則法施行令

借借法…………………………借地借家法

民訴法…………………………民事訴訟法

民執法…………………………民事執行法

遺言書保管法………………法務局における遺言書の保管等に関する法律

円滑化法………………………中小企業における経営の承継の円滑化に関する法律

民再法……………………民事再生法

刑訴法……………………刑事訴訟法

◆（　）内においては、下記例のように略語を用いています。

相法51②一ハ………相続税法第51条第2項第一号ハ

◆判例等略称

家審…………家庭裁判所審判

地判…………地方裁判所判決

高決…………高等裁判所決定

高判…………高等裁判所判決

最決…………最高裁判所決定

最判…………最高裁判所判決

民集…………最高裁判所民事判例集

大民集………大審院民事判例集

民録…………大審院民事判決録

税資…………税務訴訟資料

訟月…………訟務月報

判タ…………判例タイムズ

判時…………判例時報

家月…………家庭裁判月報

※本書の内容は、2024年4月1日現在の法令等に基づいています。

第 1 章

贈与契約

1 贈与契約の概要

(1) 贈与契約の成立要件と効果

贈与契約の成立要件は、民法549条に規定されています。

> (贈与)
> 民法549条　贈与は、当事者の一方がある財産を無償で相手方に与える意思を表示し、相手方が受諾をすることによって、その効力を生ずる。

つまり、以下の２つが成立要件ということになります。

> ①贈与者の特定の財産を無償で与える意思表示
> ②受贈者の①を受諾する意思表示

この２つの要件を満たすのであれば、口頭であっても贈与契約の成立自体は認められます。しかし、契約である以上、遺言と異なり、両者の意思表示の合致が必要となります。例えば、親が子供名義の銀行口座を管理しているという状況で、親が独断で、親の口座から子供名義の口座に入金していたというケースでは、名義預金（45ページ参照）とされ、親の財産のままということになり得るので注意が必要です。

また、理論上は、口頭でも贈与契約は成立しますが、贈与契約をする場合、後に贈与の有無等について、紛争（税務上のものも含む）を起こさないように、事前対策として、しっかりと契約書を締結しておくことが重要です。贈与の有無が問題になった事案において、贈与契約書がないということは、他の事実とあいまって、贈与の事実をも否定する１つの事情となり得るとされた裁判例[1]も存在します。

(2) 書面によらない贈与

贈与契約書の作成は、贈与の事実があったか否かにおける証拠としても非常に重要ですが、特に贈与契約では、書面による贈与と書面によらない贈与では、その効果も異なります。

民法上は、停止条件や期限が付されていない限り、贈与契約の成立と同時に所有権は贈与者から受贈者に移転する（民法176）ことになります。一方、書面によらない贈与の場合には、各当事者は、「履行の終わった部分」を除いて、いつでも解除することができます（民法550）。

(3) 贈与契約の種類

①単純贈与契約

まず、単純贈与契約です。ここには多くの説明は不要かと思います。例えば、Aさんが B さんに甲不動産を贈与するという契約をした場合です。

民事上は、この単純贈与契約の一類型として、後述③の条件付贈与契約を含んで解説する整理もありますが、課税時期等の違いが生じるため、本書では、条件付贈与契約とは区別して、単純贈与契約という用語を利用します。

②定期贈与契約

定期贈与契約とは、一定期間ごとに財産を贈与することを約する契約をいいます（民法552参照）。例えば、1つの契約行為で、1,000万円を100万円に分けて10年で贈与するという契約をした場合です。

定期贈与契約は、贈与者または受贈者の死亡により、効力を失うものとされています。

1　東京高判平成21年4月16日（税資259号順号11182）

（定期贈与）
民法552条　定期の給付を目的とする贈与は、贈与者又は受贈者の死亡によって、その効力を失う。

③条件付贈与契約

条件付贈与契約は大きく停止条件付贈与契約と解除条件付贈与契約に分けられます。

停止条件付贈与契約とは、将来発生する未確定な条件が成立した場合に、贈与の効果（財産の移転）を発生させる契約をいいます。例としては、税理士である祖父が、孫に対して、税理士試験に合格した（条件）ら、1,000万円を贈与するという契約などです。

解除条件付贈与契約とは、将来発生する未確定な条件が成立した場合に、一旦発生した贈与の効果（財産の移転）を消滅させる契約をいいます。例としては、弁護士である祖父が、孫に対して1,000万円を贈与したが、司法試験に合格した（条件）ら、その1,000万円の贈与はなかったことにするという契約などです。結果として孫は司法試験に合格した場合、1,000万円を祖父に返還しなければならなくなります。

④負担付贈与契約

負担付贈与契約とは、受贈者も一定の給付をする義務を負担する贈与契約のことをいいます（民法553参照）。例えば、高齢である贈与者が、今後の自分の生活の面倒を見ることを受贈者の義務として、自らの財産を贈与するという契約です。

負担により利益を受ける者は、贈与者である場合もありますし、それ以外の者である負担付贈与契約もあります。後者の例としては、贈与者が、自分の配偶者の生活の面倒を見ることを受贈者の義務として、財産を贈与するような場合があります。

負担付贈与契約の場合には、単純贈与契約と異なり、一定の義務を受贈者に負担させるものであるため、贈与者が負担の限度で担保責任を負う等、その性質に反しない限り、双務契約（売買等）の規律が準用されます（民法551②、553）。

⑤死因贈与契約

死因贈与契約とは、贈与者の死亡という事実が生じた場合に、贈与の効果が発生する一種の期限付贈与契約です。死因贈与契約は、死亡に起因して、無償の財産の移転の効果が発生するため、民法上、遺贈に関する規定を準用するとされています。死亡により効力が発生する点および無償で財産が移転するという点で、死因贈与契約と遺言による遺贈は共通性があることから、このように整理されています。

> （死因贈与）
> 民法554条　贈与者の死亡によって効力を生ずる贈与については、その性質に反しない限り、遺贈に関する規定を準用する。

ただし、「その性質に反しない限り」において準用されるとされていますので、注意が必要です。主な違いは、死因贈与契約は双方で合意する契約である一方で、遺贈は遺言という遺言者の一方的な行為であるというところから生じるものとなります。

a　遺言能力に関する規定

遺贈（遺言）の場合には、15歳以上の者であれば未成年であっても単独で行うことができるとされています（民法961）。

一方で、死因贈与契約の場合には、あくまでも相手方のいる契約であることから、通常の契約行為と同様になります。

b　遺言方式についての規定

遺言については、自筆証書遺言の場合の自署（民法968）や公正証書遺言の場合の証人２人以上の立会い等（民法969）、厳格な方式が求められており、その方式を欠く場合には、無効となります。

一方で、死因贈与では、両当事者の契約によるものである以上、このような方式の遵守については必要ないものと解されています。つまり、契約である以上、口頭によるものであっても、死因贈与契約は成立することとなります。ただし、死因贈与契約の存在を主張する場合、贈与契約の成立と死亡により発生する約束があったことを立証しなければならないので、契約書は必ず作った方がよいでしょう。

c　遺贈の承認・放棄に関する規定

特定遺贈の場合には、受遺者は死亡後にいつでも放棄できる（民法986①）一方で、遺贈義務者（遺言者の相続人または遺言執行者）から、一定期間に遺贈を承認するか放棄するかを催告できる等（民法987）の規定があります。

死因贈与の場合には、これらの規定は準用されません。契約である以上、受贈者が任意に贈与を放棄することはできません[2]。

d　遺言書の検認・開封に関する規定

「b　遺言方式についての規定」と同様の理由で、死因贈与については準用されません。

e　遺言執行に関する規定

遺言執行に関する規定（1006条以下）については、原則として準用されます。つまり、死因贈与であっても、執行者を指定することが可能です。

f　受遺者が先に死亡した場合に関する規定

遺贈の場合において、受遺者が遺贈者より先に死亡した場合には、その効力を有しないものとされています（民法994①）。

死因贈与契約にこの規定が準用されるかという点ついては、裁判

2　書面によらない贈与の場合については、３ページ参照。

例上見解が分かれており[3]、実務上の統一見解があるとまではいえない状況です。契約であることを強調すれば、受遺者が死亡しても、その契約上の地位も相続されることとなる一方で、遺贈と同様に受贈者がその人物であるからこそ無償で財産を譲り渡すものであるという点を強調すれば、受贈者が死亡した以上はその効力は否定されるべきであるということとなります。

g 遺言の撤回に関する規定

遺言者は、いつでも遺言を撤回することができ、また遺言と矛盾する行為をすれば、抵触する部分は、遺言を撤回したものとみなされます（民法1022、1023）。

死因贈与契約については、学説上の通説では、契約である以上、撤回の規定は準用されないと解されている一方で、判例[4]上は、撤回の規定が準用されると解されています。

ただし、判例[5]上も負担付死因贈与の場合には、特段の事情がない限り撤回できないと解されています。また、負担付死因贈与でなくとも、死因贈与が訴訟上の和解でされたという特殊な事案において、贈与に至る経緯、和解条項の内容等を総合して、撤回することができないとした判例[6]もあります。

3　肯定した裁判例として、東京高判平成15年5月28日（家月56巻3号60頁）
否定した裁判例として、京都地判平成20年2月7日（判タ1271号181頁）、水戸地判平成27年2月17日（判時2269号84頁）
4　最判昭和47年5月25日（民集26巻4号805頁）
5　最判昭和57年4月30日（民集36巻4号763頁）
6　最判昭和58年1月24日（民集37巻1号21頁）

Q&A 1

未成年者への贈与契約の締結方法

Q 相続対策として、祖父Ａは孫Ｂ（３歳）に対して、生前贈与をしようと考えています。

未成年者に対して、贈与をする場合の贈与契約の締結方法を教えてください。そもそも、３歳の者に対して贈与する契約をすることは可能でしょうか。

A 未成年者を受贈者とする贈与契約の方法としては、以下の２つが考えられます。

①未成年者自身が受諾の意思表示をする方法

②未成年者の受諾の意思表示を、親権者が代理する方法

本件では②を選択することが適切でしょう。

1　未成年者への法律行為の権利能力について

まず、未成年者であったとしても、出生から権利能力の主体となる（民法3）ため、贈与契約の受贈者となることができます。つまり、３歳である孫Ｂを受贈者とする贈与契約は可能ということとなります。

2　贈与契約の締結方法

未成年者との贈与契約の締結方法としては、①未成年者自身が受諾の意思表示をする方法と、②未成年者の親権者が代理する方法の２つが考えられます。

(1) ①未成年者自身が受諾の意思表示をする方法

a　親権者の同意の要否

まず、未成年者が単独で契約行為を行う場合、原則として法定代理人（親権者）の同意が必要とされています。これは、未成年者という判断能力が未熟な段階での契約の危険性に鑑み、未成年者を一律に保護するための制度です（制限行為能力制度）。

（未成年者の法律行為）
民法５条　未成年者が法律行為をするには、その法定代理人の同意を得なければならない。ただし、単に権利を得、又は義務を免れる法律行為については、この限りでない。

一方で、この法定代理人の同意が求められるのは、あくまでも未成年者の保護が目的であることから、「単に権利を得、又は義務を免れる法律行為」は、法定代理人（親権者）の同意は不要とされています（民法５①但書）。

そして、未成年者が受贈者となる単純贈与契約はまさに「単に権利を得～る法律行為」となりますから、親権者の同意は不要です。

b　意思能力の問題

未成年者を受贈者とする贈与契約の締結については、制限行為能力制度における親権者の同意自体は不要であるとしても、そもそも法律行為を行えるだけの意思能力が備わっているのかが別途問題となります。

意思能力とは、自分の行為の結果を判断することができる能力（契約の意味を理解できる能力）をいうとされますが、意思能力を欠く者の法律行為は無効となります（民法３の２）。

この意思能力の有無の判断は、制限行為能力制度のように未成年者であれば一律に適用されるものと異なり、その法律行為の内容、年齢、当事者の関係等様々な事情を総合考慮して、個別的に判断されることとなります。

未成年者を受贈者とする単純贈与契約は、単に未成年者が権利を得るもので、かつ基本的には単純なものが多いため、比較的低年齢であっても、意思能力が認められる傾向にあります。例えば、一般的には6～7歳くらいから意思能力が備わりだす[7]とされており、単純贈与の受贈者となるという贈与契約であれば、1つの目安となるでしょう。なお、非常に古い判例[8]ですが、売主と買主の間で土地の売買をし、その所有権を売主から未成年者（7歳3ヶ月）に移転させるという契約（いわゆる第三者のためにする契約）において、未成年者が、売主に対して行った、土地の所有権を取得する旨の意思表示が有効であるとされたものがあります。

本件では、孫Bの年齢が3歳であり、孫Bが祖父Aと贈与契約を締結する行為は無効と判断される可能性が高いでしょう。

(2) ②未成年者の受諾の意思表示を、親権者が代理する方法

一方で、未成年者を受贈者とする贈与契約を締結する方法として、②未成年者の受諾の意思表示を、親権者がその法定代理権（民法824）に基づいて代理する方法があります。

この場合には、法律行為を行うのはあくまでも親権者であり、その法律行為の効果が未成年者に帰属するということになりますので、未成年者の意思能力は不要です。

なお、原則として、父母の婚姻中は親権者が共同で法律行為を行う必要があります（民法818③）。

本件でも、孫Bの親権者が代理人として、孫Bを受贈者とする贈与契約を祖父Aと締結すれば、有効に贈与契約をすることが可能です。

7　民法Ⅰ総則・物権総論第3版　内田貴東京大学出版会103頁等
8　大判昭和5年10月2日（民集9巻930頁）

3 両者の使い分け

未成年者が受贈者となる贈与契約の場合、①未成年者自身が受諾の意思表示をする方法は、意思能力の有無という個別判断が求められるため、②未成年者の受諾の意思表示を、親権者が代理する方法が安全ですので、原則として②の方法を採用すべきでしょう。

一方で、①の方法を解説した理由は、実務上、祖父Aが孫Bに財産を贈与したいが、親権者の片方に知らせたくないケースや実際に孫Bが既に贈与契約を締結しているがその贈与が有効なのか無効なのかの判断が必要というケースで、税理士の先生からご相談いただくことも多い点にあります。

Q&A 2

親権者から未成年者への贈与契約の締結の可否

Q （単独）親権者Ａは、子Ｂ（未成年者）に対して財産を贈与したいと考えています。親権者Ａが子Ｂを代理して、自らと単純贈与契約を締結することは可能なのでしょうか。自己契約の禁止や親権者の利益相反行為の禁止などにより契約が無効とならないのか心配しています。

A 自己契約の禁止や利益相反行為の禁止に抵触せず、有効に贈与契約を締結することができます。

1　自己契約の禁止との関係

本件で、贈与者兼親権者であるＡが子Ｂを代理して、贈与契約を締結することは、贈与者の意思表示をＡが本人として行う一方で、受贈者Ｂのための意思表示をＡが代理人として行うこととなり、同一人物が契約を締結することとなります。法律的には、「自己契約」と呼ばれるものです。

（自己契約及び双方代理等）
民法108条　同一の法律行為について、相手方の代理人として、又は当事者双方の代理人としてした行為は、代理権を有しない者がした行為とみなす。ただし、債務の履行及び本人があらかじめ許諾した行為については、この限りでない。

自己契約は、原則として禁止されており、そのような行為は無権代理とされます。つまりは、契約の効果が本人（子Ｂ）に帰属しない（無効）こととなります。

しかし、自己契約の禁止の趣旨は、同一人物が契約を締結すると本人（未成年者）よりも、自分（親権者）の利益を優先するおそれが類型的に高いため、そのような行為を無効とする点にあります。

本件のような未成年者（代理される者）が受贈者となる単純贈与契約の場合、未成年者は利益しか受けないため、この趣旨はあてはまりませんので、親権者Aが未成年者Bを代理して、自らと贈与契約を締結することは自己契約の禁止に抵触しないと解されています。

2 利益相反行為の禁止との関係

一方で、親権者と未成年者の子との利益が相反する行為については、特別代理人の選任が必要とされています。

（利益相反行為）
民法826条　親権を行う父又は母とその子との利益が相反する行為については、親権を行う者は、その子のために特別代理人を選任することを家庭裁判所に請求しなければならない。

「利益が相反する行為」に該当するかは、親権者が子を代理した行為自体を外形的・客観的に考察して判定すべきとされています[9]。

そして、前述の自己契約の禁止に抵触しないことと同様に、子が受贈者となる単純贈与契約であれば、客観的に子の利益になることから、「利益が相反する行為」には該当しないと解されます。

9　最判昭和42年4月18日（民集21巻3号671頁）

3　まとめ

以上より、親権者Ａが子Ｂを代理して、自らと単純贈与契約を締結することは可能です。

なお、税理士の先生の場合、子Ｂに贈与税の納税義務が成立するという点から子Ｂに一定の義務が生じるものとして不安になられることが多いようですが、贈与契約の有効性の判断については、税額の発生は基本的に考慮されません。裁決事例[10]でも以下のように判断されています。

> 親権者が未成年の子に対して贈与する場合の贈与契約の成立について贈与契約は諾成契約であるため、贈与者と受贈者において贈与する意思と受贈する意思の合致が必要となる（民法第549条《贈与》）が、親権者から未成年の子に対して贈与する場合には、利益相反行為に該当しないことから親権者が受諾すれば契約は成立し、未成年の子が贈与の事実を知っていたかどうかにかかわらず、贈与契約は成立すると解される。

10　平成19年6月26日裁決　非公表裁決　TAINSコード：F0-3-218

Q&A 3

「書面」(による贈与)の意義と贈与の解除

Q 弟A(受贈者)は、兄B(贈与者)から甲社の株式を贈与すると言われたためそれを了承しました。ただし、贈与契約書は作成されていません。

しかし、その後Bは、Aに対して、贈与契約書の締結がないため、書面によらない贈与であるということで、契約を解除すると通知してきました。

一方で、Bは、甲社に対して株式譲渡承認請求書を送っており、その書面の中に「BがAに対して甲社の株式を無償で贈与する」旨の記載がありました。

確かに、贈与契約書の締結はしていないため、Aとしては甲社の株式は、あきらめるしかないでしょうか。

A Bの贈与契約の解除は認められず、Aは、甲社の株式を取得できると考えられます。

1 「書面」の意義

まず、AはBに対して、甲社の株式を贈与するとの意思表示に対してそれを了承していますから、本件では贈与契約自体は成立しています。

しかし、本件では贈与契約書の締結はされていません。書面によらない贈与契約は、履行前であれば解除することが可能です(3ページ参照)が、この「書面」とは、贈与契約書等に限られるのでしょうか。

この点について、判例[11]は以下のように判断しています。

11 最判昭和53年11月30日(民集32巻8号1601頁)

> 書面によらない贈与を取り消しうるもの[12]とした趣旨は、贈与者が軽率に贈与を行うことを予防するとともに贈与の意思を明確にし後日紛争が生じることを避けるためであるから、贈与が書面によつてされたものといえるためには、**贈与の意思表示自体が書面によつてされたこと、又は、書面が贈与の直接当事者間において作成され、これに贈与その他の類似の文言が記載されていることは、必ずしも必要でなく、当事者の関与又は了解のもとに作成された書面において贈与のあつたことを確実に看取しうる程度の記載がされていれば足りるもの**と解すべき……である。

つまり、「書面」による贈与とされる場合は、贈与契約書がある事案に限られないということとなります。

2　本件の譲渡承認請求書が「書面」にあたるか

本件は、譲渡承認請求書の中に「BがAに対して甲社の株式を無償で贈与する」旨の記載があります。この記載がある譲渡承認請求書が「書面」と評価されるのであれば、Bは贈与契約を解除できないこととなります。

一方で、本書面は、①Aの贈与の受諾の意思は読み取れないことや②BからAに対してではなく第三者である甲社に対して提出された文書であることから、「書面」と評価してよいのかという点に疑問が残ります。

(1) ①Aの贈与の受諾の意思が読み取れないこと

「BがAに対して甲社の株式を無償で贈与する」というのは、Bが贈与する意思があることを示すものではありますが、Aがその贈与を受諾するという点に関しては、明らかになっていません。

12　2004年民法改正前は、「取消スコトヲ得」という表現でした。

この点、判例[13]は、必ずしも受贈者の意思が表示される必要はないと判断しています。本件の譲渡承認請求書の記載では、Aがその贈与を受諾するという点は明らかとされていませんが、前述の判例でも、「贈与者が軽率に贈与を行うことを予防するとともに贈与の意思を明確にし後日紛争が生じることを避ける」ことが書面によらない贈与の解除を認めた趣旨とされていることからしても、受贈者の意思ではなく、贈与者の意思が明確に読み取れる文書であれば、「書面」と評価してよいでしょう。

(2) ②第三者である甲社に対して提出された文書であること

また、本件株式譲渡承認請求書は、贈与者Bから第三者である甲社に提出されたものであり、必ずしも受贈者Aはその作成等に関与していません。しかし、判例[14]の中には、売買により購入した不動産について、買主である贈与者が第三者である売主に対して、直接受贈者名義で所有権移転登記をするようにとの内容で差し出した文書についても、「書面」に該当すると判断しているものがあります。つまりは、贈与者の贈与の意思が明確になっている書面であれば、第三者に対するものであっても、書面によらない贈与について解除が認められることとされた趣旨は全うされることから、「書面」と評価してよいという判断をしているということでしょう。

3 まとめ

以上からすると、「BがAに対して甲社の株式を無償で贈与する」との記載がある本件譲渡承認請求書は、「書面」と評価できるものであり、Bの贈与契約の解除は認められず、Aは、甲社の株式を取得できると考えられます。

13 大判明治40年5月6日（民録13輯503頁）
14 最判昭和60年11月29日（民集39巻7号1719頁）

なお、譲渡承認請求書の会社法上の記載事項は、譲渡対象の株式の種類および数、並びに譲受人となりますので、贈与なのか売買なのかという点は必要的記載事項ではありません。実務上は、本件のように「贈与」という言葉が記載されているケースもありますが、譲渡承認請求書さえあれば問題がないという判断ではない点にご注意ください。

Q&A
4 書面によらない贈与における「履行の終わった」の意義

Q

（贈与者）Aは、不動産を（受贈者）Bに贈与すると伝え、Bはこれを了承しました。贈与契約書などの書面は作成しておりません。そして、不動産の引渡しは行いましたが、所有権移転登記手続きは未了の状態です。Aとしては、引渡し後、やはりBに対しての不動産の贈与をやめたいという考えに至りました。

この場合、所有権移転登記手続きが未了であることから「履行が終わった」とはいえないとして、Aは書面によらない贈与契約の解除をすることができるでしょうか。

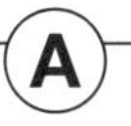

Aは贈与契約を解除することはできません。

1　事案の整理

本件では、Aは不動産をBに贈与する意思表示をし、それをBが了承していますから、贈与契約自体は成立しています。

一方で、贈与契約書などの書面は作成されていないということですので、書面によらない贈与契約に該当し、贈与者Aは、「履行の終わった部分」でなければ贈与契約を解除することが可能です。

本件では、不動産の引渡しはされているものの、贈与者Aの履行行為の重要な一部である所有権移転登記手続きはされていません。

仮に、「履行の終わった」というのが、贈与契約の完全な履行が完了した場合とされるのであれば、所有権移転登記手続きがされていない以上、贈与者Aは、贈与契約を解除できることとなります。

2 「履行の終わった」の意義

「履行の終わった部分」について、解除が認められないとされている趣旨は、書面によらない贈与であっても、贈与者の実際の行動を信頼した受贈者を保護する点にあるとされています。

そこで、「履行の終わった部分」とは、厳密な意味での履行の完了が必要なわけではなく、贈与者の贈与の意思が明確に表現されている外部的な行為態様が認められれば足りるという見解[15]が有力です。つまり、受贈者が贈与により財産を取得できることへの信頼を持つといえるだけの贈与者の外部的な行為態様があれば、もはや解除はできないということです。

判例[16]においても、所有権移転登記はされていないが、引渡しはされている事案において、「履行が終わった」とし、解除は認められていません。また、判例[17]では、引渡しがないが、所有権移転登記のみなされたという事案でも、履行が終了したと判断されています。

3 本件の結論

本件では、所有権移転登記手続きはされていないものの、実際に不動産の引渡しがあるため、贈与者Ａは贈与契約を解除することはできません。

15　潮見佳男　債権各論１第２版（新世社）102 頁
16　最判昭和 31 年１月 27 日（民集 10 巻１号１頁）
17　最判昭和 40 年３月 26 日（民集 19 巻２号 526 頁）

2 贈与契約と課税関係

ここまで贈与契約を民法の視点から解説しました。次に、贈与契約の課税関係や課税時期について解説します。

(1) 贈与契約の税目別課税関係

贈与契約である以上、贈与税がイメージされると考えられますが、その契約主体により、適用される税法が異なります。

①【贈与者：個人　受贈者：個人】の場合

a　贈与者(個人)への課税

贈与者である個人には、原則として、課税関係は生じません。

ただし、たな卸資産およびそれに準ずる資産の贈与の場合には、事業所得または雑所得の収入金額となります（所法40①一）。

b　受贈者(個人)への課税

受贈者である個人には、贈与税が課税されます（相法1の4①）。

②【贈与者：個人　受贈者：法人】の場合

a　贈与者(個人)への課税

贈与者である個人に対して、贈与時点における時価によって、資産の譲渡があったものとみなされ（所法59①一）、所得税が課税されます。

ただし、山林または譲渡所得の基因となる資産の移転があった場合に、贈与者の山林所得の金額、譲渡所得の金額または雑所得の金額の計算について、時価による譲渡とみなされるのみですので、金銭や金銭債権の贈与契約であれば、譲渡所得の対象となる「資産」とはならないため、課税関係は生じません。

なお、たな卸資産およびそれに準ずる資産の贈与の場合は、「①-a」と同様です。

b　受贈者（法人）への課税

受贈者である法人に対しては、贈与された財産の時価相当額の収益があったものとして法人税の益金となります（法法22②）。

③【贈与者：法人　受贈者：個人】の場合

a　贈与者（法人）への課税

法人が個人に対して、資産の贈与を行った場合には、「無償による資産の譲渡」（法法22②）に該当し、時価による譲渡がなされたものとして、その金額が益金となり、同額が贈与の理由や譲受人との関係により、寄附金、役員賞与、給与等となります。

なお、金銭または金銭債権の贈与の場合には、贈与額が贈与の理由や譲受人との関係により、寄附金、役員賞与または給与等となります。

b　受贈者（個人）への課税

贈与を受けた理由および贈与法人との関係性により、一時所得、給与所得または雑所得等になります。

④【贈与者：法人　受贈者：法人】の場合

a　贈与者（法人）への課税

基本的には「③-a」と同様となります。

ただし、受贈者が個人の場合と異なり、原則として寄附金となります。

b　受贈者（法人）への課税

「②-b」と同様となります。

(2) 負担付贈与契約の税目別課税関係

受贈者の負担が、贈与者に対して、経済的利益を発生させる場合には、その経済的利益の価額を対価として受贈者が対象財産を譲り受けた場合（低額譲渡の場合）と基本的には同様となります（91ページ参照）。

なお、負担付贈与は、その負担が第三者の経済的利益となるものも存在します（4ページ参照）。その場合、経済的利益について、第三者が贈与により取得したものとして、贈与者、受贈者及び第三者の属性（個人・法人）から各種課税を検討する必要があります。例えば、個人から第三者である個人が利益を得た場合には、負担相当額について、贈与税が課せられます（相法9、相基通9-11）。

不動産の負担付贈与の注意点は、Q&A35（246ページ）をご参照ください。

(3) 死因贈与契約の税目別課税関係

①受贈者が個人の場合

死因贈与により財産を取得した個人は、遺贈の受遺者と同様に相続税の納税義務者となります（相法1の3①一）。民事上は、贈与契約ですが、贈与税ではなく、相続税が課税されます。

②受贈者が法人の場合

死因贈与により財産を取得した法人については、財産の時価相当額が受贈益として、益金となります（法法22②）。

一方で、贈与者については、「**(1)②-a**」と同様に、時価による資産の譲渡があったものとみなされ（所法59①一）、譲渡所得税が課税されます。

③登録免許税、不動産取得税

不動産を相続人に死因贈与する場合には、遺言による場合と比較して、以下のとおり、登録免許税および不動産取得税が不利となります。

	死因贈与	遺言
登録免許税	一律 2.0％	法定相続人：　0.4％ 法定相続人以外：2.0％
不動産取得税	一律 4.0％	法定相続人：　非課税 法定相続人以外：4.0％

(4) 贈与税の納税義務の成立時期

①単純贈与の場合

民法上は、単純贈与契約の場合、口頭であったとしても、贈与契約の成立時点で、所有権は移転します。

しかし、贈与税の課税対象になるか否かは、税法特有の観点から判断されます。つまり、「贈与による財産の取得の時」（国通法 15②五）が納税義務の成立時期とされ、この「取得」は、相続税法２条の２の「取得」の解釈になります。これまで、多くの事例で、この「財産の取得の時」について裁判等で争われてきましたが、原則的には以下のとおりとなっています（相基通１の３・１の４共－8）。

○書面による贈与→契約（贈与）の効力が発生したとき

○書面によらない贈与→履行の時

書面によらない贈与の場合には、履行があるまでは、解除できてしまうので、財産の移転という贈与の効果は不確実な状態です（３ページ参照）。したがって、納税義務の成立時の「取得の時」の解釈としては、書面による贈与と異なり、その履行により、受贈者が贈与された財産を自己の財産として、現実に支配管理し、自由に処分することができる状態になった時とされます[18]。つまり、Q&A 3（15ページ）およびQ&A 4（19ページ）の「書面」の意義等は課税時期にも影響を及ぼすことになります。なお、課税実務では、「所有権等の移転の登記又は登録の目的となる財産について1の3・1の4共－8の(2)の取扱いにより贈与の時期を判定する場合において、その贈与の時期が明確でないときは、特に反証のない限りその登記又は登録があった時に贈与があったものとして取り扱うものとする。～以下省略～」（相基通1の3・1の4共-11）とされています。

②条件付贈与契約の場合

a　停止条件付贈与契約

停止条件付贈与契約は、前述（4ページ）のとおり、将来発生する未確定な条件が成就した場合に、贈与の効果（財産の移転）を発生させる契約です。発生未確定な条件が成就して初めて贈与の効果が発生します（民法127①）ので、条件が成就した時点が、「財産の取得の時」（国通法15②五）と解されます。

b　解除条件付贈与契約

解除条件付贈与契約は、前述（4ページ）のとおり、将来発生する未確定な条件が成就した場合に、一旦発生した贈与の効果（財産の移転）を消滅させる契約です。発生未確定な条件が成就すれば贈与の効果は消滅しますが、贈与契約の時点で、一旦は贈与の効果が生じているため、単純贈与契約と同様になります。

なお、解除条件が成就し、贈与の効果が消滅した事案において、後発的事由による更正の請求（国通法23②）を認めた裁決例[19]があります。

18　東京高判平成21年11月19日（税資259号順号11319）など
19　昭和61年2月27日裁決　裁決事例集No31・昭和61年分第1

(5) 主な贈与税の特例等の概要

①贈与税の非課税財産

以下の財産等は、非課税財産として、贈与税の課税対象から除外されています（相法21の３）。

ⅰ）法人からの贈与により取得した財産
ⅱ）扶養義務者相互間において生活費または教育費に充てるためにした贈与により取得した財産のうち通常必要と認められるもの
ⅲ）宗教、慈善、その他公益を目的とする事業を行う者が贈与により取得した財産で当該公益を目的とする事業の用に供することが確実なもの。ただし、その財産の取得後２年以内に公共目的の事業の用に供していない場合は、贈与税が課税されます。
ⅳ）特定公益信託で、学術に関する顕著な貢献を表彰するものとして、もしくは顕著な価値がある学術に関する研究を奨励するものとして財務大臣の指定するものから交付される金品で財務大臣の指定するものまたは学生もしくは生徒に対する学資の支給を行うことを目的とする特定公益信託から交付される金品
ⅴ）条例の規定により地方公共団体が精神又は身体に障害のある者に関して実施する共済制度で政令で定めるものに基づいて支給される給付金を受ける権利
ⅵ）公職選挙法の適用を受ける選挙における公職の候補者が選挙運動に関し贈与により取得した金銭、物品その他の財産上の利益で選挙運動に関する収入及び支出の報告書の提出による報告がなされたもの

②特定障害者に対する贈与税の非課税

特定障害者（特別障害者及び特別障害者以外の障害者のうち精神に障害がある者）の生活費などに充てるために、一定の信託契約に基づいて特定障害

者を受益者とする財産の信託があったときは、その信託受益権の価額のうち、特別障害者については6,000万円まで、特別障害者以外の特定障害者については3,000万円までが贈与税の課税価格に算入されないという制度があります（相法21の4）。

③贈与税の課税価格の基礎控除（暦年課税）

贈与税の課税価格の計算では、年110万円（相法21の5、措法70の2の4）が基礎控除されます。

④贈与税の配偶者控除（暦年課税）

婚姻期間が20年以上の夫婦の間で、居住用不動産または居住用不動産を取得するための金銭の贈与が行われた場合、基礎控除110万円のほかに最高2,000万円まで控除（配偶者控除）できるという特例があります（相法21の5、21の6、措法70の2の4）。

⑤直系尊属から教育資金の一括贈与を受けた場合の非課税措置

平成25年4月1日から令和8年3月31日までの間に、30歳未満の者（以下、「受贈者」）が、教育資金に充てるため、金融機関等との一定の契約に基づき、受贈者の直系尊属（父母や祖父母など。以下、「贈与者」）からⅰ信託受益権を取得した場合、ⅱ書面による贈与により取得した金銭を銀行等に預入をした場合またはⅲ書面による贈与により取得した金銭等で証券会社等で有価証券を購入した場合には、その信託受益権または金銭等の価額のうち1,500万円までの金額に相当する部分の価額については、取扱金融機関の営業所等を経由して教育資金非課税申告書を提出することにより、受贈者の贈与税を非課税とする措置があります（措法70の2の2）。

⑥直系尊属から結婚・子育て資金の一括贈与を受けた場合の非課税措置

平成27年４月１日から令和７年３月31日までの間に、18歳以上50歳未満の者（以下、「受贈者」）が、結婚・子育て資金に充てるため、金融機関等との一定の契約に基づき、受贈者の直系尊属（父母や祖父母など。以下、「贈与者」）からⅰ信託受益権を付与された場合、ⅱ書面による贈与により取得した金銭を銀行等に預入をした場合またはⅲ書面による贈与により取得した金銭等で証券会社等で有価証券を購入した場合には、信託受益権または金銭等の価額のうち1,000万円までの金額に相当する部分の価額については、取扱金融機関の営業所等を経由して結婚・子育て資金非課税申告書を提出することにより贈与税を非課税とする措置があります（措法70の２の３）。

⑦直系尊属から住宅取得等資金の贈与を受けた場合の贈与税の非課税

平成27年１月１日から令和８年12月31日までの間に、父母や祖父母など直系尊属からの贈与により、自己の居住の用に供する住宅用の家屋の新築、取得または増改築等（以下、「新築等」）の対価に充てるための金銭（以下、「住宅取得等資金」）を取得した場合において、一定の要件を満たすときは、新築等をする住宅用の家屋の種類ごとに一定の非課税限度額までの金額について、贈与税が非課税となります（措法70の２）。

⑧相続時精算課税制度

原則として60歳以上の父母または祖父母から、18歳以上の子や孫に対し、財産を贈与した場合において選択できる贈与税・相続税を通じた課税が行われる制度です。

この制度を選択する場合には、贈与を受けた年の翌年の２月１日から３月15日の間に一定の書類を添付した贈与税の申告書を提出する必要があります。ただし、令和５年度税制改正により、令和６年１月１日以降の贈与について、新設された相続時精算課税の基礎控除の範囲内の場合、贈与税申告書の提出は不要となりました。令和５年度税制改正の詳細については、Q&A ７「相続時精算課税における基礎控除の創設～令和５年度税制改正～」(40ページ) をご参照ください。なお、この制度を選択すると、その選択に係る贈与者から贈与を受ける財産については、その選択をした年分以降全てこの制度が適用され、「暦年課税」へ変更することはできません。また、この制度の贈与者である父母又は祖父母が亡くなった時の相続税の計算上、相続財産の価額にこの制度を適用した贈与財産の価額（贈与時の価額）を加算して相続税額を計算します。ただし、令和５年度税制改正により、令和６年１月１日以降の贈与については、新設された相続時精算課税の基礎控除制度等の影響を受けます。詳細については、Q&A ７「相続時精算課税における基礎控除の創設～令和５年度税制改正～」(40ページ) をご参照ください。

※相続時精算課税制度のあらましについては、次ページをご参照ください。

参考　相続時精算課税制度のあらまし

[令和5年4月1日現在法令等]

財産の贈与を受けた人は、次の場合に、財産の贈与をした人ごとに相続時精算課税を選択することができます。

相続時精算課税を選択できる場合(年齢は贈与の年の1月1日現在のもの)

- 財産を贈与した人(贈与者)　→　60歳以上の父母又は祖父母など(住宅取得等資金の贈与の場合には特例があります。)
- 財産の贈与を受けた人(受贈者)　→　18歳以上の者のうち、贈与者の直系卑属(子や孫など)である推定相続人又は孫(一定の納税猶予制度の適用を受ける場合には特例があります。)

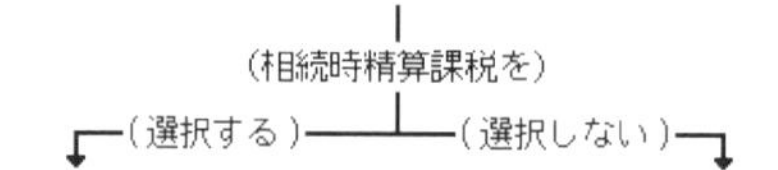

相続時精算課税	暦年課税
[贈与税] (1)　贈与財産の価額から控除する金額 特別控除額2,500万円 なお、前年までに特別控除額を使用した場合には、2,500万円から既に使用した額を控除した金額が特別控除額となります。 (2)　税額 特別控除額を超えた部分に対して一律20%の税率で計算します。	[贈与税] (1)　贈与財産の価額から控除する金額 基礎控除額　毎年110万円 (2)　税額 課税価格に応じ贈与税の速算表で計算します。
(相続時に精算)↓	
[相続税] 贈与者が亡くなった時の相続税の計算上、相続財産の価額に相続時精算課税を適用した贈与財産の価額(贈与時の価額)を加算して相続税額を計算します。 その際、既に支払った贈与税相当額を相続税額から控除します。なお、控除しきれない金額は還付を受けることができます。	[相続税] 贈与者が亡くなった時の相続税の計算上、原則として、相続財産の価額に贈与財産の価額を加算する必要はありません。 ただし、相続又は遺贈により財産を取得した者が、相続開始前3年以内に贈与を受けた財産の価額(贈与時の価額)は加算しなければなりません。

(注)　令和5年度税制改正により、令和6年1月1日以後に贈与により取得する財産に対する贈与税・相続税について、相続時精算課税に係る基礎控除を創設するなどの改正がされました。

〔出典：国税庁ホームページ　「参考　相続時精算課税制度のあらまし」〕

Q&A

5 定期贈与契約と贈与税

Q 親Aは、相続対策として子Bに基礎控除額（110万円）の範囲内で、毎年の金銭の贈与を考えています。これは、いわゆる定期贈与契約にあたり、最初の贈与のタイミングで贈与税が課税されるということはあるのでしょうか。

A 書面等で定期贈与契約であることが明確とされていない限り、「定期給付契約に関する権利」を取得したとして、贈与税を課税することは実務上困難であると考えます。

1 暦年贈与と定期贈与の課税の違い

暦年贈与とは、法律上の用語ではありませんが、暦年（1月1日～12月31日）ごとに贈与を行い、その贈与額が年間110万円以下であれば、贈与税が課税されないという制度（措法70の2の4、相法21の5）を指して利用されることが多いものです（26ページ参照）。

一方、定期贈与（契約）とは、一定期間ごとに財産を贈与することを約する契約をいいます（民法552参照）。例えば、1つの契約行為（契約）で、1,100万円を110万円に分けて10年で贈与するという契約をした場合です（3ページ参照）。定期贈与契約は、契約の時点で、将来財産を受け取る権利も含めて取得することとなるため、「定期金給付契約に関する権利」（相法24参照）を取得し、将来取得できる金額を現在価値に割り引いた額について贈与を受けたものとして、贈与税が課税されることとなります。

2 毎年贈与をするだけで定期贈与と認定されるのか

理論上は、毎年金銭の贈与をしていれば、事実認定とその評価において、ある一時点において、１つの契約行為（契約）で、定期贈与契約をしたと評価されることはあり得ます。

しかし、実際のところ、毎年、無償で財産が移転しているからといって、その都度の合意された暦年贈与契約ではなく、定期贈与契約であったという認定をすることは、書面などで定期贈与契約であることが明確となっていない限り、証拠からの事実認定およびその評価上困難です。

さらに、仮に定期贈与契約であったとしても、書面によりなされたものでなければ、書面によらない贈与契約となり（３ページ参照）、「履行の終わった部分」以外は贈与契約を解除することができることとなります（民法550）。つまり、１年目に110万円を支払ったとしても、それ以降の部分は「履行の終わった部分」と評価することは難しいと考えられます。現状の税務当局の見解も含めて、書面によらない贈与の場合は、履行時が納税義務の成立時期と解されている（24ページ参照）ことからしても、書面によらない場合、定期贈与契約であると認定して、「定期金給付契約に関する権利」として、贈与税を課税するというのは難しいものと考えます。

3　まとめ

したがって、定期贈与契約と認定し、「定期金給付契約に関する権利」の贈与として、贈与税を課税することは、書面などで定期贈与契約であると明確に認定できる場合を除き、難しいものと考えられます。単に親Ａは子Ｂに対して、毎年110万円以下で贈与をしているという事情のみで、定期贈与契約として課税することはできないものと考えます。

ただし、税務当局にあらぬ疑いをもたれないことや贈与の事実や名義財産等との関係もありますので、暦年贈与をする際には、必ず毎年、贈与契約書を作成することをおすすめします。

Q&A
6 暦年贈与の相続税の課税価格への加算～令和5年度税制改正～

Q 被相続人Aは、令和10年5月1日に死亡しました。

Aの相続人である長男Xと長女Yは、相続により相続財産を取得しますが、暦年贈与により以下の財産も取得していました。

贈与時期	①令和5年3月	②令和6月3月	③令和7年3月	④令和7年9月	⑤令和8年7月
長男X	110万円	150万円	110万円	150万円	200万円
長女Y	140万円	110万円	110万円	200万円	200万円

令和5年度税制改正により、相続税申告の課税価格に加算される暦年贈与が拡大されたと聞きました。この場合、相続税の課税価格にどのように加算が行われるのでしょうか。

なお、長男Xと長女Yは、相続時精算課税制度の選択をしていません。

A 長男Xの相続税の課税価格には、510万円が加算され、長女Yの相続税の課税価格には、520万円が加算されることとなります。

1 相続税の課税価格への暦年課税贈与の加算と令和5年度税制改正

(1) 令和5年度税制改正前の暦年課税贈与の相続税の課税価格への加算制度

まず、令和5年度税制改正による制度は、後述のとおり、令和6年1月1日以降の贈与に適用されることとなるため、当面の間、実務では、令和5年度税制改正前の制度と令和5年度税制改正後の制度を把握しておく必要があります。なお、同改正と同時期に、新たに相続時精算課税制度の年

110 万円の基礎控除が創設されました。相続時精算課税の改正も踏まえて、暦年課税制度と相続時精算課税の選択が実務上大きな意味を持つことになりましたので、Q&A ７「相続時精算課税における基礎控除の創設〜令和５年度税制改正〜」（40 ページ）も併せて参考にしてください。

①制度の概要と趣旨

相続または遺贈により財産を取得した者が**相続開始前３年以内に**その相続に係る被相続人から贈与により財産を取得している場合には、その者については、その者の相続税の課税価格にその贈与により取得した財産の価額を加算した金額をその者の課税価格とみなし、それに基づいて算出された相続税額からその加算に係る受贈財産について課税された贈与税額を控除した金額が納付すべき相続税額となるという制度です（旧相法 19①）。

贈与税は、相続税の補完税としての性質をもつという意味において、本来は相続時に相続税の課税上精算すべきという考え方から相続開始前３年以内の贈与について、相続税で調整しようという趣旨の制度となります。より要約すると相続開始前３年以内の贈与財産加算および贈与税額控除の制度ということになります。

②各要件と注意点

a 「相続または遺贈により財産を取得した者」

贈与財産加算制度の適用を受ける者は、被相続人から相続または遺贈により財産を取得した者に限られます。つまり、被相続人から相続または遺贈により財産を取得しなかった者については、この制度の適用がないということになります。

なお、この財産を取得した者の中には、生命保険金等の「相続または遺贈により財産を取得した者とみなされる者」（相法３等）、「相続または遺贈により取得した財産の価額より負担する相続債務の金額が大きいことにより相続税の課税価格（加算前のもの）が０である者」、および「相続または遺贈により相続税の非課税財産のみを取得した者」も含まれるので注意が必要です。

b 「加算される財産の価額」

加算の対象となる贈与により取得した財産は、相続税法21条の2第1項から3項（贈与税の課税価格）まで、同法21条の3（贈与税の非課税財産）および同法21条の4（特定障害者に対する贈与税の非課税）の規定により贈与税の課税価格の計算の基礎に算入されるものに限定されます。

例えば、暦年贈与の額が110万円の基礎控除額以下（26ページ参照）であっても、税務上のみなし贈与（90ページ参照）とされるものであっても、相続開始年の贈与により取得した財産であっても、その価額も加算の対象となります。なお、加算される贈与財産の価額は、贈与税の課税価格を基準とする以上、相続開始時ではなく、贈与時の価額ということになります（相基通19-1）。

一方で、以下の贈与財産は、加算の対象とはなりません。

①贈与税の非課税財産（相法21の3、26ページ参照）
②特定障害者に対する贈与税の非課税規定（相法21の4、26ページ参照）により特定障害者が特定障害者扶養信託契約に基づいて贈与により取得したものとみなされる信託受益権の価額のうち贈与税が非課税とされる6,000万円または3,000万円までの金額
③贈与税の制限納税義務者が贈与により取得した法施行地外に所在する財産
④特定贈与財産[20]（相法19条②）

20 特定贈与財産とは、贈与税の配偶者控除（相法21の6）対象となる贈与財産（27ページ参照）で控除された金額に相当する部分をいいます。なお、相続開始年中に贈与があった場合にも、一定の相続税申告手続きの下、相続税の課税価格に算入しないことが可能です（相法19②二）。

⑤直系尊属から教育資金の一括贈与を受けた場合の非課税措置の特例を受けた財産（措法70条の2の2、27ページ参照）
⑥直系尊属から結婚・子育て資金の一括贈与を受けた場合の非課税措置の特例を受けた財産（措法70条の2の3、28ページ参照）
⑦直系尊属から住宅取得等資金の贈与を受けた場合の贈与税の非課税の適用を受けた財産（措法70条の2③、28ページ参照）

c　みなし課税価格の計算の注意点（「債務控除」の適用）

相続税の課税価格に贈与財産の価額が加算された場合であっても、いわゆる債務控除（相法13①、②、④）の規定は、「当該相続又は遺贈により取得した財産については」とされていることから、加算された贈与財産の価額から控除することはできないと解されます（相基通19-5）。

したがって、相続または遺贈により取得した財産の価額から債務控除の対象となる金額を控除しきれない場合であっても、その控除しきれない金額は、加算される受贈財産の価額から控除することはできないので、注意が必要です。

d　贈与税額の控除

被相続人から贈与により取得した財産でその価額が相続税の課税価格に加算されたものについては、その取得につき課せられた贈与税がある場合には、このうち加算された財産に係る部分の金額が、その者の算出相続税額から控除されます（旧相法19①括弧書）。

控除額は、贈与により財産を取得した者に係る当該取得の日の属する年分の贈与税額に、当該財産の価額の合計額のうち同条の規定により相続税の課税価格に加算された部分の金額が当該年分の贈与税の課税価格に算入された財産の価額の合計額のうちに占める割合を乗じて算出した金額となります（旧同令4）。

なお、「課せられた贈与税の意義」として、令和５年度税制改正前において、課税当局は、以下のように定めていました。

> 旧相基通 19-6　法第 19 条に規定する「課せられた贈与税」には、相続開始前３年以内の贈与財産に対して課されるべき贈与税（法第36 条第１項及び第２項の規定による更正又は決定をすることができなくなった贈与税を除く。）も含まれるものとして取り扱うものとする。この場合において、当該贈与税については、速やかに課税手続をとることに留意する。

(2) 令和５年度税制改正

令和５年度税制改正により、令和６年１月１日以降の贈与について、相続または遺贈により財産を取得した者が**相続開始前７年以内に**その相続に係る被相続人から贈与により財産を取得している場合には、その者については、その者の相続税の課税価格にその贈与により取得した財産の価額（**相続開始前３年以内に取得した財産以外の財産については、当該財産の価額の合計額から 100 万円を控除した残額**）を加算した金額をその者の課税価格とみなし、それに基づいて算出された相続税額からその加算に係る受贈財産について課税された贈与税額を控除した金額が納付すべき相続税額となるという制度に改正されました（相法 19①）。

前述の従前の制度との違いは、加算対象となる贈与が７年以内に延長されたこと、３年超え７年以内の贈与については加算される額は、贈与財産の合計額から 100 万円を控除した額となることにあります。

後者に付随して、贈与税額の控除額の計算における「当該年分の贈与税の課税価格に算入された財産の価額の合計額のうちに占める割合を乗じて算出した金額」は、100 万円の控除前の金額を前提にすることとされています（相令4①括弧書、相基通 19-７）。そして、相基通 19-６は、以下のとおりとされました。

> 相基通19-6　法第19条第1項に規定する「課せられた贈与税」には、加算対象贈与財産に対して課されるべき贈与税（法第37条第1項及び第2項の規定による更正又は決定をすることができなくなった贈与税を除く。）も含まれるものとして取り扱うものとする。この場合において、当該贈与税については、速やかに課税手続きをとることに留意する。
> なお、法第19条第1項の規定の適用により相続税の課税価格に加算される相続の開始前3年以内に取得した財産以外の財産の価値が零となる場合であっても、当該財産に係る贈与税は、同項に規定する「課せられた贈与税」に含まれることに留意する。

(3) 令和13年1月1日より前の相続開始の場合の実務上の整理

令和5年度税制改正は、令和6年1月1日以後に贈与があった場合に適用されることとなります。実務的には、贈与の時期および贈与者の相続開始時から以下のように整理できます。

<table>
<tr><th colspan="2">贈与の時期</th><th>加算対象期間</th><th colspan="2">加算価額（100万円控除）</th></tr>
<tr><td colspan="2">令和5年12月31日まで</td><td>相続開始前3年</td><td colspan="2">控除なし</td></tr>
<tr><td rowspan="6">令和6年
1月1日以降</td><td>相続開始時期</td><td colspan="3"></td></tr>
<tr><td>令和6年1月1日
～令和8年12月31日</td><td>相続開始前3年</td><td colspan="2">控除なし</td></tr>
<tr><td rowspan="2">令和9年1月1日
～令和12年12月31日</td><td rowspan="2">令和6年1月1日
～相続開始日</td><td>3年以内分</td><td>控除なし</td></tr>
<tr><td>3年超え分</td><td>控除あり</td></tr>
<tr><td rowspan="2">令和13年1月1日以降</td><td rowspan="2">相続開始前7年</td><td>3年以内分</td><td>控除なし</td></tr>
<tr><td>3年超え
7年以内分</td><td>控除あり</td></tr>
</table>

2　本事例へのあてはめ

贈与時期	①令和5年3月	②令和6月3月	③令和7年3月	④令和7年9月	⑤令和8年7月
長男X	110万円	150万円	110万円	150万円	200万円
長女Y	140万円	110万円	110万円	200万円	200万円

本事例の場合、被相続人Aの相続開始時期は、令和10年5月1日になりますので、①～⑤すべての贈与は、7年以内になります。

(1) 贈与時期からの分析

まず、①から⑤の贈与のうち、①の贈与時期は、令和5年3月であり、令和5年12月31日までの贈与になりますので、令和5年度税制改正の適用対象となる贈与ではなく、かつ3年以内の贈与に該当しないため、相続税の課税価格への加算対象になりません。

それ以外の贈与は、令和6年1月1日以降の贈与のため、課税価格への加算対象となります。

(2) 相続開始時期と100万円控除

次に、②～⑤の贈与のうち、④および⑤は相続開始3年以内の贈与に該当する一方で、②および③の贈与は、3年超え（7年以内）の贈与となります。

したがって、④および⑤の贈与は、贈与財産全額が長男Xおよび長女Yの相続税の課税価格に加算される一方で、②および③の贈与は、贈与財産の合計額から100万円が控除された金額について、相続税の課税価格に加算されます。

(3) 長男X及び長女Yの相続税の課税価格に加算される金額

以上を整理すると、以下の金額が相続税の課税価格に加算されます。

長男X：(④150万円＋⑤200万円)［3年以内贈与］＋{(②150万円＋③110万円)－100万円}［3年超え（7年以内）贈与］
＝510万円

長女Y：(④200万円＋⑤200万円)［3年以内贈与］＋{(②110万円＋③110万円)－100万円}［3年超え（7年以内）贈与］
＝520万円

Q&A 7

相続時精算課税における基礎控除の創設～令和5年度税制改正～

Q

Ａ と Ｂ には、唯一の推定相続人である子 Ｘ がいます。

Ａ と Ｂ は、令和６年１月１日以降に Ｘ に対して同一年に生前贈与をしようと考えていますが、以下の場合の贈与税申告と相続税申告はどのようになるのでしょうか。

（1）Ａからの 110 万円の贈与について相続時精算課税を適用し、Ｂからの 110 万円の贈与について暦年課税を適用した場合

（2）Ａからの 110 万円の贈与について相続時精算課税を適用し、Ｂからの 110 万円の贈与についても相続時精算課税を適用した場合

令和５年度税制改正において、相続時精算課税の基礎控除が創設されたと聞きました。この場合の贈与税申告や相続税申告はどのようになるのでしょうか。

A

相続時精算課税と暦年課税の基礎控除は別の制度として設けられたこと、および相続時精算課税の基礎控除は特定贈与者ごとに全額適用ができるわけではないため、計算には注意が必要です。その後の相続税申告への影響を含めて、詳細は解説をご参照ください。

1 相続時精算課税の基礎控除の創設

従前は、相続時精算課税制度を選択した受贈者は、相続時精算課税の選択に係る贈与者（以下、「特定贈与者」）ごとに累積 2,500 万円の特別控除の範囲で、贈与税は課税されず、特定贈与者の相続発生時に相続税の課税価格に贈与時の価額を加算した上で、相続税が課税される制度（28 ページ参照）でした。

令和５年度税制改正により、相続時精算課税を選択した受贈者が、相続

時精算課税の選択に係る贈与者（以下、「特定贈与者」）から令和６年１月１日以後に贈与により取得した財産に係るその年分の贈与税については、暦年課税の基礎控除とは別に、贈与税の課税価格から基礎控除額110万円が控除される制度となり（相法21の11の2①、措法70の3の2）、基礎控除の範囲内の贈与価額については、特定贈与者の相続発生時に相続税の課税価格を加算する必要はないこととなりました（相法21の15①、②）。

2　相続時精算課税制度を選択した受贈者の贈与税申告

(1) Aからの110万円の贈与について相続時精算課税を適用し、Bからの110万円の贈与について暦年課税を適用した場合

Aからの110万円の贈与について相続時精算課税を適用し、Bからの110万円の贈与について暦年課税を適用した場合、Xが贈与を受けた年次の受贈額の合計は220万円となります。

相続時精算課税と暦年課税の基礎控除については、年間受増額を合算するのか否かという疑問も生じますが、前述の相続時精算課税制度の基礎控除の根拠条文は、暦年課税の基礎控除を排除するものでも、相互の関係を調整するものでもないことから、相続時精算課税と暦年課税の基礎控除は、別々に適用することが可能です。

したがって、Aからの相続時精算課税の贈与が相続時精算課税の基礎控除の範囲内であるとともに、Bからの暦年課税の贈与も暦年課税の基礎控除の範囲内であるため、２つの贈与がされた年次について、贈与税の課税は発生しないことはもちろんのこと、相続時精算課税贈与についても、基礎控除の範囲内であるため、贈与税申告をする必要もありません。

なお、相続時精算課税制度を初めて選択した年分の贈与の場合でも、基礎控除の範囲内である場合は、「相続時精算課税選択届出書」を提出するのみで足ります。

(2) Aからの110万円の贈与について相続時精算課税を適用し、Bからの110万円の贈与についても相続時精算課税を適用した場合

まずXは、相続時精算課税の贈与により、合計220万円の贈与を受けていますが、相続時精算課税の基礎控除は、特定贈与者ごとに110万円ではなく、同一年次の相続時精算課税による贈与の合計額で110万円までとなっています（相法21の11の2）。

そして、2名以上の特定贈与者からの贈与を受けた場合の課税価格から控除する金額の計算は、特定贈与者ごとの贈与税の課税価格が当該課税価格の合計額のうちに占める割合を乗ずるものとされています（相法21の11の2②、同令5の2）。

つまり、Aからの相続時精算課税による贈与の基礎控除額は55万円、Bからの相続時精算課税による贈与の基礎控除額は55万円となり、各々基礎控除を超えた金額（各55万円）が、各々の相続時精算課税の特別控除の累積金額に加算されることになります。

相続時精算課税の特別控除額の範囲内であれば、贈与年次にXへの贈与課税は発生しませんが、基礎控除を超える贈与があるため、贈与税申告自体は、行う必要があります（相法21の12②）。

3　特定贈与者の相続発生の相続税申告への影響

(1) Aからの110万円の贈与について相続時精算課税を適用し、Bからの110万円の贈与について暦年課税を適用した場合

①Aの相続発生時の相続税申告

AのXに対する相続時精算課税の贈与は、基礎控除の範囲内（110万円）であるため、相続税の課税価格に加算されません（相法21の15①、②）。

②Bの相続発生時の相続税申告

BのXに対する暦年課税贈与は、基礎控除の範囲内（110万円）です

が、相続開始前７年以内の贈与の場合には、相続税の課税価格に加算する必要があります。

なお、相続開始前３年以内に贈与された財産以外の財産について、当該財産の価額の合計額からの100万円控除などを含めた具体的な計算方法は、Q&A 6「暦年贈与の相続税の課税価格への加算～令和５年度税制改正～」(33ページ）をご参照ください。

(2) Ａからの110万円の贈与について相続時精算課税を適用し、Ｂからの110万円の贈与についても相続時精算課税を適用した場合

①Ａの相続発生時の相続税申告

ＡのＸに対する相続時精算課税の贈与は、基礎控除を超える55万円については、相続時の課税価格に加算されます（相法21の15①、②)。ただし、かかる贈与が、相続時精算課税の特別控除の範囲を超えていたため、贈与税が課された場合には、相続税額から贈与税額が控除されます（相法21の15③)。

なお、相続時精算課税による贈与の相続税の課税価格に加算される金額は、贈与時の価額となりますが、令和５年度税制改正において、特定贈与者から贈与により取得した土地または建物が、その贈与を受けた日から特定贈与者の死亡に係る相続税の申告書の提出期限までの間に災害によって相当の被害を受けた場合、その災害により被害を受けた部分に対応するものとして計算した金額を控除する特例が新設されました（措法70の3の3①)。

②Ｂの相続発生時の相続税申告

前述の「**3-(2)-①**　Ａの相続発生時の相続税申告」と同様です。

４　暦年課税と相続時精算課税について

令和５年度税制改正により、暦年課税贈与について、令和６年１月１日以降の贈与についての相続開始前７年以内の贈与の相続税の課税価格へ加算されることとなったこと（Q&A 6（33ページ参照））と相続時精算課税に基礎控除制度が創設されたことに伴い、これまで以上に、いずれの税制を選択するかが大きなポイントとなりました。さらに、従前のとおり、将来にわたる各種特例の利用等も視野に入れた上で、意思決定する必要があります。

両制度を多面的に比較した上で、どちらの税制を選択する意思決定を納税者がするかについての説明をする必要があるということになるでしょう。

3 名義預金と贈与契約

(1) 名義財産

相続税申告および税務調査などで特に問題となるものに名義財産があります。名義財産とは、特定の財産の名義人と実際の所有者等が異なる財産をいいます。例えば、相続人名義の財産が、実は被相続人の財産であるとされると、その財産について、相続税申告の対象となる相続財産となってしまうことになります。

名義財産は、税務上問題となることが多いのですが、もちろん民事上も遺産分割の対象財産となるのか等において、相続人間で紛争化し、様々な場面で問題となります。

名義財産にあたるか否かは、個別事案における事実認定とその総合評価により判断されるというのが近時の裁判例等の流れです。特に相続税における名義財産の事案では、以下の東京地判平成20年10月17日が先例性のあるものとして紹介されることが多いです。

○東京地判平成20年10月17日[21]

ある財産が被相続人以外の者の名義となっていたとしても、当該財産が相続開始時において被相続人に帰属するものであったと認められるものであれば、当該財産は相続税の課税の対象となる相続財産となる。

そして、被相続人以外の者の名義である財産が相続開始時において被相続人に帰属するものであったか否かは、**当該財産又はその購入原資の出捐者、当該財産の管理及び運用の状況、当該財産から生ずる利益の帰属者、被相続人と当該財産の名義人並びに当該財産の管理及び運用をする者との関係、当該財産の名義人がその名義を有することになった経緯等**を総合考慮して判断す

21 税資258号順号11053

るのが相当である。

当裁判例も含めて、これまで名義財産性が争点となった裁判例等により考慮されている主な考慮事項を整理すると以下のとおりです。

①対象財産の取得における出捐者は誰か
②財産を管理・運用する者は誰か
③財産から生ずる利益の帰属者は誰か
④出捐者、財産の名義人、財産の管理・運営をする者等の関係性（内部関係）
⑤名義人が名義を有することになった経緯等

名義財産について問題となる代表的な財産としては、預金、不動産および株式があります。

不動産および株式については、第４章および第５章で解説しますので、ここでは、名義預金について解説します。

(2) 名義預金と贈与

過去の裁判例や実務においては、名義預金が問題となるものとして、被相続人の預金を解約し、振替により作成された預金、現金の入金により作成された預金、生活費等の余剰資金により作成された預金など様々なパターンがあります。

前述の名義財産の判断基準を名義預金の考慮事由として、より具体化すると過去の裁判例等では、以下の事情などが考慮されています。

①対象財産の取得における出捐者は誰か

預金の原資を拠出している者が実際に誰かという問題です。

過去の裁決例[22]では、預金の原資を拠出している者が必ずしも明確ではない事案においても、拠出している可能性のある者の収入状況等などを比較検討し、誰か出捐者であるかを認定しているものなどがあります。

名義預金と贈与契約の関係が問題となるのは、この出捐者が被相続人であった場合です。出捐者から名義人となっている者への贈与契約に基づき金銭の贈与があり、その贈与を受けた金銭を対象口座に入金したに過ぎないと認定できる事例であれば、出捐者が被相続人であったとしても、名義財産性を否定する根拠となります。また、当初は名義預金であったとしても、ある特定の相続開始前の一時点において、贈与契約が認められるのであれば、その時点から名義財産ではないという評価になり得ます。

このような出捐者が被相続人であるという事案では、以下の②～⑤の要件は、この贈与の有無を判断する主な事情となります。

②財産を管理・運用する者は誰か

名義預金が問題となる事案においては、使用印鑑、キャッシュカード、預金通帳や証書、預金先金融機関からの通知書類などを保管していたのは誰かという点（管理）や対象口座の預金の預入、引出し、書換等をしていたのは誰かという点（運用）が考慮されます。管理・運用をする者が名義人であれば、名義預金を否定する重要な事実となります。

一方で、被相続人の妻が実際に運用している妻名義の口座について、東京地判平成20年10月17日[23]は、以下のように述べ、その他の事情などの関係から、妻が主体的に管理・運用していたとしても、対象口座が妻に帰属するものである決定的な要素とはいえないとするものがあります。

> 一般に、財産の帰属の判定において、財産の管理及び運用をだれがしていたかということは重要な一要素となり得るものではあるけれども、夫婦間においては、妻が夫の財産について管理及び運用をすることがさほど不自然で

22 平成19年10月4日裁決（裁決事例集No.74 255頁）
23 税資258号順号11053

> あるということはできないから、これを殊更重視することはできず……省略……決定的な要素であるということはできない。

この裁判例では、納税者および国の間でも相続財産として争いのなかった被相続人名義の口座についても、妻が管理および運用していたという事情があり、被相続人の財産と妻の財産を峻別する考慮事由として、預金の管理および運用を重視しにくい事案であったという事情も大きく影響しているものと考えられます。

③財産から生ずる利益の帰属者は誰か

名義財産性の判断の場合には、法定果実の受取人が誰であるのかという点も重要な考慮事由となります。

ただし、不動産から生じる賃料や株式の配当金などの法定果実と異なり、普通預金では、通常その名義預金が疑われる同一口座に利息が入金される上、定期預金の場合にも過去の裁判例等において、名義預金の判断に強い影響を及ぼしていると評価できるものは見当りません。

東京地判平成20年10月17日[24]でも、名義預金該当性が問題となっている定期預金に対する利息が、別途名義人に帰属する普通預金口座に入金されている事案でも、以下のように判断し、名義預金該当性の結論に影響を及ぼしていません。

> 本件「X」名義預金に係る各口座の一部において発生する利息が「X」名義の普通預金口座（なお、同普通預金口座の主要な原資はXの国民年金であり、同普通預金口座に係る預金はXに帰属するものということができる。）に入金されており、本件「X」名義預金等から生ずる収益の一部は「X」が取得していたということができるとしても、本件「X」名義預金等自体につ

24　税資258号順号11053

いては、なお「被相続人」に帰属する財産であったと認めるのが相当である。

※「X」、「被相続人」としたのは筆者。

④出捐者、財産の名義人、財産の管理・運営をする者等の関係性

過去の裁判例等からすると、この要素は、まさに各考慮要素を総合的に考慮するための個別事情として機能しています。例えば、②の財産の管理・運用をする者が出捐者と異なる場合に、どのような理由で財産を管理・運用しているのかなど、最終的な評価に強い影響を及ぼしています。

前述の②の考慮要素の説明の中で紹介した東京地判平成20年10月17日では、「夫婦間においては、妻が夫の財産について管理及び運用をすることがさほど不自然であるということはできない」などのある程度抽象的な関係性や「被相続人名義の口座についても、妻が管理及び運用していたという事情」(48ページ参照)などのより個別性の高い関係性を考慮して、最終的に②の考慮要素を重視しない評価をすることの理由とされています。

⑤名義人が名義を有することになった経緯等

過去の裁判例からすると、この要素も④の考慮要素と同様に総合考慮をするための個別事情として考慮されています。

例えば、前述の東京地判平成20年10月17日において、納税者が妻が老後の生活に不安を有していたことから、妻は被相続人から生前に本件定期預金の贈与を受けた旨主張しましたが、裁判所は「妻と被相続人の年齢差も考慮すると、被相続人は妻の生活について金銭的な面で心配を有していたものの、その心配は、主として自分が死んだ後のことについてのものであったということができるのであって、被相続人が、自分の死んだ後に妻が金銭的な面で不自由をしないように……自己に帰属する財産を妻名義にしておこうと考えたとしても、あながち不自然とはいい難い」とした上で、「実際に生前贈与をした土地建物の持分については贈与契約書を作成し、妻が●●●税務署長に対して同贈与によって納付すべき贈与税はない旨の申告書を提出していたのと異なり」、対象の定期預金については「そのような手続を何ら採っていないことも考慮すると、被相続人がその原資に係る財産を妻に対して生前贈与したものと認めることはできないというべきである」としています。

4　贈与契約の取消し・解除等と課税関係

贈与契約を締結した後にやはり契約の解除などをして、贈与契約をなかったことにしたいというケースも実務上はあり得ます。やや特殊なケースではありますが、その課税関係を含めて税理士の先生からご相談を受けることも非常に多いところです。取消しおよび解除に関する課税関係については、裁判例などでも統一的な見解が示されているとはいえない実務上の難問も多く存在します。ここでは、民事上の整理と課税通達の取扱いを解説した後、個別の問題についてQ&Aで解説します。

(1) 民事上の取消し・解除等

①法定取消権

法定取消権とは、民法等の法律で一定の要件によりその意思表示（法律行為）を、一方的に取消すことができる旨が定められているものです。

この法定取消権の行使の効果は、その意思表示時に遡って、当初からその意思表示が無効であったとされます（いわゆる遡及効）。つまり、法定取消権が行使されると民事上は、贈与契約が契約時からなかったものとされるわけです。

（取消しの効果）
民法121条　取り消された行為は、初めから無効であったものとみなす。

主な法定取消権としては、以下のようなものがあげられます。

a　錯誤による法定取消権（民法95）

錯誤による契約の効果は、2020年4月施行の民法（債権法）改正までは、当然に無効であるとされていました。一方で、旧民法時代から錯誤無効は、その主張権者が制限されるとする裁判例があるなど、その実態は取消しに近いものである等の指摘があり、民法改正により、法定取消権の１つとして改められました。つまり、取消権の行使がなければ、契約は無効とはならないという建付です。また、旧民法時代には、錯誤無効の要件自体も判例法理により整理され、条文上は明らかではなかった部分が多かったことから、これらの判例法理を踏まえて、民法改正により明文化されています。各要件の具体的な解説は、Q&A ８（64 ページ）をご参照ください。

特にこの法律行為の錯誤の問題と課税関係については、従来より多くの裁判例などで争いとなってきました。そして、現在においても、裁判例等が統一的な見解により整理されているとは言い難い状況となっています。また、平成 23 年国税通則法改正で通常の更正の請求期間が伸長されたことや 2020 年４月施行の民法（債権法）改正により錯誤の効果が「無効」から「取消事由」と改正されたことで、旧法下における過去の裁判例について、どこまで先例性が認められるものとして検証すべきかという点もこの問題を難しくさせています。この辺りについては、現状の整理と税理士の先生の対応について、私見も交えつつ Q&A で解説します（64 ページ）。

（錯誤）
民法95条　意思表示は、次に掲げる錯誤に基づくものであって、その錯誤が法律行為の目的及び取引上の社会通念に照らして重要なものであるときは、取り消すことができる。
一　意思表示に対応する意思を欠く錯誤
二　表意者が法律行為の基礎とした事情についてのその認識が真実に反する錯誤
２　前項第二号の規定による意思表示の取消しは、その事情が法律行為の基礎とされていることが表示されていたときに限り、することができる。

3　錯誤が表意者の重大な過失によるものであった場合には、次に掲げる場合を除き、第1項の規定による意思表示の取消しをすることができない。
一　相手方が表意者に錯誤があることを知り、又は重大な過失によって知らなかったとき。
二　相手方が表意者と同一の錯誤に陥っていたとき。
4　第1項の規定による意思表示の取消しは、善意でかつ過失がない第三者に対抗することができない。

b　詐欺または強迫（民法96）

（詐欺又は強迫）
民法96条　詐欺又は強迫による意思表示は、取り消すことができる。
2　相手方に対する意思表示について第三者が詐欺を行った場合においては、相手方がその事実を知り、又は知ることができたときに限り、その意思表示を取り消すことができる。
3　前2項の規定による詐欺による意思表示の取消しは、善意でかつ過失がない第三者に対抗することができない。

c　親権者の同意のない未成年者の法律行為等（民法5）

（未成年者の法律行為）
民法5条　未成年者が法律行為をするには、その法定代理人の同意を得なければならない。ただし、単に権利を得、又は義務を免れる法律行為については、この限りでない。
2　前項の規定に反する法律行為は、取り消すことができる。
3　第1項の規定にかかわらず、法定代理人が目的を定めて処分を

> 許した財産は、その目的の範囲内において、未成年者が自由に処分することができる。目的を定めないで処分を許した財産を処分するときも、同様とする。

②法定解除権

法定解除権とは、契約の相手方が約束を守らないなど、債務の不履行を根拠として契約を解除するものです。法定解除の効果としては、民法上は以下の条項があります。

> （解除の効果）
> 民法545条　当事者の一方がその解除権を行使したときは、各当事者は、その相手方を原状に復させる義務を負う。ただし、第三者の権利を害することはできない。
> ２　前項本文の場合において、金銭を返還するときは、その受領の時から利息を付さなければならない。
> ３　第１項本文の場合において、金銭以外の物を返還するときは、その受領の時以後に生じた果実をも返還しなければならない。
> ４　解除権の行使は、損害賠償の請求を妨げない。

この条文からは、法定解除権を行使した場合に、法定取消権と同様に契約時点に遡って契約はなかったものとなる（直接効果説）のか、法定解除権を行使した時に契約関係は遡及的に消滅することはなく、契約の終了と民法545条の原状回復義務等が発生するに過ぎない（間接効果説）のかについては、古くから学説の対立があります。2020年４月から施行された民法改正（債権法改正）でも、この点について明文は置かれず、解釈に委ねられている状態です。

しかし、近時の判例・実務は、法定解除権の効果として、契約時点に遡って、契約が遡及的に消滅するという直接効果説にほぼ確定している状態です[25]。税理士の先生としては、法定取消権と同様の効果があると考えていただければよいでしょう。

2020年4月に施行された民法改正（債権法改正）により、法定解除の規定が「催告による解除」および「催告によらない解除」という形で整理されました。

a　催告による解除（民法541）

（催告による解除）
民法541条　当事者の一方がその債務を履行しない場合において、相手方が相当の期間を定めてその履行の催告をし、その期間内に履行がないときは、相手方は、契約の解除をすることができる。ただし、その期間を経過した時における債務の不履行がその契約及び取引上の社会通念に照らして軽微であるときは、この限りでない。

いわゆる履行遅滞の場合の法定解除権となります。相手方が債務を履行してくれない場合には、相当の期間を定めて履行の催告をし、相手方に履行の機会を改めて与えた上で、それでも、履行されない場合に契約の解除を認めるという整理がされています。「相当の期間」というのは、その催告があれば通常は債務を履行できる期間をいいます。履行しない債務の性質にもよりますが、通常は1週間程度（不動産等の大きな取引で2週間程度）が想定されます。

また、その債務の不履行が軽微な場合にまで、契約の解除（契約の消滅）という相手方にとって重大な効果を発生させるべきではないという点から、債務の不履行が「軽微」と評価される場合には、契約の解除は認められないという建付にされています。これは、債務の不履行が軽微な場合には、契約の解除ではなく、損害賠償等の

25 「我妻・有泉コンメンタール民法」第6版（日本評論社）1131頁など

その他の救済手段を利用すればよいという発想に基づくものです。

なお、従来の民法では、契約の解除には、債務者の帰責事由が必要とされていましたが、2020年４月に施行された改正民法では、法定解除制度を債務の履行を怠った者に対する制裁ではなく、債権者を契約の拘束力から解放するものとして位置付けられ、債務者の帰責事由は不要と整理されました。

b　催告によらない解除（民法542）

（催告によらない解除）
民法542条　次に掲げる場合には、債権者は、前条の催告をすることなく、直ちに契約の解除をすることができる。
一　債務の全部の履行が不能であるとき。
二　債務者がその債務の全部の履行を拒絶する意思を明確に表示したとき。
三　債務の一部の履行が不能である場合又は債務者がその債務の一部の履行を拒絶する意思を明確に表示した場合において、残存する部分のみでは契約をした目的を達することができないとき。
四　契約の性質又は当事者の意思表示により、特定の日時又は一定の期間内に履行をしなければ契約をした目的を達することができない場合において、債務者が履行をしないでその時期を経過したとき。
五　前各号に掲げる場合のほか、債務者がその債務の履行をせず、債権者が前条の催告をしても契約をした目的を達するのに足りる履行がされる見込みがないことが明らかであるとき。
２　次に掲げる場合には、債権者は、前条の催告をすることなく、直ちに契約の一部の解除をすることができる。
一　債務の一部の履行が不能であるとき。
二　債務者がその債務の一部の履行を拒絶する意思を明確に表示したとき。

一方で、履行遅滞の場合には、催告により履行の機会を与えた上で解除する構成でしたが、履行の機会を与えても契約の目的が達成されることが不可能またはその可能性が低い類型の債務不履行については、催告なしで直ちに解除できる場合として整理されています。

この視点で民法542条を読んでいただければその趣旨が読み取れると思います。

なお、催告によらない契約解除の場合にも、2020年4月に施行された改正民法により、債務者の帰責事由が不要となったことは、催告による契約解除と同様です。

③合意解除

契約の成立後、当事者の合意によって、契約をなかったことにしましょうという合意をして、契約関係を消滅させるものです。

法定取消権や法定解除権の行使と異なり、契約を消滅させる際に当事者の合意により消滅させるというものです。その効果については、民事上の契約関係はあくまでも当事者の問題ですので、当事者間で当初から契約はなかったことにしましょうという合意をすれば、当事者間において、遡及的に契約がなかったこととする合意は可能です。ただし、当初の契約も合意であり、さらにそれを消滅させるのも合意（契約）であるという側面から、特に課税関係との関係で、これを１つ目の契約がなくなったと評価するのか、それとも２つの契約として評価するのかなど、難しい問題があります。そのような意味で、合意解除を当初の契約時点の事由（法定取消権）や当初の契約内容が遵守されないこと（法定解除権）による場合と同様に解することができるのかという点については難しい問題があります。具体的な検討は、Q&A 9（84ページ）で行います。

(2) 贈与契約の取消し・解除と税務通達上の取扱い

①法定取消権および法定解除権

法定取消権および法定解除権（以下、「法定取消権等」)）による贈与契約の取消し等があった場合については、「名義変更等が行われた後にその取消し等があった場合の贈与税の取扱いについて」[26]（以下、「名義変更通達」）に規定が存在します。

a　名義変更通達8（法定取消権等に基づいて贈与の取消しがあった場合の取扱い）

> （法定取消権等に基づいて贈与の取消しがあった場合の取扱い）
> 名義変更通達８　贈与契約が法定取消権又は法定解除権に基づいて取り消され、又は解除されその旨の申出があった場合においては、その取り消され、又は解除されたことが当該贈与に係る財産の名義を贈与者の名義に変更したことその他により確認された場合に限り、その贈与はなかったものとして取り扱う。

「名義変更通達８」は、贈与税の確定申告前に取消し等があった場合について、贈与をなかったものと扱うとしています。

ただし、民事上は法定取消権等の行使により、対象の贈与契約は遡及的に消滅しますが、税務上は、贈与による財産の取得に経済的な担税力を見出して課税するという税法の特性から、取得した財産から経済的利益の享受が継続している限りは、法定取消権等の行使があったとしても、贈与をなかったものとして扱うことは困難でしょう。東京高判平成13年3月15日[27]も、以下のように判示しています。

26　昭和39年5月23日直審（資）22・直資68
27　税資250号順号8857

> 贈与税は、贈与契約等の原因行為そのものにではなく、その結果として取得した経済的成果に担税力を認めて課税するものであるから、仮に原因行為が実体的に無効であるとしても、当該経済的成果が原因行為の無効を基因として現実に除去されない限り、贈与税の課税物件（課税客体）を欠くことにはならないものと解するのが相当である。

「名義変更通達８」は、この点の実務上の把握方法として、「当該贈与に係る財産の名義を贈与者の名義に変更したことその他により確認された場合に限り」という限定を付しています。

b　名義変更通達９（贈与契約の取消し等があったときの更正の請求）

> （贈与契約の取消し等があったときの更正の請求）
> 名義変更通達９　贈与税の申告又は決定若しくは更正の日後に当該贈与税に係る贈与契約が「８」に該当して取り消され又は解除されたときは、国税通則法第23条第２項の規定による更正の請求ができるのであるから留意する。

「名義変更通達９」は、確定申告後に贈与契約の法定取消し等があった場合でも、国税通則法23条２項の後発的事由による更正の請求の対象となる旨定めています。より具体的にいうと、同法施行令６条１項２号に定められている「契約が～解除権の行使によって解除され～又は取り消されたこと」に該当するものとしているといえます。

なお、国税通則法23条２項の後発的事由による更正の請求は、通常の更正の請求（国通法23①）の期間制限の特例に過ぎないと解されているため[28]、通常の更正の請求をすることも可能ということ

28　東京高判昭和61年７月３日（訟月33巻４号1023頁）

となります。

c　「錯誤」取消と通達の関係

前述のとおり、2020年４月施行の民法（債権法）の改正により、「錯誤」の効果は、「無効」から「取消し」に改められました。つまり、名義変更通達は、錯誤については、「法定取消権」とはなっていない時期に定められたものです。名義変更通達の運用について定められた「『名義変更等が行われた後にその取消し等があった場合の贈与税の取扱いについて』通達の運用について[29]」（以下、「運用通達」）という通達でも、名義変更通達８の運用について、錯誤の場合を明示的には規定していません。

特に、民法改正前の「税負担の錯誤」による錯誤無効と課税関係については、従前より裁判例などでも、納税者にとって厳しい判断がされてきている経緯があります。この点について、民法改正の影響等も踏まえて、Q&A ８（64ページ）で解説します。

②贈与契約の合意解除

贈与契約を合意解除した場合についても、名義変更通達に定めがあります。

a　名義変更通達11（合意解除により贈与の取消しがあった場合の取扱い）

> （合意解除により贈与の取消しがあった場合の取扱い）
> 11　「８」に該当して贈与契約が取り消され、又は解除された場合を除き、贈与契約の取消し、又は解除があった場合においても、当該贈与契約に係る財産について贈与税の課税を行うことに留意する。

名義変更通達11では、法定取消権又は解除権に基づく以外の場合における解除等の場合、つまり合意解除がされた場合であって

29　昭和39年７月４日直審（資）34直資103

も、贈与税の課税を行う旨を定めています。

これは、合意解除が前述のとおり、当事者による解除契約という新たな契約により財産を移転させるものであるという性質（57ページ参照）から、税務当局の運用としてはそのように取り扱うものとしていると考えられます。しかし、この運用が理論上正しいものなのかという点については税法上疑問があります（Q&A 9（84ページ）参照）。その点も考慮してか、運用通達により、以下の特例が定められています。

b　運用通達 4（合意解除等による贈与の取消しがあった場合の特例）

（合意解除等による贈与の取消しがあった場合の特例）

4　通達「11」により、贈与契約が合意により取り消され、又は解除された場合においても、原則として、当該贈与契約に係る財産の価額は、贈与税の課税価格に算入するのであるが、当事者の合意による取消し又は解除が次に掲げる事由のいずれにも該当しているときは、税務署長において当該贈与契約に係る財産の価額を贈与税の課税価格に算入することが著しく負担の公平を害する結果となると認める場合に限り、当該贈与はなかったものとして取り扱うことができるものとする。

(1) 贈与契約の取消し又は解除が当該贈与のあった日の属する年分の贈与税の申告書の提出期限までに行われたものであり、かつ、その取消し又は解除されたことが当該贈与に係る財産の名義を変更したこと等により確認できること。

(2) 贈与契約に係る財産が、受贈者によって処分され、若しくは担保物件その他の財産権の目的とされ、又は受贈者の租税その他の債務に関して差押えその他の処分の目的とされていないこと。

(3) 当該贈与契約に係る財産について贈与者又は受贈者が譲渡所得又は非課税貯蓄等に関する所得税その他の租税の申告又は届出を

していないこと。
(4)　当該贈与契約に係る財産の受贈者が当該財産の果実を収受していないこと、又は収受している場合には、その果実を贈与者に引き渡していること。

運用通達４では、原則としては、名義変更通達11に従い合意解除があった場合にも贈与税の課税を行うことになりますが、(1)～(4)の要件を満たす場合には、「税務署長において当該贈与契約に係る財産の価額を贈与税の課税価格に算入することが著しく負担の公平を害する結果となると認める場合に限り、当該贈与はなかったものとして取り扱うことができる」旨を定めています。つまり、贈与税の申告期限まで（(1)参照）に、贈与契約がなかった経済的な状態に復されている（(2)～(4)）場合に、税務署長が認めれば、贈与は例外的になかったものと扱うとされています。

この運用通達からすると、本来は税法上課税されるものについて、税務当局が納税者に有利な取扱いを例外的に認めて「あげる」ような規定ぶりとなっています。しかし、租税法律主義の観点からこのような解釈が適切なのかについては疑義があるところです（Q&A９（84ページ）参照）。

③取消し・解除に伴う財産の移転と贈与

名義変更通達12（贈与契約の取消し等による財産の名義変更の取扱い）

（贈与契約の取消し等による財産の名義変更の取扱い）
12　贈与契約の取消し、又は解除により当該贈与に係る財産の名義を贈与者の名義に名義変更した場合の当該名義変更については、「8」から「11」までにより当該贈与がなかったものとされるかどうかにかかわらず、贈与として取り扱わない。

法定取消権や法定解除権であれば、贈与者又は受贈者の一方的な行為によって贈与契約が遡及的に消滅することから、その契約の取消し・解除に基づいて受贈者から贈与者に名義が復帰したとしても、その復帰を捉えて、当初の贈与契約の贈与者に対して贈与税が課税されるものとは取り扱わないという当然のことを定めた規定となります。

一方で、合意解除については、名義変更通達11で原則として、当初の贈与契約が存在するものとして取扱うこととしている以上、解除契約に基づいて当初の受贈者から贈与者に財産の贈与があったとみることが理論的には素直ですが、この点については贈与としては扱わない旨定めています。

Q&A 8 税負担の錯誤の要件該当性と課税関係

Q

Xは、保有する非公開会社の株式（以下、「本件株式」）について、Yと贈与契約を締結しました。Yは、本件株式については、税務上の配当還元方式（特例評価方式）による評価額（合計約1,000万円）で評価した上で、贈与税を計算すれば足りるとの認識で当該贈与契約をしていました。

しかし、契約締結後に、贈与税計算における本件株式の評価は、原則的評価方式による評価額（合計約9,000万円）となることが判明しました。

この場合、Yは、錯誤を主張して贈与契約を取消すことが可能でしょうか。また、贈与契約を取消した場合の贈与税申告や更正の請求の可否について教えください。

A

錯誤の要件を満たせば、錯誤による贈与契約を取消すことが可能です。一方で、その取消権の行使を国に主張できるのかという点については、解説をご参照ください。

1　税負担の錯誤により、民事上の契約の取消しができるか

まず、錯誤に基づく贈与契約の取消しに関して、課税関係を検討するとしても、その前提として、民事上の錯誤による取消権の要件を充足しているのかを吟味する必要があります。

ここでは、2020年4月から施行されている民法（債権法）改正を前提として、錯誤による取消権の行使の要件などもあわせて解説します。

(1)「錯誤」の有無

法律行為（意思表示）は、自己の内心で欲する法律効果を表示する行為により成立するものです。契約の例でいうと、契約の当事者間でこの表示行為が合致することで契約が成立することとなります（贈与契約については2ページ参照）。

錯誤とは、この内心で欲する法律効果と実際の表示が不一致を起こしている状態を指します。つまり、契約の錯誤の問題は、双方の意思表示自体は合致しており、契約の成立要件について問題はないが、片方（又は双方）の欲している法律効果とその表示が不一致を起こしている場合に、例外的にその契約をなかったこと（取消し）とすることができるかという問題です。

民法95条1項は、錯誤の類型として以下の2つを定めています。

①意思表示に対応する意思を欠く錯誤 ②表意者が法律行為の基礎とした事情についてのその認識が真実に反する錯誤

①意思表示に対応する意思を欠く錯誤（表示行為の錯誤）

典型的な錯誤の類型です。例えば、Aという商品を100円で購入したいという意思を有していた買主が、誤って1,000円で購入するとの契約書を作成し、締結してしまったという場合です。

②表意者が法律行為の基礎とした事情についてのその認識が真実に反する錯誤（動機の錯誤）

動機の錯誤については、民法改正前には明文はありませんでしたが、判例法理により、動機が両当事者に表示され、その契約の前提となっている場合に限り、「錯誤」にあたるとされていました。民法（債権法）改正により、この判例法理が明文化され、表示行為の錯誤と異なり、動機の錯誤に基づく意思表示を取消すためには、さらに「その事情が法律行為の基礎とされていることが表示されていた」（同条２項）ことが必要と明記されました。なお、この表示されていたことには、黙示による表示も含まれるとされています。

③本件における税負担の錯誤

本件のＸとＹの間の契約では、Ｘは本件株式を無償で与える意思の下、贈与の意思表示をし、Ｙも当該株式を無償で譲り受ける意思の下、受諾の意思表示をしていることから、表示行為の錯誤にはあたりません。

一方で、Ｙが、贈与契約を締結するに際して、本件株式の贈与税の評価額が配当還元方式による評価額とすることが可能であるとの認識で贈与契約を締結していることから、契約の基礎とした事情についての認識が真実に反するといえ、動機の錯誤があるものといえるでしょう。税負担の錯誤が、民事上の動機の錯誤の対象となるのかという点については、判例[30]もこれを認めています。また、動機の錯誤ですから、「その事情が法律行為の基礎とされていることが表示されていた」ことが必要となりますので、ＹがＸと贈与契約を締結するにあたり、本件株式について、税務上の配当還元方式（特例評価方式）による評価（合計約1,000万円）が可能であることを前提としていたことが表示されている必要があります。契約書にその旨の明示があることは稀ですから、税負担の錯誤に関する裁判例などでは、贈与を検討する際の税理士事務所や税務署に対するアドバイスを求めた際の経緯や贈与の経緯から、少なくとも黙示による表示があったかが検討されます。基本的にＸとＹが、親族である等の場合で贈与税が多額になり得るケースでは、ＸはＹに対する贈与税の負担についても黙示的に認識していることが多いでしょうから、税負担の錯誤の場合、動機の表示自体は認められることが多いでしょう。

30　最判平成元年９月14日（民集157号555頁）

(2) 錯誤の重要性

錯誤に基づく意思表示の取消しが認められるには、単に(1)の錯誤があればよいというものではなく、その錯誤が「法律行為の目的及び取引上の社会通念に照らして重要なもの」(同条1項柱書)であるときに限られています。「重要なもの」といえるためには、当該錯誤がなければ表意者はその意思表示をしなかったこと(主観的因果性)かつ通常一般人も、その意思表示をしなかったといえる程度に重要であること(客観的重要性)が必要です。

本件についても、Yが本件株式については、税務上の配当還元方式(特例評価方式)による評価額(合計約1,000万円)で評価できるからこそ、当該贈与契約を締結し、真実の原則的評価方式による評価額(合計約9,000万円)であったら契約を締結しなかったといえるのであれば、主観的因果性は認められます。この辺りについては、Yの資産状況なども考慮されますが、贈与契約を行うか否かの検討として、特例評価方式での評価を前提としていたということであれば、認められるケースが多いでしょう。

一方で、客観的重要性についても、真実の評価額が9,000万円と高額であることや内心の1,000万円という評価額と9倍もの乖離があることからすると、基本的には認められると考えられます。

(3) 表意者に重大な過失がある場合とその例外

前述の要件を満たしたとしても、表意者に重大な過失があった場合には、意思表示を取消すことができないとされています(同条3項柱書)。ただし、改正民法は、表意者に重大な過失があったとしても、例外的に取消しが認められる場合についても定めています。

①表意者の重大な過失

重大な過失とは、通常の注意をしていれば錯誤に陥ることはなかったにもかかわらず、不注意の程度が著しい状態であったために錯誤に陥ったことをいいます。表意者に重大な不注意がある場合にまで、意思表示の相手方の犠牲のもと、表意者を保護するのは適切ではないという考えに基づくものです。

この「重大な過失」の認定は、贈与契約当時の当事者の状況などを踏まえた上での事実認定と評価の問題とされます。税負担の錯誤についての事案において、この点が争いとなったものとして、高知地判平成17年２月15日[31]とその控訴審である高松高判平成18年２月23日[32]があります。

地裁判決は、以下のとおり、税理士等の専門家に相談していないことを理由に重大な過失を認めています。

> 原告が贈与税を課されることはないと誤信していたとしても……本件出資口の実際の価値及び原告甲が贈与税を課されないことが、原告らにとって重要な要素であったのであるから、原告らとしては……贈与税を課されるか否かについて、税理士等の専門家に相談するなどして十分に調査、検討をすべきであり、そのような調査、検討を十分に行わないまま、安易に課税されないものと軽信した場合は、通常人であれば注意義務を尽くして錯誤に陥ることはなかったのに、著しく不注意であったために錯誤に陥ったものとして、重大な過失が認められる。

一方で、高裁判決では、以下のとおり、受贈者（Y）の年齢、契約がなされた経緯やＸの状況、Ｘから税務署から了解を得た旨を聞いていたことなどから、過失はあるものの重過失までは認められないとしています。

> 税理士や公認会計士といった税務会計の専門家ではなく、その知識もない通常人が、Ａ鉄工所の会計帳簿類をもとに、評価通達に従って上記各方式による評価額を算出することは著しく困難であることは明らかである。そし

31　税資255号順号9932
32　税資256号順号10328

て、Ｙらは、税理士や公認会計士といった税務会計の専門家でもなければ、その知識もない通常人であり……省略……しかも、本件……契約当時、本件会社にはいわゆる顧問税理士はいなかったのである。……契約当時、Ｙは19歳……であり、このようなＹらの当時の年齢や、Ｘが白血病に冒され、余命幾ばくもないという状況のもと、Ｘが自分なりに調査して本件出資口の売買代金額を１口当たり１万5,000円とすることを提案し、その際、事実関係の詳細は不明というほかはないものの、南国税務署に相談に行って了解を得た旨の話をしたというのである。

以上検討したところによれば、Ｙらは、本件売買契約を締結するに当たり、売買代金額やＹに贈与税を課されるか否かについて、税理士等の専門家に相談するなどして十分に調査、検討をすべきであったにもかかわらず、税理士等の専門家に相談するなどしなかったという点において、過失のあることは否定できないところである。

しかしながら、Ｙらが税理士等の専門家に相談するなどしなかったのは、白血病に冒され、余命幾ばくもないＸが自分なりに調査をし、南国税務署に相談に行って了解を得た旨の話をしたことなどから、本件出資口……を１口当たり１万5,000円とすることを了承したものであって、一応の調査、検討はしているのであるから、当時のＹらの置かれていた立場や年齢をも考慮すると、Ｙらの上記懈怠が著しく不注意であって重大な過失であると認めることはできない。

なお、その他の裁判例でも、税理士の助言があった場合にはその誤りを納税者が直ちに気付くことは容易ではないとして、重過失までは認められないとされています。

②重大な過失があっても取消しが認められる例外

ただし、前述のとおり、改正民法は、表意者に重大な過失があるとしても、以下の場合には、その例外として、取消しを認めています。以下のような相手方に対しては、取消しを認めたとしても、相手方の犠牲は小さいという考えに基づくものです。

> ・相手方が表意者に錯誤があることを知り、又は重大な過失によって知らなかったとき（同条3項1号）
> または
> ・相手方が表意者と同一の錯誤に陥っていたとき（同条3項2号）

本件のような税負担の錯誤の事案では、XとYが親族関係等にあり双方が錯誤に陥っている事案が多いと思われます。その場合、Yに重過失があっても、錯誤取消しの要件は満たされることとなります。この点、前述の重過失を認めた高知地判平成17年2月15日[33]では、「契約当事者双方が錯誤に陥っている場合には、重過失ある当事者が、錯誤無効を主張し得るとする明文の根拠はな」いことを理由に、双方が錯誤に陥ってる場合の要件該当性を否定しましたが、民法（債権法）改正により明文が設けられたことから裁判所もこのような認定はできないこととなりました。

(4) 民事上の錯誤取消権の要件整理

民事上の錯誤取消しが認められる要件を整理すると、次ページの図のとおりとなります。

民事上は、YはXに対して錯誤による贈与契約の取消しをすることができる可能性が高いこととなります。一方で、その場合に、課税上どのように扱われるかについては、難しい問題があります。

なお、「**2**」以下の税務上の整理は、あくまでもここまで見た民事上の錯誤取消しの要件を満たしている前提のものです。不動産等の贈与の場合、登記簿上の錯誤等により贈与者に対して不動産登記が回復していたと

33　税資255号順号9932

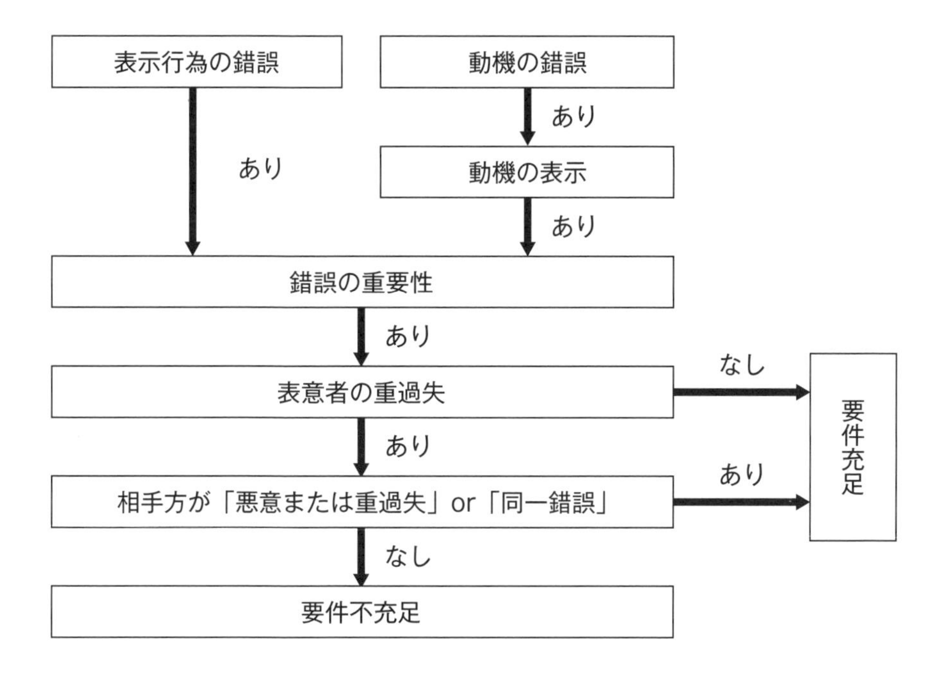

しても、これは登記申請の方法により当事者が行っているものに過ぎませんので、民事上本当に錯誤取消しの要件を満たすのかは別途検討が必要です。

2　税負担の錯誤により贈与契約が取消された場合と課税関係

民事上、税負担の錯誤による取消しの要件が認められる以上、法定取消権の行使として、名義変更通達8および9によると、贈与による経済的利益を消失させれば、贈与はなかったものとして、確定申告を行うことも更正の請求をすることも認められるように思われます（58ページ参照）。

しかし、過去の裁判例において、特に申告期限後の場面（更正の請求等）における税負担の錯誤無効（民法改正前）の主張は、国（納税義務）との関係では、原則として認められない旨判断されてきました。ただし、この点については、必ずしも、裁判例等が統一する見解により整理されているとまではいえない状況です。また、平成23年国税通則法改正で通常の更正の請求期間が伸長されたことや民法（債権法）改正により錯誤の効果が「無効」から「取消し」と整理されたことによる影響等から過去の裁判例をどの程度、先例性のあるものとして評価できるのかということも検証が必要です。税理士の先生が実務上どのように扱うべきかを含めて、過去の裁判例の分析などから私見も含めて解説します。

(1) 申告期限前に錯誤取消しがあった場合

まず、申告期限前に法定の要件を満たす錯誤による取消権の行使があった場合、通常の法定取消権が行使された場合と同様に、贈与はないものと扱うことができると考えられます。

税負担の錯誤の問題であったとして、後述 (2) の裁判例等が、錯誤の主張を認めない理由は、申告納税制度の維持にあることから、申告期限前であればそのような問題は生じないからです。

ただし、錯誤による法定取消権を行使したとしても、納税者の担税力に課税するという税法独自の観点から、贈与により発生している受贈者の経済的成果を現実に除去している必要があります。

なお、東京高判平成13年３月15日[34]も、以下のように判示しています。

> 贈与税は、贈与契約等の原因行為そのものにではなく、その結果として取得した経済的成果に担税力を認めて課税するものであるから、仮に原因行為が実体的に無効であるとしても、当該経済的成果が原因行為の無効を基因として現実に除去されない限り、贈与税の課税物件（課税客体）を欠くことにはならないものと解するのが相当である。

34　税資250号順号8857

本件においては、本件株式の株券の返還（297ページ参照）や株主名簿の名義を戻していることなどが必要でしょう。

(2) 申告期限後の錯誤取消権の行使

①大阪地判平成16年8月27日[35]および大阪高判平成17年5月31日[36]

当裁判例は、原告が出資持分の評価額が極めて低額であるとの錯誤によって締結した贈与契約は無効（旧民法）であり、その贈与契約が有効であることを前提としてなされた贈与税の更正およびそれに基づく加算税の賦課決定は取消されるべきであると主張した事案の地裁判決と高裁判決です。

地裁判決および高裁判決とも、結論として、以下のとおり、申告納税方式を採用している趣旨から、法定申告期限経過後に税負担の錯誤を理由とする無効を主張することは許されないものとしています。

○大阪高判平成17年5月31日

申告納税方式を採り、申告義務の違反や脱税に対しては加算税等を課して、適正な申告がされることを期している我が国の租税制度の下において、安易に納税義務の発生の原因となる法律行為の錯誤無効を認めて納税義務を免れさせることは、納税者間の公平を害するとともに、租税法律関係を不安定にし、ひいては申告納税方式の破壊につながるものといえる。したがって、納税義務者は、納税義務の発生の原因となる私法上の法律行為を行った場合、同法律行為の際に予定していなかった納税義務が生じたり、同法律行為の際に予定していたものよりも重い納税義務が生じることが判明したとしても、**その法定申告期間を経過した後に、かかる課税負担の錯誤が上記法律行為の動機の錯誤であるとして、同法律行為が無効であることを主張することは許されないものと解する**のが相当である。

35　税資254号順号9726
36　税資255号順号10042

つまり、旧民法下における民事上の錯誤無効の要件が充足されるとしても、確定申告期限が経過した場合には、国（納税義務）との関係では、これを主張できないものと解しています。

この裁判例の考え方を前提とすると、本件について、Ｙは錯誤により贈与契約を取消したとしても、申告期限後であれば更正の請求等をすることはできないということとなりそうです。

②高松高判平成18年2月23日[37]

当裁判例は、税務上の配当還元評価額の金額で、有限会社の出資口を売買したところ、税務上は原則的評価によるべきであるとして、その差額について、みなし贈与（相法７）に該当するとした贈与税の決定処分および無申告加算税の賦課決定について、納税者が旧民法下の錯誤無効を主張し、取消しを求めた事案です。

当裁判例も、民事上錯誤により売買契約が無効であるとしても、国との関係では、法定申告期限経過後は、それを主張できないものとしています。そして、その妥当性について、以下のように判示しています。

> すなわち、私人間の経済取引については、常に税負担を考えて行うものである。そして、取引当事者間において、どのような取引形態（法律行為）をとれば、両当事者の税負担が最も少なくて済むか、十分に検討を加えた上で、一定の取引形態（法律行為）を決め、それを前提に申告をするのが通常である。
>
> ところが、法定申告期限を経過した後に、当事者の予期に反して、課税当局から、当事者が予定していなかった納税義務が生じるとか、予定していたものよりも重い納税義務が生じることを理由に、更正処分がなされた場合に、この課税負担の錯誤が当該法律行為の要素の錯誤に当たるとして、当該

37　訟月52巻12号3672頁

> 法律行為の錯誤による無効を認め、一旦発生した納税義務の負担を免れることを是認すれば、そのような錯誤の主張を思いつかない一般的な大多数の納税者との間で著しく公平を害し、租税法律関係が不安定となり、ひいては一般国民の素朴な正義感に反することになる。
>
> それゆえ、当該法律行為が錯誤により無効であることを法定申告期間を経過した時点で主張することを許さず、既に確定している納税義務の負担を免れないと解するのが相当である。

この裁判例は、前述①裁判例の流れを汲むものとなっています。

③東京地判平成21年2月27日[38]

当裁判例は、相続の遺産分割について、株式の価額につき配当還元方式による評価を前提として相続人らがした当初の遺産分割の合意（以下、「第1次遺産分割」）に基づき、相続税の各申告をしたが、通達に従い議決権のない株式数を除外して計算すると配当還元方式の適用を受けられず、類似業種比準方式による高額な評価を前提として課税されることにつき錯誤があったため、配当還元方式の適用を受けられるように各相続人が取得する株式数を調整した新たな遺産分割の合意（以下、「第2次遺産分割」）をした事案です。納税者は、第2次遺産分割に基づき、法定申告期限後、更正の請求、修正申告をしましたが、処分行政庁から、当初の各申告に係る各更正処分および過少申告加算税の各賦課決定処分がなされたため、第1次遺産分割について、税負担の錯誤により無効であることを理由に、その取消を求めました。

当裁判例では、まず、前述「1」の民法の錯誤の要件を充足していることが認定されています。そして、民法上の錯誤無効に基づき、確定申告期限後の更正の請求ができるかという点について、以下のように判断してい

38　判タ1355号123頁

ます。

> 納税義務の発生の原因となる遺産分割の効果を前提として相続税の申告がされた後、法定申告期限後に、当該遺産分割の要素の錯誤による無効を主張して相続税額の減額更正をするには、法定の更正の請求の事由のいずれかに該当することを要するところ、例えば分割内容自体の錯誤が要素の錯誤に該当することにより当該遺産分割が無効とされる場合には、課税の根拠となる相続財産の取得を欠くことになるから、国税通則法23条１項１号にいう「当該申告書に記載した課税標準等若しくは税額等の計算が国税に関する法律の規定に従つていなかつたこと」との事由に該当することとなり、その結果、「当該申告書の提出により納付すべき税額（中略）が過大であるとき」に該当するときは、同号の規定による更正の請求をすることができるものと解される……これに対し、分割内容自体の錯誤と異なり、課税負担の錯誤に関しては、それが要素の錯誤に該当する場合であっても、我が国の租税法制が、相続税に関し、申告納税制度を採用し、申告義務の懈怠等に対し加算税等の制裁を課していること、相続税の法定申告期限は相続の開始を知った日から原則として10月以内とされており、申告者は、その間に取得財産の価値の軽重と課税負担の軽重等を相応に検討し忖度した上で相続税の申告を行い得ること等にかんがみると、法定申告期限を経過した後も、更なる課税負担の軽減のみを目的とする課税負担の錯誤の主張を無制限に認め、当該遺産分割が無効であるとして納税義務を免れさせたのでは、租税法律関係が不安定となり、納税者間の公平を害し、申告納税制度の趣旨・構造に背馳することとなり……申告納税制度の趣旨・構造及び税法上の信義則に照らすと、申告者は、法定申告期限後は、課税庁に対し、原則として、課税負担又はその前提事項の錯誤を理由として当該遺産分割が無効であることを主張することはできず、例外的にその主張が許されるのは、分割内容自体の錯誤との権衡等にも照らし、**①申告者が、更正請求期間内に、かつ、課税庁の調査時の指摘、修正申告の勧奨、更正処分等を受ける前に、自ら誤信に気付いて、更正**

の請求をし、②更正請求期間内に、新たな遺産分割の合意による分割内容の変更をして、当初の遺産分割の経済的成果を完全に消失させており、かつ、③その分割内容の変更がやむを得ない事情により誤信の内容を是正する一回的なものであると認められる場合のように、更正請求期間内にされた更正の請求においてその主張を認めても上記の弊害が生ずるおそれがなく、申告納税制度の趣旨・構造及び租税法上の信義則に反するとはいえないと認めるべき特段の事情がある場合に限られるものと解するのが相当である。

当裁判例は、通常の遺産分割内容の錯誤と異なり、税負担の錯誤については、原則として、申告期限後の錯誤無効の主張は、国（納税義務）との関係では認められないが、以下のような例外的な場合には、錯誤無効による更正の請求も認められるものとして、納税者の主張を認めて、国の更正処分及び加算税の賦課決定を取消す判断をしました。

①申告者が、通常の更正請求期間内に自ら誤信に気付いて更正の請求をしていること
②更正請求期間内に、分割内容の変更をして、当初の遺産分割の経済的成果を完全に消失させていること
③分割内容の変更がやむを得ない事情により誤信の内容を是正する一回的なものであると認められること

これまでの確定申告期限後である以上、税負担の錯誤の事案に関しては、一切錯誤無効の主張を認めないとする裁判例の流れから、申告納税制度の趣旨により無条件には認められないとする一方で、例外的に錯誤無効に基づく更正の請求を認めたという意味で意義のある判決です。

ただし、当該裁判例は通常の更正の請求期間が１年という短期間であった時期のものであり、平成23年国税通則法改正により通常の更正の請求期間が伸長された（原則５年・贈与税６年）ことから早期の租税法律関係

の安定という要素を考えるとこの裁判例を先例としてよいのかという点に疑問はあります。筆者としては、国税通則法が通常の更正の請求の期限を伸長し、その期間における是正を認めているのであるから、同様に解すべきであると考えます。

④最判平成30年9月25日[39]

当判例は、給与所得に係る源泉所得税の納税告知処分について、法定納期限の経過後に当該源泉所得税の納付義務を成立させる支払の原因となる行為の錯誤無効を主張してその適否を争うことができるかが争点となった事案です。

この事案は、納税告知処分という源泉徴収方式によるものですので注意が必要ですが、最高裁は以下のとおり判断しています。

> 給与所得に係る源泉所得税の納付義務を成立させる支払の原因となる行為が無効であり、その行為により生じた経済的成果がその行為の無効であることに基因して失われたときは、税務署長は、その後に当該支払の存在を前提として納税の告知をすることはできないものと解される。そして、当該行為が錯誤により無効であることについて、一定の期間内に限り錯誤無効の主張をすることができる旨を定める法令の規定はなく、また、法定納期限の経過により源泉所得税の納付義務が確定するものでもない。したがって、給与所得に係る源泉所得税の納税告知処分について、法定納期限が経過したという一事をもって、当該行為の錯誤無効を主張してその適否を争うことが許されないとする理由はないというべきである。……以上と異なる見解の下に、上告人が法定納期限の経過後に本件債務免除の錯誤無効を主張することは許されないとした原審の判断には、法令の解釈適用を誤った違法があるものといわざるを得ない。

39　民集72巻4号317頁

当判例は、結論としては、法定納期限が経過した後に錯誤無効の主張は認められないとした高裁の判断に誤りがあるとしつつも、納税者から納税告知処分が行われた時点までに、経済的成果がその無効であることに基因して失われた旨の主張がなかったことから、取消し自体は認めませんでした。

当判例は、申告納税方式に関するものではないことから、申告納税制度の趣旨から錯誤無効の主張を制限するこれまでの裁判例自体を否定するものではないと考えられますが、「一定の期間内に限り錯誤無効の主張をすることができる旨を定める法令の規定はなく」という部分の理由については、申告納税方式によるケースでも当てはまる部分はあります。

なお、当判例の補足意見では、民事上の錯誤の要件が充足されることが前提の議論であることへの注意喚起がなされています。

⑤分析と私見

まず、裁判例の全体としては、申告納税制度の趣旨から、申告納税方式を採用する税との関係では、申告期限後に税負担の錯誤により納税義務の内容が変更されることには、消極的な態度を採用しています（特に前述の裁判例①・②）。

しかし、課税は特段の税法の規定がない限り、民事上の法律関係に即して行われるという租税法律主義の観点から、法律行為が無効であって当該行為により生じた経済的成果が消滅している場合には、法律行為により一旦は生じた経済的成果に対して課税することはできないと考えるのが原則であるところ、申告納税制度の趣旨や租税負担の公平という曖昧な理由で、憲法上の要請であるところの租税法律主義を後退させる取扱いが許されるのかという点について、批判的な見解[40]が多いことも事実で、筆者も同様の見解です。

この辺りの理論上の曖昧さが残ることから、税負担の錯誤の問題である

40 判タ最判平成30年9月25日解説等（判タ1456号46頁）

ことのみから、一律に申告期限後の更正の請求を認めないというのは問題があるとして、一定の限度での例外を認めるようになってきているという流れにつながっているように思われます（前述裁判例③参照）。当裁判例③では、通常の更正の請求期限が１年である時期のものではありますが、通常の更正の請求期限が伸長された前提でも同様に考えることができれば、より広い範囲で、税負担の錯誤による更正の請求が認められることとなります。

また、以下のとおり、民法（債権法）改正により、錯誤の効果が「無効」ではなく法定取消権として整理されたことにより、より更正の請求を制限する理論上の根拠が薄弱となったものと考えられます。

(3) 民法(債権法)改正の影響

前述のとおり、2020年４月に施行された民法（債権法）により、錯誤の効果は「無効」から「取消し」へと変更となりました。本書の執筆時点において、この点を論じる書籍や論文等は見当たりませんが、筆者としては今後の実務等への影響が生じる可能性がある問題と考えています。

例えば、前述「(2)-③」の裁判例等において、通常の更正の請求のみではなく、国税通則法23条２項３号の後発的事由による更正の請求が認められるかも争点となっています。

（更正の請求）
国税通則法23条　……省略……
２　納税申告書を提出した者又は第25条（決定）の規定による決定（以下この項において「決定」という。）を受けた者は、次の各号のいずれかに該当する場合（納税申告書を提出した者については、当該各号に定める期間の満了する日が前項に規定する期間の満了する日後に到来する場合に限る。）には、同項の規定にかかわらず、当該各号に定める期間において、その該当することを理由として同項の規定による更正の請求（以下「更正の請求」という。）をすることができる。
一　……省略……
二　……省略……
三　その他当該国税の法定申告期限後に生じた前２号に類する政令で定めるやむを得ない理由があるとき　当該理由が生じた日の翌日から起算して２月以内
～以下、省略～

国税通則法施行令６条　法第23条第２項第３号（更正の請求）に規定する政令で定めるやむを得ない理由は、次に掲げる理由とする。
一　……省略……
二　その申告、更正又は決定に係る課税標準等又は税額等の計算の基礎となつた事実に係る契約が、解除権の行使によつて解除され、若しくは当該契約の成立後生じたやむを得ない事情によつて解除され、又は取り消されたこと。
～以下、省略～

裁判例③では、「国税通則法23条２項３号及び同法施行令６条１項２号の規定による更正の請求は、当該法律行為が有効に成立した後に後発的事由によってその効力の喪失その他の法律関係の変動が生じた場合に、課税の内容をその変動後の法律関係に適合させるための更正の手続であるところ……錯誤無効は、後発的事由ではなく、原始的事由であるから、国税通則法23条２項３号及び同法施行令６条１項２号に掲げる事由には当たらないものと解される」という理由で、後発的事由に基づく更正の請求を否定しています。これは税負担の錯誤無効による後発的事由による更正の請求を否定する根拠としてよく述べられる理由です。

しかし、民法改正前においては、そもそも契約が「無効」と解されており、契約後のある一定時点において、契約の効果が消滅するのではなく、そもそも契約行為時点で無効であった一方で、民法改正により法定取消権へと変更され、錯誤に陥った者の取消権の行使により、契約が消滅することとなったため、民法改正後においてこの理由により、後発的事由に基づく更正の請求を否定することはできなくなりました。

また、施行令６条の「又は」、「若しくは」の法律用例からすると、「(A若しくはB) またはC」という読み方となりますので、「取り消されたこと」について制限が付されておらず、法定取消権全般を含むと解さざるを得ない構造となっています。立法による手当なく、錯誤による取消しによる後発的事由に基づく更正の請求を認めないことは、まさに明文規定に反することとなり、租税法律主義の観点から、これまでの裁判例の考え方を維持することができるのかという点には大きな疑問があります。一方、後発的事由による更正の請求は、通常の更正の請求の期間の特例に過ぎないと解されていることからすると、後発的事由として税負担による錯誤取消が含まれるのであれば、通常の更正の請求も可能であると解さざるを得ないこととなります。

もちろん、明文の規定に反してでも、申告納税制度の趣旨という抽象的な理由から、裁判所が税負担の錯誤による更正の請求等を認めないという判断を維持する可能性自体を否定することはできませんが、仮に納税者がこの主張をした場合に裁判所がどのような理由で国税通則法施行令６条事由に該当しないという論理を展開するのか（できるのか）という点は、今後注目しておかなければならない点でしょう。

この点については、今後の実務や議論の動向を注視していく他ないところですが、実務家としては、問題点の把握はしておいた方がよいでしょう。

3 税理士の実務上の対応

前述のとおり、税負担の錯誤がある場合の法定取消権と課税関係については、裁判例や民法（債権法）改正などから、不明確な状態にあり、今後の議論や実務の蓄積が待たれるところです。前述のとおり、これまでの裁判例では、税負担の錯誤を主張することによる更正の請求等について消極的なものが多いため、現状を理解し、お客様が意思決定できるだけの説明責任を果たした上で、案件を進める必要があるでしょう。

Q&A

9 贈与契約の合意解除と贈与税

Q

（贈与者）兄Aと（受贈者）弟Bは不動産の単純贈与契約を締結し、契約に基づき所有権移転登記も経ています。しかし、AとBの間で、やはり当該贈与契約はなかったことにしたいと考えています。AとBは、当該贈与契約を合意解除しようと考えていますが、その場合の贈与税申告や申告期限後の更正の請求などについて教えてください。

A

合意解除と贈与税の関係における税務当局の考え方は60ページをご参照ください。ただし、税務当局の考え方には税法解釈上の疑義が存在します。詳細は以下の解説をご覧ください。

1 合意解除の民事的性質と税務当局の考え方

法定取消権や解除権と異なり、贈与契約の合意解除は、贈与契約を締結した後、当事者（AとB）の新たな合意により、当初の贈与契約を遡及的に消滅させるものです（57ページ参照）。

税務当局は、合意解除の場合、原則として、当初の贈与契約が存在していることを前提に贈与税が課税されるものと解しています。そして、贈与税の申告期限前に、合意解除がなされ、「合意解除等による贈与の取消しがあった場合の特例」（61ページ参照）により、税務署長が認めれば、贈与はなかったものと例外的に扱うことができると考えているようです（62ページ参照）。

2　申告期限前の贈与契約の合意解除と贈与税申告

税務当局の考え方からすると、仮に申告期限前にＡとＢが合意解除をし、経済的状態が回復されているとしても、「税務署長において当該贈与契約に係る財産の価額を贈与税の課税価格に算入することが著しく負担の公平を害する結果となると認める場合に限り」、贈与はなかったものとして扱うこととなります。裏を返せば、税務署長において、認められないと判断した場合には、原則のとおり、贈与税の課税対象となるということを前提としているようです。

しかし、民事上の合意解除の効力としては、契約当時から贈与契約を遡及的に消滅させることとなると解されていることからすると、申告期限前に贈与契約が解除され、贈与契約前の経済的状態に復されていれば、これに課税するという解釈は困難なものと考えられます。

なお、税務当局の理解の前提として、当初の贈与契約（A→B）が存在し、かつ新たな解除合意（B→A）により、私法上の遡及効は別としても、税法上は２つの贈与を観念するということであれば、同一の課税期間で２つの贈与課税を行うという理解になりますが、そのような取扱いはなされていません（「名義変更通達12」（62ページ参照））。

3　申告期限後の合意解除による更正の請求の可否

前述の税務当局の考え方を前提とすると、申告期限後の合意解除の場合において、贈与税の更正の請求は認められないこととなります。

しかし、この点については、税負担の錯誤による更正の請求（73ページ参照）のように、租税法律主義等との関係において、見解の対立があります。

(1) 通常の更正の請求期間経過後の後発的事由による更正の請求

まず、通常の更正の請求期間（申告期限から６年）を経過後に、合意解除による後発的事由による更正の請求が認められるには、法定取消権や法定解除権と異なり、「当該契約の成立後生じたやむを得ない事情によつて解除」（国通法23②三、同令６二）されたことが必要です。

この「やむを得ない事情」については、同施行令６条２号の他の事由が法定取消権や法定解除権であることに照らし、裁判例[41]等では、「合意解除が、法定の解除事由がある場合、事情の変更により契約の効力を維持するのが不当な場合、その他これに類する客観的理由に基づいてされた場合にのみ、これを理由とする更正の請求が認められるものと解するのが相当」とされており、単なる主観的な事情等による場合は含まれないと解されています。例えば、税負担などが重いこと等は主観的な事情に過ぎず、「やむを得ない事情」とはいえません。

現状の通常の更正の請求期間が伸長された状況[42]おいては、通常の更正の請求期限後に単純贈与契約[43]を解除する「やむを得ない事情」というのは、なかなか想定できません。通常の更正の請求期間経過後にＡとＢが合意解除をすることで更正の請求が認められることは通常ないものと考えられます。

(2) 通常の更正の請求期間内の更正の請求

通常の更正の請求期間内（申告期限から６年以内）に、合意解除による更正の請求をする場合、後発的事由による更正の請求と同様に合意解除に「やむを得ない事情」が必要か否かという点について対立があります。

通常の更正の請求の要件は、単に「課税標準等若しくは税額等の計算が国税に関する法律の規定に従つていなかつたこと又は当該計算に誤りがあ

41　東京高判昭和61年７月３日（訟月33巻４号1023頁）
42　平成23年国税通則法改正によるもの
43　負担付贈与契約については25ページ参照

つたことにより……納付すべき税額……が過大であるとき」（国通法23①一）とされていることから、合意解除の民事上の効果が贈与契約を遡及的に消滅させるものである以上、別途、後発的事由として求められる「やむを得ない事情」は不要であるとする見解[44]（以下、「不要説」）とここにいう「国税に関する法律の規定に従つていなかつたこと又は当該計算に誤りがあつたこと」とは、申告における原始的瑕疵を意味するものとして、合意解除の場合には通常の更正の請求の期間内であっても、「やむを得ない事情」が求められるという見解[45]（以下、「必要説」）です。

私見としては、平成23年国税通則法改正により通常の更正の請求期間が伸長されたことから、通常の更正の請求期間内の合意解除による通常の更正の請求を無制限に認めると、課税関係の早期安定や租税負担の公平などに反する面もあるものの、法解釈としては、後発的事由による更正の請求が一定の要件を充足する場合の通常の更正の請求期間の特例に過ぎず、合意解除の民事上の効果が遡及的消滅である以上、不要説が妥当なものと考えざるを得ないように思われます。

ただし、批判も強い裁判例ですが、税負担を理由とする合意解除について、大阪高判平成17年5月31日[46]は以下のように判示しています。

> 本件贈与の合意解除の事実が認められるとしても、合意解除は、納税義務の発生の原因となる法律行為について、同法律行為の当事者間の事後的な合意により、同法律行為を解消させるものであり、申告納税方式を採り、申告義務の違反や脱税に対しては加算税等を課して、適正な申告がされることを期している我が国の租税制度の下において、不適正な納税をしようとした者が、予想と異なる課税がされることが判明したことを理由として、安易に納税義務の発生の原因となる法律行為の事後的な合意解除の効果を認めて、当

44　武田昌輔監修ＤＨＣコンメンタール国税通則法第１巻（第一法規）1445の３頁、関根稔「合意解除と法定解除」税理28巻8号145頁
45　今村隆「錯誤または合意解除による無効主張の可否」税理42巻6号196頁
46　税資255号順号10042

> 該納税義務を免れさせることは、納税者間の公平を害するとともに、租税法律関係を不安定にし、ひいては申告納税方式の破壊につながるものといえる。したがって、納税義務者は、納税義務の発生の原因となる私法上の法律行為を行った場合、その法定申告期間を経過した後に同法律行為を、上記のような理由で事後的に合意解除したとしても、その効果を主張して当該納税義務を免れることは許されないものと解するのが相当である。

当裁判例は、法定申告期限後の合意解除全般について、「やむを得ない事情」が必要と解しているものなのか、税負担が予想と異なったという理由による合意解除のみ錯誤無効と同様に（73ページ参照）税法上は認めないものとするものなのかは必ずしも明らかではありませんが、法定申告期限後に合意解除をすることで、納税義務を免れることは許されないものと解しています。

なお、仮に更正の請求が認められると解されるとしても、合意解除があったのみでは足りず、贈与契約の経済的成果を消失させていることが必要となりますので注意が必要です。

4　税理士の実務上の対応

民事上の合意解除の性質などから、私見としての税法解釈としては、通常の更正の請求においては「やむを得ない事情」は不要と解さざるを得ないと考えますが、前述のとおり税務当局は、合意解除の場合には、原則として当初の贈与契約について、贈与税が課税されるものと解しているものと考えられます。税理士の先生としては、税負担の錯誤（73ページ参照）と同様に前述の議論の状況を理解し、お客様が意思決定できるだけの説明責任を果たした上で、業務を行う必要があるでしょう。

第 2 章

税法上の「みなし贈与」等

1 税法上の「みなし贈与」

第1章では、民法上の贈与契約とその課税関係などを中心に解説しました。民法上の贈与契約がなされれば、それに対する課税関係が生じますが、税法は、納税者の担税力に着目するため、相続税法上は実質的に贈与契約により財産を取得した場合と同様に評価される場合には、それに応じて、課税関係が生じる仕組み（いわゆる「みなし贈与」）となっています。

本章では、相続税法上の「みなし贈与」となるものを中心に、必要に応じてその他の税法の課税関係にも触れつつ、その代表的なものを解説します。

（1）生命保険金（相法５）

生命保険契約の保険事故（死亡を伴わない傷害疾病を除く）または損害保険契約の保険事故（偶然な事故による死亡を伴うものに限る）が発生した場合において、その契約の保険料の全部または一部が保険金の受取人以外の者が負担したものであるときは、保険事故が発生した時において、保険金受取人がその取得した保険金のうちその保険金受取人以外の者が負担した保険料の金額に相当する部分を保険料負担者から贈与により取得したものとみなされ、贈与税の課税対象とされています（相法５）。ただし、その保険事故が保険料負担者の死亡である場合など保険金受取人が保険金（相法３①一）または退職手当金（相法３①二）をそれぞれ相続または遺贈により取得したものとみなされる場合は除かれます。

つまり、保険金受取人以外の者が保険料を負担していたとしても、保険金受取人は保険金を保険契約により取得しているため、贈与契約による取得とはいえませんが、実質的には保険料負担者からの贈与と変わらないということで、贈与税の課税対象とされています。

(2) 定期金（相法6）

定期金給付契約（生命保険契約を除く）の定期金給付事由が発生した場合において、その契約の掛金または保険料を定期金受取人以外の者が負担しているときは、定期金受取人が取得した定期金給付契約に関する権利のうち、次の算式により計算した部分の金額が、その定期金給付事由が発生した時において、その掛金または保険料を負担した者から贈与により取得したものとみなされます。

定期金給付契約に関する権利の価額

受取人以外の者が負担した掛金または保険料の額 ／ 給付事由発生までに払込まれた掛金または保険料の総額

(3) 低額譲渡および譲受け（相法7等）

例えば、時価1,000万円の資産を100万円の対価で譲渡する場合、100万円を対価とする有償契約である売買契約（民法555）であり、贈与契約ではありません。しかし、実質的には差額分の無償の譲渡という側面があるため、課税関係については別途検討が必要です。

①【譲渡人：個人　譲受人：個人】の場合

a　譲渡人（個人）への課税

時価1,000万円の資産を100万円で譲渡した場合は、その実際の譲渡価額である100万円を収入金額として、所得計算をすることになります。ただし、譲渡対価が「著しく低い金額」（所法59①二参照）、具体的には、時価の2分の1未満（同令169）の場合には、譲渡損失はないものとされます（所法59②）ので、時価1,000万円の資産を100万円で譲渡した場合には、譲渡損失はないものとされます。

なお、たな卸資産およびそれに準ずる資産を「著しく低い金額」により譲渡した場合には、事業所得または雑所得の計算上、「実質的に贈与をしたと認められる金額」を総収入金額に算入することとなります（所法40①二）。ここでいう「著しく低い金額」とは、棚卸資産の通常の販売価格の概ね70％未満をいうものとされ（所基通40-2）、「実質的に贈与をしたと認められる金額」は、70％相当額からその対価を控除した金額とすることができるとされています（所基通40-3）。

b　譲受人(個人)への課税

「著しく低い価額の対価」で財産の譲渡を受けた場合、時価との差額に相当する金額を贈与により取得したものとみなされて贈与税が課税されます（相法7）。なお、ここでいう「著しく低い価額」については、318ページをご参照ください。つまり、時価1,000万円の資産を100万円で譲受けた場合には、900万円の贈与を受けたものとして贈与税が課税されます。

ただし、譲受人が資力を喪失して債務を弁済することが困難である場合において、当該債務の弁済に充てる目的で、譲受人の扶養義務者から譲受けたものであるときは、当該債務を弁済することが困難である部分の金額については、贈与税は課されません（相法７但書）。

②【譲渡人：個人　譲受人：法人】の場合

a　譲渡人(個人)への課税

「著しく低い価額の対価」（所法59①二）により資産を譲渡した場合、時価相当額を対価とする資産の譲渡があったとみなして、譲渡所得の金額を計算することになります（所法59①二）。ここでいう「著しく低い価額」は、時価の2分の1未満（同令169）となります。つまり、時価1,000万円の資産を100万円で譲渡した場合、1,000万円で譲渡したものとみなして、所得計算を行うこととなります。

なお、たな卸資産等の譲渡があった場合には、「①-a」と同様です。

b　譲受人（法人）への課税

譲り受けた資産の時価相当額と対価の差額が益金（法法22②）となります。

③【譲渡人：法人　譲受人：個人】の場合

a　譲渡人（法人）への課税

低額で資産を譲渡した場合、時価で資産を譲渡したものとして、益金を計上することとなります（法法22②、法法22の2④）。

これは、低額譲渡については、時価で資産を譲渡し、その差額を贈与したというように考えるからです。つまり、時価で資産を譲渡し、時価と実際の対価の差額については、その理由や譲受人との関係等により、寄附金、役員賞与、給与等として処理されることとなります。

b　譲受人（個人）への課税

時価との差額について、原則として一時所得（所法34①）の収入金額、譲渡人の従業員や役員等であれば、給与所得（所法28）として所得税が課税されます。

④【譲渡人：法人　譲受人：法人】の場合

a　譲渡人（法人）への課税

前述の「③-a」と同様です。ただし、法人への低額譲渡であるため、基本的には寄附金となります。

b　譲受人（法人）への課税

前述の「②-b」と同様です。

(4) 債務免除、債務引受および第三者弁済等（相法８）

相続税法８条は、対価を支払わないで、又は著しく低い価額の対価で債務の免除、引受け又は第三者のためにする債務の弁済による利益を受けた場合においては、当該債務の免除、引受け又は弁済があつた時において、当該債務の免除、引受け又は弁済による利益を受けた者が、当該債務の免除、引受け又は弁済に係る債務の金額に相当する金額を当該債務の免除、引受け又は弁済をした者から贈与により取得したものとみなすものとしています。

債務免除、債務引受または第三者弁済による利益を受けた場合は、債務者の消極財産の消滅という意味で、債務者への経済的利益が生じるため、実質的に贈与契約と同様の経済的効果が生じるとして、設けられているみなし贈与規定です。

一方で、これらの行為が、以下のいずれかに該当する場合においては、その贈与により取得したものとみなされた金額のうちその債務を弁済することが困難である部分の金額については、贈与による取得とみなさないとされています（相法８但書）。

①債務者が資力を喪失して債務を弁済することが困難である場合において、当該債務の全部又は一部の免除を受けたとき ②債務者が資力を喪失して債務を弁済することが困難である場合において、その債務者の扶養義務者によって当該債務の全部又は一部の引受け又は弁済がなされたとき

以下では、債務免除、債務引受および第三者弁済の民事上の概要と各種

税法の適用関係などについて解説します。

①債務免除と課税関係

◆債務免除の概要

債務免除とは、債権者が債務者に対して、債務を免除する一方的な意思表示をいいます。

民法519条　債権者が債務者に対して債務を免除する意思を表示したときは、その債権は、消滅する。

債務免除を、債権者の側から捉え、「債権放棄」と呼ばれることもあります。

債務免除も、民事上の贈与契約ではありませんが、対価関係なく債務を免除された場合には、債務者の消極財産（債務）の消滅という意味で、経済的利益が生じるため、実質的に贈与契約と類似の効果が生じ、それに応じた課税関係が発生します。

◆無償による債務免除があった際の課税関係

a 【債権者：個人　債務者：個人】の場合

(a) 債権者（個人）への課税

債権者である個人には、原則として課税関係は生じません。

なお、「事業の遂行上生じた売掛金、貸付金、前渡金その他これらに準ずる債権」（所法51②）で、貸倒損失の要件を満たす場合（所基通51-11-(4)参照）には、債務免除額が必要経費に算入されます。

(b) 債務者（個人）への課税

債務者である個人には、債務免除が贈与とみなされて、原則として贈与税が課税されます（相法８）。例外的に相続税法８条により贈与とみなされない場合には、所得税が問題となります（所法９①

十七）。

b　【債権者：個人　債務者：法人】の場合

(a) 債権者（個人）への課税

債権者である個人には、原則として課税関係は生じません。

なお、「事業の遂行上生じた売掛金、貸付金、前渡金その他これらに準ずる債権」（所法51②）で、貸倒損失の要件を満たす場合（所基通51-11-(4)参照）には、債務免除額が必要経費に算入されます。

(b) 債務者（法人）への課税

債務者である法人については、法人税法上の「益金」となります（法法22②）。

c　【債権者：法人　債務者：個人】の場合

(a) 債権者（法人）への課税

貸倒損失の要件を充足していれば（法基通９－６－１－(4)参照）、債務免除額について、「損金」となります（法法22③）。それ以外の場合には、免除の理由と債務者との関係などにより、寄附金、役員賞与または給与等となります。

(b) 債務者（個人）への課税

所得税の収入金額となり、債務の発生原因、免除の理由や債権者との関係などにより、所得分類が判断されます。資力を喪失して債務を弁済することが著しく困難である場合にその有する債務の免除を受けたときには、収入金額には算入しないものとされています（所法44の２）。

d　【債権者：法人　債務者：法人】の場合

(a) 債権者（法人）への課税

前述の「c-(a)」と同様となります。ただし、法人への債務免除であるため、貸倒損失に該当しない場合には、基本的には寄附金となります。

(b) 債務者(法人)への課税

前述「b-(b)」と同様です。

②債務引受と課税関係

債務引受とは、債務者の債務と同じ内容の債務を、第三者が、契約によって負担することです。この場合の第三者は「引受人」といわれます。

債務引受には、債務者が債務を免れることになる免責的債務引受と債務者も債務を引き続き負い続ける併存的（重畳的）債務引受の２種類があります。

◆免責的債務引受

a　免責的債務引受の概要

(a) 免責的債務引受の成立要件

免責的債務引受には、①債権者と引受人となる者の契約、②債務者と引受人となる者の契約および③債権者、債務者および引受人となる者が契約するものがあります。①債権者と引受人となる者の契約でする免責的債務引受の効力が発生するためには、債務者に対する通知が必要です（民法472②）。通知を行えば、債務者の意思に反していても免責的債務引受は有効です。また、②債務者と引受人となる者の契約の場合には、債権者による引受人となる者に対する承諾が必要です（民法472③）。

(b) 免責的債務引受の効果

免責的債務引受がされると、引受人は債務者が債権者に対して負担する債務と同一の内容の債務を負担し、債務者は自己の債務を免れることとなります（民法472①）。

なお、免責的債務引受の場合には、引受人から債務者に対しての求償権等は生じません（民法472の３）。

b　無償による免責的債務引受の課税関係

次に無償による免責的債務引受がなされた場合の課税関係を見ていきます。

(a)【引受人：個人　債務者：個人】の場合

・引受人（個人）への課税

引受人である個人には、原則として課税関係は生じません。

・債務者（個人）への課税

債務者である個人には、債務引受が贈与とみなされて、贈与税が課税されます（相法８）。

(b)【引受人：個人　債務者：法人】の場合

・引受人（個人）への課税

引受人である個人には、課税関係は生じません。

・債務者（法人）への課税

債務者である法人については、法人税法上の「益金」となります(法法22②)。

(c)【引受人：法人　債務者：個人】の場合

・引受人（法人）への課税

引き受けた債務金額について、引受けの理由と債務者との関係などにより、寄附金、役員賞与または従業員給与等となります。

・債務者（個人）への課税

所得税の収入金額となり、債務の発生原因、引受の理由や引受人との関係などにより、所得分類が判断されます。

(d)【引受人：法人　債務者：法人】の場合

・引受人（法人）への課税

前述の「(c)-『引受人（法人）への課税』」と同様となります。ただし、債務者が法人であるため、基本的に寄附金となります。

・債務者（法人）への課税

前述「(b)-『債務者（法人）への課税』」と同様です。

◆併存的債務引受

a　併存的債務引受の概要

(a) 併存的債務引受の成立要件

併存的債務引受には、①債権者と引受人となる者の契約、②債務者と引受人となる者の契約および③債権者、債務者および引受人となる者が契約するものがあります。②債務者と引受人となる者の二当事者間で契約をする場合には、債権者の承諾が必要です（民法470③）。

(b) 併存的債務引受の効果

併存的債務引受がされると、引受人は債務者と連帯して、債務者が債権者に対して負担する債務と同一の内容の債務を負担することとなります（民法470①）。つまり、債務者と引受人は、債権者に対して連帯債務を負うこととなります。連帯債務とは、複数の債務者が、それぞれ同じ内容の債務を負っていて、そのうちの１人が債務を履行すれば全員が債務を免れるという関係にある債務をいいます。

(c) 求償権と内部的負担割合

連帯債務者（債務者と引受人）の一方が、債務を弁済したことにより、他の連帯債務者も共同の免責を得たときは、各自の負担部分に応じた金額について、弁済をした連帯債務者が、他の連帯債務者に対して求償権を行使できます（民法442）。

ここでいう連帯債務者間の内部負担割合ですが、①連帯債務者間の合意（特約）で定まっていればその割合、②合意がない場合には、各連帯債務者が利益を受ける割合、③①および②で決定できない場合は、平等の割合となると解されています[1]。

1　第５版「我妻・有泉コンメンタール民法総則・物権・債権」日本評論社 845 頁

b　無償による併存的債務引受の課税関係

次に無償による併存的債務引受がなされた場合の課税関係を見ていきます。どの時点でどの金額について課税されるかは、前述の内部負担割合に依存します。通常の無償による併存的債務引受がなされるケースでは、あえて合意で定めた場合を除き、②により債務者がすべて利益を受ける場合に該当し、内部負担割合は「債務者：引受人＝10：０」ということになるでしょう。

(a)【引受人：個人　債務者：個人】の場合

・引受人（個人）への課税

引受人である個人には、課税関係は生じません。

・債務者（個人）への課税

債務者である個人は、債権者に対する関係では全額の債務を支払う義務を負うことから、この時点ではみなし贈与税（相法８）の課税は生じないとも考えられます。しかし、仮に前述の内部負担割合について、引受人の負担部分が生じる場合には、その部分に関しては、将来の求償権も発生しないため、この時点でみなし贈与税の対象となると考えられます。ただし、多くのケースで引受人の内部負担割合は「０」とされるため、併存的債務引受の時点では、みなし贈与課税は発生しないでしょう。

引受人が債権者への弁済後（または同時に）、債務者に対する求償権を放棄した場合には、債務免除として、その時点でみなし贈与となります。

(b)【引受人：個人　債務者：法人】の場合

・引受人（個人）への課税

引受人である個人には、課税関係は生じません。

・債務者（法人）への課税

債務者である法人については、債権者との関係で、債務を継続的に負担するため、引受時点の課税は生じないものと考えられます。

引受人の弁済があった際に、引受人の負担部分の額が益金（法法22②）となり、残額は求償債務として残ります。この残額について、引受人が債務免除をすれば、その金額が益金となります（法法22②）。ただし、無償の併存的債務引受の場合、通常は、引受人に負担部分はないでしょう。

(c)【引受人：法人　債務者：個人】の場合

・引受人（法人）への課税

引き受けた債務金額について、引受人に負担部分が生じる場合には、その負担部分については、債務者との関係などにより、寄附金、役員賞与または給与等となります。ただし、無償の併存的債務引受の場合、通常は、引受人に負担部分はないでしょう。

債権者への弁済をした場合には、自己の負担部分の割合を超える部分については、引受人の債務者に対して求償権を有します。この求償権を放棄すれば、債務免除となりますので、債務者との関係などにより、寄附金、役員賞与または給与等となります。

・債務者（個人）への課税

前述の引受人に負担部分がある場合には引受時点でその部分が、そうでない場合には、求償債務の債務免除を受けた時点で、引受人との関係などにより、一時所得や給与所得となります。

(d)【引受人：法人　債務者：法人】の場合

・引受人（法人）への課税

前述の「(c)-『引受人（法人）への課税』」と同様となります。ただし、債務者が法人であるため、負担部分が生じる場合や求償権を放棄した場合には、基本的に寄附金となります。

・債務者（法人）への課税

前述「(b)-『債務者（法人）への課税』」と同様です。

③第三者弁済

◆第三者弁済の概要

第三者弁済とは、第三者が債務者に代わって弁済を行うことをいいます（民法474①）。原則として、第三者であっても、債務の弁済をすることができますが、民法上は以下の場合、有効な第三者弁済とはならないとされています。

①債務の性質が第三者弁済を許さない場合 ②当事者が第三者の弁済を禁止または制限する旨の意思を表示した場合（民法474④） ③弁済をするについて正当な利益を有する者でない第三者による弁済が、債務者の意思に反しており、かつ、債権者が債務者の意思に反することを知っていた場合（民法474②） ④弁済をするについて正当な利益を有する者でない第三者による弁済が、債務者の意思に反しており、かつ、当該第三者が債務者の委託を受けて弁済する場合で、債権者がこのことを知っていた場合（民法474③）

有効な第三者弁済がなされると、債権者に対する債務者の債務は消滅し、弁済をした第三者は、債務者に対して相当額について求償債権を取得することとなります（民法703等）。

◆第三者弁済の課税関係

第三者弁済がなされたとしても、第三者は債務者に対して求償権を有することになりますので、第三者弁済がされたのみで課税関係は生じません。つまり、債務者は、従来の債権者ではなく弁済者に返済をしなければならない債務を負うことになるからです。

ただし、特に親族間、例えば、親が子の債務を第三者弁済し、その後、相当な期間、求償権等の行使がなされていないというような事案であれば、第三者弁済行為と求償権の放棄があったものとして、債務者である子に対するみなし贈与として、贈与税（相法8）が課税されます。求償権の放棄があったか否かについては、事実認定と評価の問題となります。

なお、仮に求償権の放棄があった場合には、債務免除と同様の課税関係が生じます（95ページ参照）

(5) その他経済的利益の移転（相法9等）

相続税法9条は、一般的に、対価を支払わないでまたは著しく低い価額の対価で利益を受けた場合においては、その利益を受けた者が、その利益の価額に相当する金額を、その利益を受けさせた者から贈与により取得したものとみなし、贈与税の課税財産とすることを規定しています。ただし、当該利益を受ける者が資力を喪失して債務を弁済することが困難である場合において、その者の扶養義務者から当該債務の弁済に充てるためになされたものであるときは、その贈与より取得したものとみなされた金額のうちその債務を弁済することが困難である部分の金額については、贈与税の対象から除外されます（相法9但書）。

相続税法9条の対象となり得るものについては、一般的な規定であるため、本書では、各章のQ&Aの中で、その課税関係を解説します。

(6) 信託受益権（相法9の2～5）

適正な対価を負担せずに信託の受益者等となる者があるときは、受益者連続型信託も含めて、信託に関する権利を贈与（死亡に基因する場合には遺贈）により取得したものとみなすものとされています。

具体的には、Q&A31（227ページ）をご参照ください。

10 離婚による財産分与と贈与税

Q

夫婦であるXとYは、不仲により2年間別居し、離婚について話し合ってきました。最近、XからYに対して、X所有のYが居住しているマンションの一室と現金2,000万円を財産分与として渡すことで、離婚が成立する運びとなりました。

この場合、財産を無償で渡すことになりますから、Yに贈与税が課税されることになりますでしょうか。

A

原則としてYに贈与税が課税されることはありません。なお、Xには譲渡所得の収入金額が発生します。

1 財産分与請求権

民法では、夫婦が離婚する場合、一方は他方に対して財産の分与の請求ができるものとされています（民法768）。

一般的に、財産分与請求権には、①夫婦が共同生活の中で協力して形成した財産の清算、②離婚後の一方配偶者の生活保障および③離婚の原因を作ったことへの損害賠償（慰謝料）の性質があると解されています。そのうち、①の「潜在的な共有」となっている夫婦の財産の清算がメインとなります。

2 財産分与と贈与税

前述のとおり、財産分与請求権は、あくまでも夫婦の潜在的な共有となっている財産の清算等のために、離婚を条件として一方配偶者に分与義務を生じさせ、その義務の履行として財産を他方配偶者に移転させるものです。

したがって、原則として、Yは、「対価を支払わないで～利益を得た」（相法9）とは評価できないため、贈与税は課税されません（相基通9-8）。ただし、実質的に財産分与を仮装した不相当に高額な財産の移転などがなされた場合には、例外的に贈与税の課税対象となり得ます。この点、相続税法基本通達では、「その分与に係る財産の額が婚姻中の夫婦の協力によって得た財産の額その他一切の事情を考慮してもなお過当であると認められる場合における当該過当である部分又は離婚を手段として贈与税若しくは相続税のほ脱を図ると認められる場合における当該離婚により取得した財産の価額は、贈与によって取得した財産となる」（相基通9-8但書）とされています。

3 財産分与と譲渡所得税

一方で、財産を分与したXに対しては、分与した財産が譲渡所得の基因となる資産である場合には、その資産の分与時の時価により、その資産の譲渡があったものとして、譲渡所得が課税されます（所法33①）。これは、財産分与は、分与義務を消滅させるものであり、分与により消滅させる義務（対価）は、分与時における分与資産の時価と解されているからです[2]。

したがって、本件では、マンションの一室に関しては、Xに譲渡所得が課税されます。なお、所定の要件を満たしていれば、居住用財産の特別控除の特例等（措法35）の適用を受けることができます。

2　最判昭和50年5月27日（民集29巻5号641頁）

Q&A 11

金銭債務の消滅時効による債務消滅益と課税関係（債務免除益との異同）

Q

XがYに対して有している債権について、民事上の消滅時効が完成し、Yが時効を援用しました。この場合のYに生じる課税関係は、XがYに対して債務免除を行った場合と同様に解してもよいのでしょうか。

A

債務免除益の課税関係と消滅時効による債務消滅益に対する課税関係は、必ずしも同一にはならないと考えます。

1　民事上の消滅時効による債務消滅益

まず、民事上の債権の消滅時効により債務が消滅する要件は、①時効期間経過、②時効の猶予・更新事由がないことおよび③債務者の時効の援用の意思表示があることとされています。民事上は時効の完成（①および②を満たした状態）のみでは、債務の消滅の確定的効果は生じず、債務者の時効の援用の意思表示があって初めて確定的に債務が消滅するものと解されています[3]。

したがって、税務上は原則的に債務者の時効の援用があった時に債務が消滅したものと評価されています[4]。

3　最判昭和61年3月17日（民集40巻2号420頁）
4　各種税法におけるより厳密な解説については、拙著『民事・税務上の「時効」解釈と実務～税目別課税判断から相続・事業承継対策まで～』（清文社）をご参照ください。

2 消滅時効による債務消滅益に対する課税関係

消滅時効による債務消滅益の課税関係については、裁判例や学説上で深く議論されているものはないようです。特に、XとYが個人の場合、贈与税の問題となるのか所得税の問題となるのか等については、実務上、税理士の先生からご相談を受けることもありますので、私見を含みますが、解説します。

(1) 債務者Yが法人の場合の債務免除益

法人Yが時効による債務消滅益を益金計上するという債務免除益と同様（96ページ参照）に考えて実務上問題ないでしょう。この点については、裁判例上も益金となることを前提としているものが存在しますし[5]、学説上も特に反対するものはないようです。

(2) 債務者Yが個人の場合

①債権者Xが法人の場合

Xが法人の場合、Yに債務消滅益が生じたとしても、贈与税の問題になることはありません。したがって、債務免除益と同様（96ページ参照）に考えて所得税の適用を検討することになるでしょう。

②債権者Xが個人の場合

このケースについては、債務免除益（95ページ参照）と同様にみなし贈与の問題として捉えるのか、それとも所得税の問題として捉えるのかについては、難しい問題があります。

a　相続税法8条の適用について

まず、債権放棄（債務免除）による債務免除益については、相続

5　広島地判昭和57年12月24日（税資132号1546頁）、福島地判昭和62年2月23日（税資157号669頁）、仙台高判昭和63年2月25日（税資163号596頁）等

税法８条の適用が問題となりますが、同条では「債務の免除、引受け又は第三者のためにする債務の弁済による利益を受けた場合」（相法８）とされていますので、消滅時効による債務の消滅は、あくまでも、「債務の免除」ではなく、法律上の制度である時効制度により生じるものであることから、相続税法８条の適用はできないと考えます。

b　相続税法９条の適用について

次に、相続税法８条の適用がないとしても、この消滅時効による債務消滅益が、相続税法９条におけるみなし贈与に該当するかが問題となります。

この点、消滅時効のケースではありませんが、相続税法９条の適用が争われた大阪高判平成26年６月18日[6]等において、同条における「利益を受けた時」とは、「贈与と同様の利益の移転」が必要と解されています。消滅時効における債権の消滅は、前述のとおり、ＸからＹへの利益を移転させるものではなく、法律上の時効という制度の下、Ｙの時効の援用により、Ｙ自らが利益を得ており、この「利益の移転」を観念できないとも考えられます。

また、不動産などの取得時効により、所有権を取得すると一時所得の収入金額となることは、裁判例上も実務上も確立されている[7]ところです。単に一方が利益を失い、一方が利益を得るという関係さえあれば、同条の適用があるとすると、取得時効のケースも同様に相続税法９条の適用範囲に含まれるとも考えられますが、これは実務とは大きく異なることになってしまいます[8]。

したがって、私見としては、相続税法９条のみなし贈与には該当

6　税資264号順号12488
7　タックスアンサーNo. 1493、静岡地判平成８年７月18日（税資220号181頁）など
8　時効の対象となる権利が物権か債権かという点は、異に解する理由にはならないと考えられます。

せず、所得税法9条1項17号（非課税所得）は適用されないため、所得税の問題として処理すべきと考えます。

非公表裁決[9]ではありますが、個人から個人に対する貸付金債権について、消滅時効が援用された事案において、一時所得の収入金額となることを前提としてなされたものも存在しています。なお、事業用の債務は別として、生活上の債務は返済を免れたとしても、実務上課税される取扱いはない旨、指摘する書籍もあります[10]。筆者も実務上の感覚としては賛成ですが、理論上はそのようには解されないでしょう。

9 平成28年10月3日裁決 TAINSコード：F0-1-682
10 三木義一ほか著「実務家のための税務相談民法編」第2版61頁

第 3 章

遺産分割と贈与

1 遺産分割と生前贈与の関係

(1) 遺産分割とは

遺産分割とは、被相続人が死亡時に有していた財産（遺産）について、個々の相続財産の権利者を確定させる手続きです。複数の相続人がいる共同相続の場合には、相続財産が各相続人の相続分に応じて、共同相続人の共有ないし準共有になっている（遺産共有、民法898）ため、個々の相続財産について各相続人の単独所有にする等、終局的な帰属を確定させるために行われることになります。

そして、遺産分割がなされると対象財産については、相続開始時に遡ってその効力が生じます（民法909）。つまり、遺産共有に不動産が含まれる場合、それを相続人Ａの単独所有とする遺産分割がなされれば、その不動産の所有権は、相続開始時点からＡの単独所有であったことになります。これが通常の共有物の分割をする共有物分割請求（民法256）との大きな違いです。

(2) 遺産分割と特別受益

①特別受益制度の概要

被相続人の財産について、各相続人で遺産共有状態にある場合、遺産分割を行うことになりますが、その遺産分割対象の財産に対して、誰がどれだけの「相続分」を有するのかという点について、被相続人から特定の相続人に対して、一定の贈与（Q&A19（181ページ）参照）がある場合には、その贈与対象財産の価額を相続財産に持ち戻して、「相続分」を計算することとなります（民法903①、②）。

つまり、被相続人から特定の相続人に対する生前贈与があれば、相続人間の公平を図るために、その贈与の価額を加えたものを相続財産とみなした上で、相続分の計算を行うということです。この場合、贈与の価額は、贈与対象財産の相続開始時における評価額となります（173ページ参照）。

（特別受益者の相続分）
民法903条　共同相続人中に、被相続人から、遺贈を受け、又は**婚姻若しくは養子縁組のため若しくは生計の資本として贈与を受けた者**があるときは、**被相続人が相続開始の時において有した財産の価額にその贈与の価額を加えたものを相続財産とみなし**、第900条から第902条までの規定により算定した**相続分の中からその遺贈又は贈与の価額を控除した残額をもってその者の相続分**とする。
２　遺贈又は贈与の価額が、**相続分の価額に等しく、又はこれを超えるときは、受遺者又は受贈者は、その相続分を受けることができない。**
（以下省略）

遺産分割と特別受益の関係で、よく勘違いされている点が、生前贈与がなされた財産の価額を相続財産とみなして、相続分の計算をするに過ぎないという点です。つまり、特別受益となる生前贈与がある場合にも、**その生前贈与対象財産が遺産分割の対象となる財産となるわけではなく**、遺産共有となっている相続財産に対する相続分が各相続人にどれだけあるのかという相続分の確定のための計算において相続財産とみなされるのみであるということです。具体的な計算等については、Q&A12（121ページ）をご参照ください。

なお、遺留分の算定基礎財産の算定における特別受益（171ページ参照）と異なり、遺産分割における相続分の計算のための特別受益には、相続開始前10年間等の時間的な制限はありません。

②持戻しの免除

被相続人となる者は、特定の推定相続人に対して、特別受益に該当する贈与をした場合に、相続分の計算について、その意思表示により持戻しの免除をすることができるとされています（民法903③）。

この持戻し免除の意思表示については、特別な方式などの指定はなく、明示であっても、黙示であってもよく、生前に行うことも遺言で行うことも可能とされています。ただし、実務上は、持戻し免除の意思表示がなされたか否かについては、証拠上明らかでないという事案が多いため、贈与契約書やその他覚書等を作成しておくことが重要です。

一方で、相続法の改正により、婚姻期間が20年以上の夫婦間において、その居住の用に供する建物またはその敷地（配偶者居住権を含む）については、持戻し免除の意思表示がなされたものと推定されます（民法903④、1028③）。つまり、配偶者以外の相続人が持戻しの免除の意思表示がされていないことを立証しない限り、このような財産の贈与の場合には、持戻し免除がされたと扱われることになります。

（特別受益者の相続分）

民法903条　……省略……

2　……省略……

3　被相続人が前２項の規定と異なった意思を表示したときは、その意思に従う。

4　婚姻期間が20年以上の夫婦の一方である被相続人が、他の一方に対し、その居住の用に供する建物又はその敷地について遺贈又は贈与をしたときは、当該被相続人は、その遺贈又は贈与について第１項の規定を適用しない旨の意思を表示したものと推定する。

③相続分の計算における特別受益と遺留分侵害額請求における特別受益

特別受益が問題となる主な場面としては、本節で扱う①遺産分割における各相続人の相続分の計算という場面[1]と第4章で解説する②遺留分侵害額の計算を行う場面があります。

相続法改正前において、民法上は、遺留分に関する計算において、共同相続人への特別受益についての定めがなかったため、判例法理により、遺留分算定基礎財産への加算などが認められていましたが、相続法改正により、これらの取扱いが明文化されました（171ページ参照）。

特別受益の該当性などについては、相続法改正後も両者の間に違いはないものと整理されていますが、持戻し免除の意思表示（Q&A20（186ページ）参照）や期間制限（171ページ参照）などでは異なる点も生じます。

普段のご相談を受ける中で、「特別受益」という言葉により、①の場面での問題と②の場面での問題を混同して理解されているのではないかと感じることも多いところです。

本書では、この特別受益の該当性などの論点について、①の場面と②の場面で重複する部分が多いため、紙面の関係上、第4章の遺留分に関する章でまとめて解説します（Q&A19～Q&A32）が、どの場面で特別受益を考慮しているのかという点について意識するとより理解が深まるでしょう。

(3) 遺産分割と寄与分

遺産分割における各相続人の相続分の計算に影響を与えるものとして、

1　遺産分割を行うことなく相続分に応じて当然承継される相続財産などにおいても、問題となりますが、金銭債権のうち預金債権が遺産分割の対象となる準共有財産とされる判例変更（最決平成28年12月19日（民集第70巻8号2121頁））がなされたことおよび遺言がある場合には多くのケースで財産も分割され遺留分の問題となるため、相続分の計算との関連では、実務上ほとんどのケースで遺産分割において問題となります。

特別受益と並んで、解説されるのが寄与分（民法904の2）です。

①寄与分制度の概要

共同相続人の中に被相続人の財産の維持・増加に特別の寄与をした者がいる場合に、その特別の寄与を考慮し、特別に与えられる相続財産への持分のことを「寄与分」と呼びます。

寄与分制度は、ⅰ共同相続した財産を分割するに際して、被相続人の維持・増加に特別の寄与をした者に対し、その寄与によって、相続財産が維持・増加した部分を与えるべきという考慮と、ⅱ特別の寄与をした相続人がいる場合において、相続分を決定するにあたり、その事実を考慮しなければ、共同相続人間の実質的な公平を維持することができないという考慮から設けられている制度です。

ただし、現状において、実務的にはこの寄与分を認めることに対して、裁判所では、非常に厳しい態度がとられています。主張しても認められない場合が多い上、認められたとしても、低額にとどまるというのが現状です。

②寄与分制度が相続分に与える影響

（寄与分）
民法904条の2　共同相続人中に、被相続人の事業に関する労務の提供又は財産上の給付、被相続人の療養看護その他の方法により被相続人の財産の維持又は増加について特別の寄与をした者があるときは、被相続人が相続開始の時において有した財産の価額から共同相続人の協議で定めたその者の寄与分を控除したものを相続財産とみなし、第900条から第902条までの規定により算定した相続分に寄与分を加えた額をもってその者の相続分とする。
2　前項の協議が調わないとき、又は協議をすることができないときは、家庭裁判所は、同項に規定する寄与をした者の請求により、寄与の時期、方法及び程度、相続財産の額その他一切の事情を考慮して、寄与分を定める。
３　寄与分は、被相続人が相続開始の時において有した財産の価額から遺贈の価額を控除した残額を超えることができない。
４　……省略……

特別受益が、特別受益の価額を加算したものを相続財産とみなした上で、各相続人の相続分を計算するものである一方で、寄与分は、一旦、相続財産から寄与分の価額を除外したものを相続財産とみなして、各相続人の相続分を計算し、寄与者の相続分に寄与分を加えた額をその相続分とみなすものです。

具体的な計算等については、Q&A13（128ページ）をご参照ください。

③寄与分が認められる要件

寄与分が認められる要件としては、以下の４つが必要です。

ｉ）相続人自らの寄与があること

遺産分割における寄与分の考慮は、あくまでも相続分の計算のために行われるものであるため、原則として相続人自らの寄与行為であることが必要です。

ただし、実務上、相続人以外の者が、特定の相続人の履行補助者（手足となった者）として行った行為であると評価できる場合には、相続人自らの寄与として評価されることがあります[2]。なお、相続人自らの寄与として評価できない相続人以外の者の寄与行為は、別途後述の「特別寄与料の請求制度」の問題となります。

2　東京高決平成22年9月13日（家月63巻6号82頁）

ii）寄与行為が「特別の寄与」であること

「特別の寄与」が認められるには、実務的には非常に厳しく判断されています。行為態様ごとの分析などは、Q&A14（134ページ）をご参照ください。

iii）被相続人の遺産が維持又は増加したこと

相続人の行為によって、仮にその行為がなかったとすれば生じたと評価できる被相続人の積極財産の減少や消極財産（債務）の増加が阻止されたこと、またはその行為がなかったとすれば生じなかった積極財産の増加や消極財産（債務）の減少があったことが必要です。つまり、主観的な効果ではなく、客観的な財産上の効果があったことが必要と解されています。

iv）寄与行為と被相続人の遺産の維持又は増加との間に因果関係があること

iiiの財産上の効果と寄与行為に因果関係があることが必要です。つまり、精神的な援助や協力だけでは、寄与分は認められないということです。

④その他の制度との関係

a　特別寄与者による特別寄与料の請求制度との関係

相続分の計算のための寄与分制度と似て非なるものとして、相続法改正により、相続人ではない被相続人の親族[3]が、被相続人の財産の維持又は増加に特別の寄与をした場合に、相続人に対して、金銭（特別寄与料）を請求できるという制度が新設されました。

これは、従前の寄与分制度は、相続人以外の親族の特別の寄与を考慮することができませんでしたが、相続人以外の親族が、被相続

3　６親等内の血族、配偶者、３親等内の姻族になります。あくまでも、法律上の親族となりますので、内縁の配偶者等の請求は認められません。

人の財産の維持・増加に寄与することもあることから認められた制度になります。特別寄与者は、相続の開始および相続人を知った時から６ヶ月を経過したとき、または相続開始時から１年を経過したときは請求できなくなります。

なお、特別寄与者による特別寄与料の請求が認められた場合には、相続税法上は、当該親族が遺贈により取得したものとみなされます（相法４②）。

b　遺留分侵害額請求制度との関係

遺留分侵害額請求制度（第４章参照）の趣旨が、各相続人の最低限の生活保障や共同相続人の公平の維持にあることから、民法は、遺留分侵害額請求の場面において、寄与分等は考慮しない立場を採用しています（民法1043、1046、1047）。

（4）遺産分割における特別受益と寄与分の主張の期間制限

遺産分割における各相続人の相続分の計算に影響を与える特別受益と寄与分制度について、令和５年（2023年）４月１日に施行された民法改正により、その主張期間について制限がされました（民法904の３）。

①主張期間の制限

（期間経過後の遺産の分割における相続分）
民法904条の３　前３条の規定（筆者注：相続分計算に関する特別受益及び寄与分制度の規定）は、相続開始の時から10年を経過した後にする遺産の分割については、適用しない。ただし、次の各号のいずれかに該当するときは、この限りでない。
一　相続開始の時から10年を経過する前に、相続人が家庭裁判所に遺産の分割の請求をしたとき。
二　相続開始の時から始まる１０年の期間の満了前６箇月以内の間に、遺産の分割を請求することができないやむを得ない事由が相続人にあった場合において、その事由が消滅した時から６箇月を経過する前に、当該相続人が家庭裁判所に遺産の分割の請求をしたとき。

民法904条の３により、原則として相続開始後10年を経過した後の遺産分割については、特別受益及び寄与分による相続分の修正は行わないこととされました。

ただし、10年経過前に家庭裁判所に遺産分割請求をした場合、10年満了前６ヶ月以内に遺産分割請求ができないやむを得ない事由が相続人にあり、やむを得ない事由が消滅して６ヶ月経過する前に家庭裁判所に遺産分割請求をした場合には、例外的に10年経過後も主張することができます。

②経過措置

主張制限の規定は、民法が施行される令和５年（2023年）４月１日より前に相続開始があった場合にも適用されます（改正附則３条前段）。

ただし、手続保証の観点から、「相続開始時から10年経過又は改正法施行時から５年経過のいずれか遅い時」までに、家庭裁判所に遺産分割請求がされたときには、特別受益および寄与分による具体的相続分を主張できるという経過措置が設けられています（改正附則３条後段）。

12 特別受益と具体的相続分の計算

Q

被相続人Aの相続人には、妻W、子X、子Yおよび子Zがいます。相続財産は、時価3,000万円の土地・建物と預貯金3,000万円です。

Aが生前に、YおよびZに対して以下の特別受益となる生前贈与をしていた場合に、各相続人の相続分はどのように計算されるのでしょうか。なお、遺言やAの持戻し免除の意思表示はありません。

①Yに対する1,000万円およびZに対する500万円の贈与

②Yに対する2,500万円およびZに対する500万円の贈与

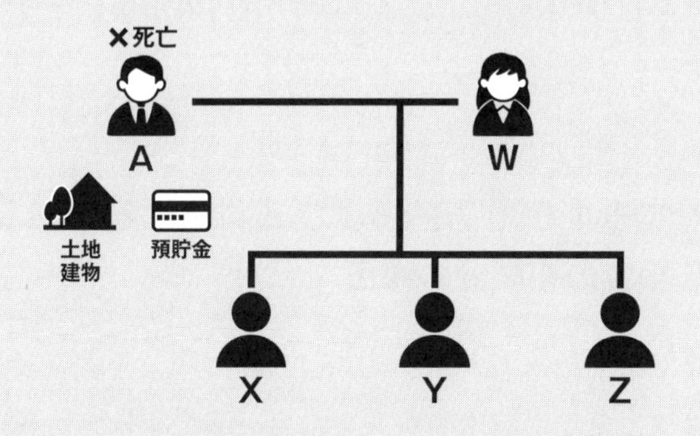

A

①の場合：遺産分割の対象となる土地・建物と預貯金に対する具体的相続分は、

「W：X：Y：Z＝15：5：1：3」となります。

②の場合：実務では、2つの考え方がありますので、以下の解説をご覧ください。

1　特別受益がないと仮定した場合の相続分

まず、W、X、YおよびZの各人の相続財産に対する法定相続分は、以下のとおりです（民法900）。

妻W：2分の1
子X：6分の1
子Y：6分の1
子Z：6分の1

特別受益を考慮しなければ、時価3,000万円の土地・建物と預貯金3,000万円の合計6,000万円の財産について、価値でいうとW：3,000万円、X：1,000万円、Y：1,000万円およびZ：1,000万円の相続分を有するということになります。

2　Yに対する1,000万円およびZに対する500万円の贈与がある場合の相続分の修正

しかし本件では、相続人Yに対して1,000万円、相続人Zに対して500万円の特別受益となる生前贈与があるため、法定相続分から以下のように相続分が修正されます。

(1) 相続分の計算の前提となる「みなし相続財産」

まず、相続分の計算の前提となる「相続財産」について、AからYに対する1,000万円およびZに対する500万円の贈与を特別受益として持ち戻し、みなし相続財産額を算出します。

みなし相続財産＝6,000万円＋1,000万円＋500万円＝7,500万円

条文上の根拠は、以下の太字下線部分です。

（特別受益者の相続分）
民法903条　共同相続人中に、被相続人から、遺贈を受け、又は婚姻若しくは養子縁組のため若しくは生計の資本として贈与を受けた者があるときは、**被相続人が相続開始の時において有した財産の価額にその贈与の価額を加えたものを相続財産とみなし**、第900条から第902条までの規定により算定した相続分の中からその遺贈又は贈与の価額を控除した残額をもってその者の相続分とする。
（以下、省略）

(2)「みなし相続財産」を各人の法定相続分で割付け（一応の相続分）

次に、**(1)** のみなし相続財産を前提として、仮の相続分を割り付けます。今回のケースでは、遺言による相続分の指定がありませんので、法定相続分になります。「一応の相続分」などと呼ばれます。

・W＝みなし相続財産7,500万円×法定相続分2分の1＝3,750万円
・X＝みなし相続財産7,500万円×法定相続分6分の1＝1,250万円
・Y＝みなし相続財産7,500万円×法定相続分6分の1＝1,250万円
・Z＝みなし相続財産7,500万円×法定相続分6分の1＝1,250万円

条文上の根拠は、以下の太字下線部分です。

（特別受益者の相続分）
民法903条　共同相続人中に、被相続人から、遺贈を受け、又は婚姻若しくは養子縁組のため若しくは生計の資本として贈与を受けた者があるときは、被相続人が相続開始の時において有した財産の価額にその贈与の価額を加えたものを**相続財産とみなし、第900条から第902条までの規定により算定した相続分**の中からその遺贈又は贈与の価額を控除した残額をもってそ

の者の相続分とする。
（以下、省略）

(3) (2)の相続分の中から贈与（特別受益）の価額を控除

最後に、特別受益となる贈与を受けた相続人の（2）の一応の相続分から贈与の価額を控除します。

・W＝3,750万円－　　　0円＝3,750万円
・X＝1,250万円－　　　0円＝1,250万円
・Y＝1,250万円－1,000万円＝　250万円
・Z＝1,250万円－　500万円＝　750万円

条文上の根拠は、以下の太字下線部分です。

（特別受益者の相続分）
民法903条　共同相続人中に、被相続人から、遺贈を受け、又は婚姻若しくは養子縁組のため若しくは生計の資本として贈与を受けた者があるときは、被相続人が相続開始の時において有した財産の価額にその贈与の価額を加えたものを相続財産とみなし、第900条から第902条までの規定により算定した**相続分の中から**その遺贈又は**贈与の価額を控除した残額をもってその者の相続分**とする。
（以下、省略）

(4) 最終的な各相続人の具体的相続分

各相続人の相続財産に対する具体的相続分は、（3）の比率となります。つまり、「時価3,000万円の土地・建物と預貯金3,000万円」に対する具体的相続分は、以下の比率となります。

W：X：Y：Z＝3,750：1,250：250：750
＝ 15： 5： 1：3

注意が必要なのは、ここでの特別受益の持戻しは、あくまでも相続分（率）の具体的な確定に用いるものであることから、**あくまでも遺産分割の対象は、相続開始時の被相続人Aの財産である「時価3,000万円の土地・建物と預貯金3,000万円」であるということ**です。

この遺産分割対象財産に対して、W、X、YおよびZの相続分が前述のように計算されるということです。

3 Yに対する2,500万円およびZに対する500万円の贈与

まず、「**2**」に記載の計算方法で、Yに対する2,500万円およびZに対する500万円の特別受益となる生前贈与がある場合の相続分を計算します。

(1) 相続分の計算の前提となる「みなし相続財産」

みなし相続財産＝6,000万円＋2,500万円＋500万円＝9,000万円

(2)「みなし相続財産」を各人の法定相続分で割付け（一応の相続分）

・W＝みなし相続財産9,000万円×法定相続分2分の1＝4,500万円
・X＝みなし相続財産9,000万円×法定相続分6分の1＝1,500万円
・Y＝みなし相続財産9,000万円×法定相続分6分の1＝1,500万円
・Z＝みなし相続財産9,000万円×法定相続分6分の1＝1,500万円

(3) (2)の相続分の中から贈与（特別受益）の価額を控除

・W＝4,500万円－	0円＝	4,500万円
・X＝1,500万円－	0円＝	1,500万円
・Y＝1,500万円－	2,500万円＝	△1,000万円
・Z＝1,500万円－	500万円＝	1,000万円

Ｙへの生前贈与が2,500万円の場合、「**2**」の場合と異なり、特別受益の価額を控除すると、Ｙの相続分がマイナスとなります。このようなＹは、「超過特別受益者」などと呼ばれます。

この場合の計算については、民法903条２項に定めがあり、マイナスの場合は、相続分はないものとされます。つまり、Ｙの相続分は、０となります。

（特別受益者の相続分）
民法903条　……省略……
２　遺贈又は贈与の価額が、相続分の価額に等しく、又はこれを超えるときは、受遺者又は受贈者は、その相続分を受けることができない。
（以下、省略）

(4) 最終的な各相続人の具体的相続分率

超過特別受益者がいる場合に、他の共同相続人の具体的相続分率をどのように考えるのかは、明文上定めがなく学説上は、見解が分かれています。

実務上は、①超過特別受益者がいても、「**2**」と同様に他の相続人の具体的相続分による方法と②超過特別受益額を他の共同相続人が「一応の相続分」に応じて負担する方法のいずれかが支配的です。

①超過特別受益者がいても、「2」同様に最終的な相続分率を決定する方法

この方法の場合、最終的な遺産分割対象財産（「時価3,000万円の土地・建物と預貯金3,000万円」）に対する具体的相続分は、以下の比率となります。

W：X：Y：Z＝4,500：1,500：0：1,000
＝9：3：0：2

②超過特別受益額を他の共同相続人が「一応の相続分」に応じて負担する方法

この方法の場合、まず、超過特別受益1,000万円を他の共同相続人が「一応の相続分」に応じて負担します。

W：X：Z＝２分の１：６分の１：６分の１＝３：１：１

したがって、妻Wが600万円、子Xが200万円、子Zが200万円を負担することとなります。そうすると、前述(3)のその他の相続人の各相続分から負担額を差し引くため、最終的な遺産分割対象財産（「時価3,000万円の土地・建物と預貯金3,000万円」）に対する具体的相続分（率）は、以下の比率となります。

W：X：Y：Z＝(4,500－600＝3,900)：(1,500－200＝1,300)：0
：(1,000－200＝800)
＝39：13：0：8

13 寄与分と具体的相続分の計算

Q 被相続人Aの相続人には、妻W、子X、子Yおよび子Zがいます。相続財産は、時価3,000万円の土地・建物と預貯金4,000万円です。

①Yに1,000万円の寄与分が認められる場合、各相続人の具体的相続分はどのように計算されるでしょうか。

②被相続人Aが、特別受益となる1,000万円をXに生前贈与している一方で、Yに800万円の寄与分が認められる場合、各相続人の具体的相続分はどのように計算されるでしょうか。

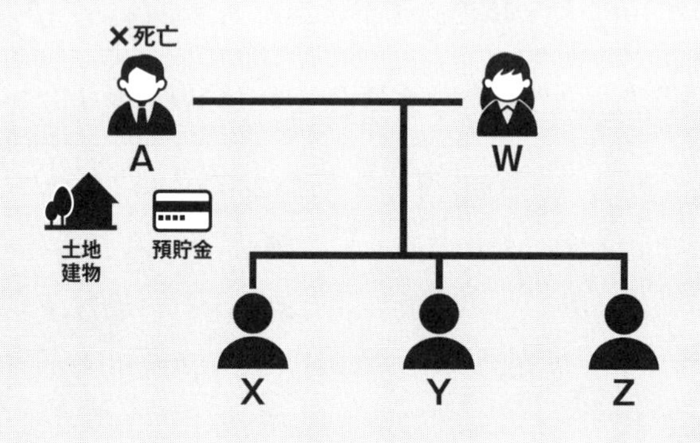

A ①の場合：遺産分割の対象となる土地・建物と預貯金に対する具体的相続分は、

「W：X：Y：Z　＝　3：1：2：1」となります。

②の場合：遺産分割の対象となる土地・建物と預貯金に対する具体的相続分は、

「W：X：Y：Z　＝　18：1：10：6」となります。

1　寄与分および特別受益がないと仮定した場合の相続分

まず、W、X、YおよびZの各人の相続財産に対する法定相続分は、以下のとおりです（民法900）。

妻W：2分の1 子X：6分の1 子Y：6分の1 子Z：6分の1

寄与分と特別受益を考慮しなければ、時価3,000万円の土地・建物と預貯金4,000万円の合計7,000万円の財産について、価値でいうとW：3,500万円、X：1,166万円、Y：1,166万円およびZ：1,166万円の相続分を有するということになります。

2　①Yに1,000万円の寄与分が認められる場合の相続分の修正

しかし本件では、相続人Yに対して1,000万円の寄与分があるため、法定相続分から以下のように相続分が修正されます。

(1) 相続分の計算の前提となる「みなし相続財産」

まず、相続分の計算の前提となる「相続財産」について、Yの寄与分を控除し、みなし相続財産額を算出します。

みなし相続財産＝7,000万円－1,000万円＝6,000万円

条文上の根拠は、以下の太字下線部分です。なお、協議により定まらない際は、民法904条2項により、家庭裁判所が定めることとなります（116ページ参照）。

（寄与分）
民法904条の2　共同相続人中に、被相続人の事業に関する労務の提供又は財産上の給付、被相続人の療養看護その他の方法により被相続人の財産の維持又は増加について特別の寄与をした者があるときは、**被相続人が相続開始の時において有した財産の価額から共同相続人の協議で定めたその者の寄与分を控除したものを相続財産とみなし**、第900条から第902条までの規定により算定した相続分に寄与分を加えた額をもってその者の相続分とする。
（以下、省略）

(2)「みなし相続財産」を各人の法定相続分で割付け（一応の相続分）

次に、**(1)**のみなし相続財産を前提として、仮の相続分を割り付けます。

・W ＝みなし相続財産6,000万円×法定相続分2分の1 ＝ 3,000万円
・X ＝みなし相続財産6,000万円×法定相続分6分の1 ＝ 1,000万円
・Y ＝みなし相続財産6,000万円×法定相続分6分の1 ＝ 1,000万円
・Z ＝みなし相続財産6,000万円×法定相続分6分の1 ＝ 1,000万円

条文上の根拠は、以下の太字下線部分です。

（寄与分）
民法904条の2　共同相続人中に、被相続人の事業に関する労務の提供又は財産上の給付、被相続人の療養看護その他の方法により被相続人の財産の維持又は増加について特別の寄与をした者があるときは、被相続人が相続開始の時において有した財産の価額から共同相続人の協議で定めたその者の寄与分を控除したものを相続財産とみなし、**第900条から第902条までの規定により算定した相続分**に寄与分を加えた額をもってその者の相続分とする。
（以下、省略）

(3) (2)の相続分に寄与分の価額を加算

最後に、寄与分を有する相続人の(2)の一応の相続分に寄与分の価額を加算します。

・W ＝ 3,000万円＋ 0円＝ 3,000万円
・X ＝ 1,000万円＋ 0円＝ 1,000万円
・Y ＝ 1,000万円＋ 1,000万円＝ 2,000万円
・Z ＝ 1,000万円＋ 0円＝ 1,000万円

条文上の根拠は、以下の太字下線部分です。

（寄与分）
民法904条の2　共同相続人中に、被相続人の事業に関する労務の提供又は財産上の給付、被相続人の療養看護その他の方法により被相続人の財産の維持又は増加について特別の寄与をした者があるときは、被相続人が相続開始の時において有した財産の価額から共同相続人の協議で定めたその者の寄与分を控除したものを相続財産とみなし、第900条から第902条までの規定により算定した**相続分に寄与分を加えた額をもってその者の相続分**とする。
（以下、省略）

(4) 最終的な各相続人の具体的相続分

各相続人の相続財産に対する具体的相続分は、(3)の比率となります。つまり、「時価3,000万円の土地・建物と預貯金4,000万円」に対する具体的相続分は、以下の比率となります。

W：X：Y：Z ＝ 3,000：1,000：2,000：1,000
　　　　　　 ＝ 　3：　1：　2：　1

注意が必要なのは、ここでの寄与分は、あくまでも相続分（率）の具体的な確定に用いるものであることから、あくまでも遺産分割の対象は、相続開始時の被相続人 A の財産である「時価 3,000 万円の土地・建物と預貯金 4,000 万円」であるということです。

この遺産分割対象財産に対して、W、X、Y および Z の相続分が前述のように計算されるということです。

3　② X に 1,000 万円の特別受益、Y に 800 万円の寄与分が認められる場合の相続分の修正

遺産分割における特別受益と具体的相続分の計算については、Q&A12（121 ページ）で解説しました。ここでは、特別受益と寄与分が併存する場合における具体的相続分を見ていきます。この点については、諸説あるものの、実務的に通例とされる方法[4]を解説します。

(1) 相続分の計算の前提となる「みなし相続財産」

まず、「みなし相続財産」としては、特別受益が加算される一方、寄与分が控除されます。

みなし相続財産＝ 7,000 万円＋ 1,000 万円（特別受益）
　　　　　　　　－ 800 万円（寄与分）＝ 7,200 万円

4　潮見佳男著「詳解相続法 第 2 版」265 頁

(2)「みなし相続財産」を各人の法定相続分で割付け(一応の相続分)

次に、(1)のみなし相続財産を前提として、仮の相続分を割り付けます。

・W ＝みなし相続財産 7,200 万円×法定相続分 2 分の 1 ＝ 3,600 万円
・X ＝みなし相続財産 7,200 万円×法定相続分 6 分の 1 ＝ 1,200 万円
・Y ＝みなし相続財産 7,200 万円×法定相続分 6 分の 1 ＝ 1,200 万円
・Z ＝みなし相続財産 7,200 万円×法定相続分 6 分の 1 ＝ 1,200 万円

(3) (2)の相続分から特別受益の価額を控除し、寄与分の価額を加算

最後に、特別受益となる贈与を受けた相続人の(2)の一応の相続分から贈与の価額を控除する一方で、寄与分を有する相続人に寄与分の価額を加算します。

・W ＝ 3,600 万円－ 0 円＝ 3,600 万円
・X ＝ 1,200 万円－ 1,000 万円＝ 200 万円
・Y ＝ 1,200 万円＋ 800 万円＝ 2,000 万円
・Z ＝ 1,200 万円－ 0 円＝ 1,200 万円

(4) 最終的な各相続人の具体的相続分率

各相続人の相続財産に対する具体的相続分は、(3)の比率となります。つまり、「時価 3,000 万円の土地・建物と預貯金 4,000 万円」に対する具体的相続分は、以下の比率となります。

W：X：Y：Z ＝ 3,600：200：2,000：1,200
＝ 18： 1： 10： 6

Q&A 14 寄与分が認められる「特別の寄与」とは？

Q **寄与分は、特別受益に比べて実務的には非常に認められにくいと聞いています。寄与分が認められる「特別の寄与」（民法 904 条の 2）とはどのようなパターンがあり、どのような点が考慮されるのでしょうか。**

A 「特別の寄与」の意義、その代表的な類型や考慮される点について整理していますので、以下の解説をご参照ください。

1 「特別の寄与」の意義

一般的に、「特別の寄与」とは、被相続人と相続人の身分関係に基づいて通常期待されるような程度を超える貢献である必要があるとされています。

つまり、夫婦間の協力義務（民法 752）、親族間の扶養義務・互助義務（民法 877①）の範囲内といえるような行為は、「特別の寄与」には該当しないこととなり、被相続人と相続人の身分関係によっても差異が生じることとなります。

2 寄与行為の代表的な類型

(1) 家業への従事

被相続人の事業に関して、無報酬またはこれと近い状態で、労務を提供している類型です。

過去の裁判例などから、「特別の寄与」が認められるためには、①特別の貢献、②無償性、③継続性および④専従性が具体的な要件となっているといわれています。

なお、被相続人自身ではなく、同人の営む会社などへの労務提供は、会社への貢献に過ぎないことから、原則として寄与分は認められません。ただし、会社とは名ばかりで実態としては個人企業に近く、被相続人と経済的に極めて密着した関係にあり、会社への貢献と被相続人の資産の確保との間に明確な関連性が認められ、労務提供に賃金などの対価が支払われていない場合には、例外的に寄与分が認められる余地があると解されています。

①特別の貢献

行為の内容が、被相続人との身分関係に基づいて通常期待させる範囲を超えていることを要するとされています。特に夫婦間には同居、協力、扶助の義務があることから、配偶者の行為は、これらの義務の範囲内とされることも多いです。

夫が個人事業主として農業や商業を営んでいる場合に、妻が夫の事業に従事していることと、夫が給与所得者である場合に妻が家事に専念することとを同質に評価できるか否かという問題がありますが、例えば、事業を夫婦が協力して行った場合には、妻の事業への従事は協力義務の範囲を超えるものとして評価でき、寄与分が認められるケースが多いです[5]。

②無償性

相続人は、家業に従事する際には、被相続人から生活費、給料や報酬を受け取っていることも多いですが、完全に無償であることが要求されているわけではなく、第三者を従業員として雇用した場合の給付額や社会一般的な労務報酬と比べて著しく少額であるといえる場合には、無償性の要件を満たすものと解されています[6]。

5 「新しい相続制度の解説」223頁
6 大阪高決平成2年9月19日（家月43巻2号144頁）
札幌高決平成27年7月28日（家判7号41頁）

③継続性

家業への従事が一定期間に及んでいることが必要であると解されていますが、明確に期間が定められているわけではありません。最終的には一切の事情を考慮して個別に判断されることになりますが、概ね、３～４年程度を要するものであると考えられています[7]。

④専従性

「専業」であることや「専念」することまで求められるわけではなく、他の業務に従事しているからといって、直ちに否定されるわけではありませんが、片手間などではなく、かなりの負担を要するものである必要があるとされています。

(2) 金銭等の給付

被相続人に対して、金銭等の財産権の給付や財産上の利益を給付している類型です。

過去の裁判例などから、「特別の寄与」が認められるためには、①特別の貢献、②無償性が具体的な要件となっているとされ、継続性や専従性は、財産を給付するだけであることから不要です。

なお、被相続人自身ではなく、同人の営む会社などへの金銭出資は、会社への貢献に過ぎないことから、原則として寄与分は認められません。ただし、会社とは名ばかりで実態としては個人企業に近く、被相続人と経済的に極めて密着した関係にあり、会社への貢献と被相続人の資産の確保との間に明確な関連性が認められる場合には、例外的に寄与分が認められる余地があると解されています[8]。

7　菅野眞一・片岡武編著「第４版　家庭裁判所における遺産分割・遺留分の実務」319頁
8　高松高決平成８年10月４日（家月49巻８号56頁）

①特別な貢献

給付内容が、被相続人との身分関係に基づいて通常期待させる範囲を超えていることを要します。

程度問題となりますが、具体例としては、以下のような行為が挙げられます。

- 共働きの夫婦の一方である被相続人が、同人の名義で不動産を取得するに際して、他方が自己の収入を提供する場合
- 相続人が、被相続人に対し、自己所有の不動産を贈与する場合
- 相続人が、被相続人に対して、自己所有の不動産を無償で使用させる場合
- 相続人が、被相続人対し、被相続人の家屋の新築、リフォーム、借入金の返済などのために金銭を贈与する場合等

②無償性

財産の給付が無償またはこれに近い状態でなされていることが必要です。

(3) 療養・看護

無報酬またはこれに近い状態で、病気療養中の被相続人の療養・看護を行っている類型です。

過去の裁判例などから、「特別の寄与」が認められるためには、①療養看護の必要性、②特別の貢献、③無償性、④継続性および⑤専従性が具体的な要件となるといわれています。

①療養看護の必要性

被相続人について、療養看護を必要する病状であったこと、および近親者による療養看護を必要としていたことが必要です。

つまり、被相続人の病状が重篤であっても、完全看護の病院に入院して

いるケースでは、近親者による療養看護を必要としていたとはいえないため、基本的に寄与分は認められないことになります。

②特別の貢献

療養看護が、被相続人との身分関係に基づいて通常期待させる範囲を超えていることを要するとされており、特に配偶者に対する療養看護は、一般的に夫婦の協力扶助義務（民法752）に含まれるため、看護期間、内容、要看護状態、配偶者の年齢等から、社会通念上、配偶者による通常の看護の程度を超えることが必要です。

なお、精神的慰安などだけでは、寄与分が認められないことは118ページをご参照ください。

③無償性

療養看護が無報酬またはこれに近い状態であることが必要です。ただし、通常の介護報酬と比べて、著しく少額である場合も無償性の要件を充たすものと考えられています。

④継続性

療養看護が一定期間に及んでいることが必要であると解されていますが、明確に期間が定められているわけではありません。最終的には一切の事情を考慮して個別に判断されることになりますが、実務的には１年以上を必要としている場合が多いとされます[9]。

⑤専従性

「専業」であることや「専念」することまで求められるわけではありませんが、療養看護の内容が片手間なものではなく、相当な負担を要するも

9　菅野眞一・片岡武編著「第４版　家庭裁判所における遺産分割・遺留分の実務」332頁

のと解されています。

(4) 扶養

無報酬またはこれに近い状態で、被相続人を継続的に扶養する類型です。過去の裁判例などから、「特別の寄与」が認められるためには、①扶養の必要性、②特別の貢献、③無償性、④継続性が具体的な要件になるといわれています。

①扶養の必要性

被相続人が、要扶養状態になることが必要であると考えられています。身体的にも経済的にも扶養の必要性がない被相続人を引き取って生活の面倒をみたというだけでは、寄与分は認められません。

ただし、前述の療養看護と異なり、病状があることを前提とするわけではなく、要扶養状態にない場合には経済的な支援として、前述の金銭等の給付として寄与分が認められる余地があります。

②特別の貢献

扶養行為が、被相続人との身分関係に基づいて通常期待させる範囲を超えていることを要するとされています。つまり、扶養により寄与分が認められるには、原則として、ⅰ法律上扶養義務がないのに扶養を行った場合、または、ⅱ扶養義務のある者が、その分担義務の範囲を著しく超えて扶養した場合のいずれかに限られることになります。

なお、精神的扶養などだけでは、寄与分が認められないことは118ページをご参照ください。

③無償性

扶養が無報酬またはこれに近い状態であることが必要です。ただし、わずかな補償を受けたとしても、通常の介護報酬と比べて、著しく少額である場合も無償性の要件を充たすものと考えられています。

④継続性

扶養が相当期間に及んでいることが必要であると解されていますが、明確に期間が定められているわけではありません。わずかな期間の生活費を援助しただけでは寄与分の対象とはならないとされています[10]。

(5) 財産管理行為

無報酬またはこれに近い状態で、被相続人の財産を管理する類型です。

例えば、被相続人の賃貸不動産を管理することで管理費用の支出を免れた場合、被相続人所有の土地の売却に際し、同土地上の家屋の賃借人との立退交渉、家屋の取壊しや登記手続き、売買契約の締結等の努力をしたことにより、土地の売却価格を増加させた場合などです。

過去の裁判例などから、「特別の寄与」が認められるためには、①財産管理の必要性、②特別の貢献、③無償性、④継続性が具体的な要件となるといわれています。

①財産管理の必要性

被相続人の財産を管理する必要があったことが必要です。例えば、賃貸アパート等について、管理会社に委託することなく、補修、募集、契約、滞納督促等の業務を行ったことなどが挙げられます。管理会社との契約があるにもかかわらず、清掃を行っていたなどの主張では寄与分は認められないでしょう。

②特別の貢献

財産管理行為が、被相続人との身分関係に基づいて通常期待させる範囲

10　菅野眞一・片岡武編著「第４版　家庭裁判所における遺産分割・遺留分の実務」351 頁

を超えていることを要するとされています。例えば、被相続人の自宅の庭について、季節ごとに草刈りをした等では寄与分は認められません。

なお、客観的に被相続人の遺産が維持または増加したことが必要なことは118ページをご参照ください。

③無償性

管理行為が無報酬またはこれに近い状態であることが必要です。ただし、報酬が、通常の管理報酬等と比べて著しく少額である場合も無償性の要件を充たすものと考えられています。

④継続性

財産管理が相当期間に及んでいることが必要とされています。例えば、被相続人が怪我をした際に２～３ヶ月程度財産管理を行ったという程度では、寄与分の対象にはなりません。

3 「特別な寄与」

これまでの裁判例等を含めて、以上が「寄与分が問題となる事案の代表的な類型」となります。実務的には、「特別の寄与」が認められるには非常に厳しく判断されている側面がありますが、最終的には、金額も含めて個別事情の下、判断されることとなります。

2 遺産分割と贈与税

遺産分割対象財産への課税は、相続税法上、「相続」の問題として相続税の問題となります。ただし、遺産分割をやり直した場合など、「相続」の問題と「贈与」の問題の境界が問題となり、贈与課税に注意しなければならない場面が複数あります。

ここでは、Q&Aで、遺産分割に関連する贈与課税の問題について、税理士の先生から頻繁にご相談いただくものを紹介・解説します。

15 遺産分割のやり直しと贈与税

Q 被相続人Aの相続が発生しました。Aの相続財産は、自宅建物（時価：4,000万円）および現預金3,000万円があります。Aの相続人には、長男Xと長女Yがいたところ、長女Yは、当初Aと同居していた長男Xからの全ての財産をXが相続したいという提案に対して納得して、遺産分割の合意をし、それに基づき不動産登記や預金の解約手続き等も終えました。その後、長女Yは、Yの配偶者から財産を一切相続しないのはおかしい旨指摘され、長男Xにその話を伝えたところ、XとYの間で、現預金のうち2,000万円をYが取得するように改めるとの方針となりました。

この場合、当初の遺産分割を変更して、遺産分割をやり直すことは可能でしょうか。また可能な場合の課税関係を教えてください。

A 民事上は、遺産分割をやり直すことは可能です。一方で、税務当局は、このやり直しは相続人間の新たな法律行為（売買、交換または贈与等）と考えています。ただし、裁判所の考え方は、必ずしも税務当局と同一であるとはいえないものと考えます。

1　民法上の遺産分割のやり直しについて

民事上は、遺産分割のやり直しが行われるには、以下の２つのパターンがあります。

(1) 当初の遺産分割が無効または法定取消権により取消された場合

遺産分割も相続人の合意によりなされるものですから、契約と同様に民法上の意思表示に関する規定が適用されます。したがって、民法の規定で無効となる場合や法定取消権の行使により取消された場合（51ページ参照）には、当初の遺産分割は無効となりますので、相続人は改めて遺産分割をすることとなります。

(2) 当初の遺産分割の合意解除と再度の遺産分割による場合

一方で、**(1)** の法定要件を満たさない場合に遺産分割をやり直す（修正する）ことができるかという問題について、判例[11]は、相続人全員の合意により、当初の遺産分割を合意解除し、再度の遺産分割合意をしたものと評価できるとして、再分割協議を認めています。

なお、遺産分割は、債務不履行による解除（法定解除、54ページ参照）は認められないと解されていますので、法定解除権によるものは想定できません[12]。

(3) 本件について

本件では、Yは、一度は納得して当初の遺産分割を行っており、当初の遺産分割の際には想定していなかった財産や遺言が発見された等の事情もなく錯誤取消しの対象にはならない（65ページ参照）と考えられますので、**(1)** による再度の遺産分割とは評価できないでしょう。

一方で、XとYが再度の遺産分割を行うとすれば、**(2)** の当初の遺産分割の合意解除と再度の分割合意によることとなります。

2　遺産分割のやり直しと課税関係

民事上は、前述のとおり、2つのパターンによる遺産分割のやり直しがあり得ます。

税務上は、この遺産分割のやり直しについて、通常の遺産分割と同様に

11　最判平成2年9月27日（民集44巻6号995頁）
12　最判平成元年2月9日（民集43巻2号1頁）

相続開始時に遡る（民法909参照）として、「相続」の問題として扱うのか、それとも当初の遺産分割により、相続による分割は確定したとして、やり直しにより生じた財産の移転を「相続」の問題としては扱わず、新たな契約行為（贈与・売買・交換等）と評価するのかという点が問題となります。

(1) 当初の遺産分割が無効または法定取消権により取消された場合

この場合については、当初の遺産分割は無効（なかったこと）になりますから、遺産分割のやり直しは、法的には1回目の遺産分割と異なりません。したがって、あくまでも「相続」の問題として扱われることとなります。

そして、相続税申告の内容や更正の請求の可否については、贈与契約の法定取消権の行使等の場合と同様となるものと解されます（58ページ参照）。特に申告期限後の税負担の錯誤による取消しの主張については注意が必要です（Q&A 8（64ページ）参照）。

なお、この場合にも、客観的に法定の取消事由等の要件が満たされていると認定できることが前提（錯誤の要件については65ページ参照）となります。例えば、当初の遺産分割では想定していなかった新たな財産が発見された場合には、錯誤による取消し等も検討しますが、取消事由等の要件該当性の評価が難しい際には、当初の分割を修正するのではなく、新たに発見された財産の分割を行い、代償金などで調整するなどの方法も実務上有用な場合もあります。ただし、Q&A17（159ページ）のような贈与税の問題は生じない範囲で行うこととなります。

(2) 当初の遺産分割の合意解除と再度の遺産分割による場合

①税務当局の考え方

税務当局は、一旦、有効に遺産分割が成立した以上、相続による財産の帰属は確定しており、その後の再度の分割合意は、「相続」の問題ではなく、新たな財産移転をさせる法律行為であるという考え方を採用しています。

例えば、相続税法の適用に関して、相続税法基本通達19の2－8但書では、「当初の分割により共同相続人又は包括受遺者に分属した財産を分割のやり直しとして再分配した場合には、その再分配により取得した財産は、同項に規定する分割により取得したものとはならないのであるから留意する。」と定めています。

平成17年12月15日裁決[13]も以下のように判断しています。

> 遺産分割協議がいったん成立すると、相続開始時に遡って同協議に基づき相続人に分割した相続財産が確定的に帰属する。したがって、遺産分割協議をやり直して相続財産を再配分したとしても、当初の遺産分割協議に無効又は取り消し得べき原因がある場合等を除き、相続に基づき相続財産を取得したということはできない。そして、この場合、対価なく財産を取得したとすれば、贈与とみるほかはない。

この考えに従うと、再度の遺産分割が、相続税申告期限前でも申告期限後であったとしても、一度遺産分割が成立した以上は、相続による財産の取得とは認められません。

つまり、本件においては、前述のとおり、遺産分割の無効や取消事由があるわけではない遺産分割のやり直しとなりますので、XからYに対する2,000万円の支払いは、贈与契約によるものと評価され、Yには、贈与税が課されることとなります。

②裁判例の分析等

一般的に再度の遺産分割による贈与税の課税を認めた裁判例として紹介

13　国税不服審判所　裁決事例集No.70　259頁

されるものとして、東京地判平成11年2月25日[14]があります。

しかし、当裁判例は、厳密には、当初の遺産分割を合意解除した上で、再度の分割をしたと認定された事例ではありません。当初の遺産分割を合意解除することなく、新たに発見された財産についての再度の遺産分割の合意を行い、相続人の1人がその取得する財産の金額を超えた代償金を支払ったため、その超えた部分を他の相続人に対する贈与にあたるとした事例です。

当裁判例は、当初の遺産分割の合意解除と再度の遺産分割について、以下のように述べています。

> 共同相続人は、既に成立している遺産分割協議の全部又は一部を全員の合意によって解除した上、改めて分割協議を成立させることができ……再度の分割協議も民法上の遺産分割協議ということができるから、再度の遺産分割協議が有効に成立した場合には、当初の遺産分割協議によって一旦は帰属の定まった財産であっても、再度の遺産分割協議によって、相続開始の時に遡って相続を原因としてその帰属が確定されることになる。
> ……既に成立した遺産分割協議の全部又は一部の合意解除の成否は、意思表示の解釈に関する一般原則に従って判断すべきものであるから、明示的な解除の合意が認められる場合に限らず、当初及び再度の遺産分割協議の内容の相違、再度の遺産分割協議が行われるに至った原因、経緯、時期、目的、関係当事者の認識等の諸事情を総合して、再度の遺産分割協議が当初の遺産分割協議の全部又は一部の合意解除を前提として成立したものと認められる場合には、黙示的な合意解除が肯認され得るものというべきであり、他方、解除の合意と目すべき事実がある場合でも、右に掲げた諸事情に照らして、再度の分割協議が当初の分割協議によって帰属が確定した財産の移転を分割協議の名の下に移転するものと認められる場合には、その合意に基づく財産権

14 税資240号902頁。その後、東京高判平成12年1月26日（税資246号205頁）でもその判断が維持され、最判平成13年6月14日（税資250号順号8923）で上告不受理として確定。

の移転の効力を肯定することができるとしても、その原因を相続によるものということはできないというべきである。

そして、相続税法は同法に固有の「相続」概念を規定するものではなく、相続税法の適用においても「相続」の意義は民法におけると同様の概念によるべきものであるから、右に説示したことが妥当するものと解すべきである。

なお、法定申告期限後に……合意解除を無制限に許容するときは、租税法律関係に著しい不安定をもたらすことになるから、当初の遺産分割協議の合意解除及び再度の遺産分割協議の成否の認定判断に当たっては、その時期及びこれに至った理由、原因が右行為の解釈において重視されるべきものであることはいうまでもない。

当裁判例は、諸事情から当初の遺産分割が合意解除され、再分割されたと評価できる場合には民事上の判例と同様に「相続」の問題とする一方で、諸事情から形式上は分割協議の名の下になされた新たな財産移転であると評価される場合には、「相続」の問題とはせず、贈与税の課税等が問題となるとしているのです。つまり、遺産分割のやり直しといっても、事実認定と評価の問題に帰結する旨述べています。

特に、その認定判断に際しては、法定申告期限との関係で、その時期及びこれに至った理由、原因が解釈において重視されるとしています。

税務当局の考え方からすると、一度、遺産分割が有効に成立すれば、再度の分割は、贈与等によるものと扱われる一方で、この裁判例を前提とすると、明確に当初の遺産分割を合意解除し、さらに法定申告期限前などの短期間の再度の分割であれば、遺産分割のやり直しの場合でも、贈与税が課税されない可能性もあるということとなります。

3　税理士の実務上の対応

税務当局は、前述のとおり、遺産分割のやり直しがなされれば原則として贈与税の課税対象となると考えています。しかし、特に相続税申告期限前のやり直しであれば、「相続」の問題として取扱うことができるという見解も有力で、前述の裁判例も合意解除による遺産分割のやり直しを一律に贈与税の対象とするものとは考えていないと思われます。

税理士の先生としては、依頼者が遺産分割のやり直しを希望した場合には、税務当局の考え方などから生じるリスクも含めた説明をした上で、最終的な意思決定を促していくことになるでしょう。

Q&A 16

特定財産承継（相続させる旨の）遺言と異なる遺産分割と贈与税

Q

被相続人Aの相続財産は、甲不動産（時価3,000万円）と現預金2,000万円です。Aの相続人には、長男Xと長女Yがいますが、以下のような公正証書遺言があります。

・長男Xに甲不動産を相続させる。

・長女Yに現預金を相続させる。

しかし、Xは甲不動産よりも現預金を得たいと考えている一方で、長女Yは家族を含めて甲不動産に居住したいという要望があるため、長男Xが現預金2,000万円を取得し、長女Yが甲不動産を取得するという遺言とは異なる遺産分割をしようと考えています。このような遺言と異なる遺産分割は可能でしょうか。また、この場合、この遺産分割は、相続の問題ではないとして、贈与税の課税等が生じるとは考えられないでしょうか。

A

民事上、特定財産承継遺言と異なる遺産分割をすることは可能です。税務上も原則として、「相続」の範囲の遺産分割であるとして考えられています。ただし、新たな法律行為（売買、交換または贈与等）とされ得る場合もありますので、注意が必要です。

1　民事上の特定財産承継（相続させる旨の）遺言の効力と遺言と異なる遺産分割

(1) 特定財産承継（相続させる旨の）遺言の効力

本件の遺言は、長男Xと長女Yにそれぞれ甲不動産と現預金を「相続させる」とされています。このような特定の財産を特定の相続人に相続させる旨の遺言は、古くからなされてきましたが、この遺言の性質（遺言事項の何にあたるのか）やその効果については、争いがありました。

この点については、最判平成３年４月19日[15]により、法的意味が明らかにされました。

> 最判平成３年４月19日（太字部部分と下線は筆者）
>
> **◯遺産分割方法の指定なのか、遺贈なのか**
>
> 特定の遺産を特定の相続人に「相続させる」趣旨の遺言は、遺言書の記載から、その趣旨が遺贈であることが明らかであるか又は遺贈と解すべき特段の事情のない限り、当該遺産を当該相続人をして単独で相続させる遺産分割の方法が指定されたものと解すべきである。
>
> **◯相続させる旨の遺言の効果**
>
> 特定の遺産を特定の相続人に「相続させる」趣旨の遺言があった場合には、当該遺言において相続による承継を当該相続人の意思表示にかからせたなどの特段の事情のない限り、何らの行為を要せずして、当該遺産は、被相続人の死亡の時に直ちに相続により承継される。

相続させる旨の遺言は、特定遺贈ではなく、遺産分割方法の指定ですが、その効果としては、通常の遺産分割方法の指定と異なり、相続開始時に直ちに特定の財産が相続により承継させる特殊なものであるとされました。なお、相続法の改正により、この相続させる旨の遺言は、「特定財産承継遺言」という名称として明文化されました（民法1014）。

つまり、本件においては、Ａの相続開始時点で、甲不動産は長男Ｘに、現預金は長女Ｙに帰属している状態（分割済み）ということとなります。

15 民集45巻4号477頁

(2) 特定財産承継（相続させる旨の）遺言と異なる遺産分割の可否

前述のとおり、特定財産承継遺言により、Aの相続開始時点において、各財産は各相続人に移転しているということになります。

このように、一旦、財産の帰属が確定している財産については、遺産分割の対象となる遺産共有となっている財産ではない（112ページ参照）ため、相続人全員の合意の下、これとは異なる遺産分割をすることが可能であるのかという点が民事上問題となりますが、裁判例および実務はこれを認めています。

> ○さいたま地判平成14年2月7日[16]
> 特定の不動産を特定の相続人に「相続させる」旨の遺言がなされた場合には……省略……直ちに当該不動産は当該相続人に相続により承継される。
> しかしながら……省略……被相続人が遺言でこれと異なる遺産分割を禁じている等の事情があれば格別……省略……一旦は遺言内容に沿った遺産の帰属が決まるものではあるが、このような遺産分割は、相続人間における当該遺産の贈与や交換を含む混合契約と解することが可能であるし、その効果についても通常の遺産分割と同様の取り扱いを認めることが実態に即して簡明である。

16　LLI／DB　判例秘書登載 05750367

2　特定財産承継(相続させる旨の)遺言と異なる遺産分割と贈与税等

税務当局は、遺産分割のやり直しについては、原則として、いったん有効な遺産分割が確定した以上、財産の帰属が確定しており、再度の遺産分割は「相続」の問題ではなく、新たな法律行為（売買、交換または贈与等）と解しています（Q&A15（143ページ）参照）。

特定財産承継遺言でも、同様に相続開始時において、一旦財産の帰属が確定している（分割済み）ため、同じように贈与税等が発生するのかが問題となります。

(1) 税務当局の見解と分析

実務上、一般的には、遺言と異なる遺産分割の場合、贈与税は発生しないと考えられているようです。その根拠として、よくあげられるものとして、以下のタックスアンサーや質疑応答事例等があります。

> タックスアンサーNo.4176
> 〈遺言書の内容と異なる遺産分割をした場合の相続税と贈与税〉
> 特定の相続人に全部の遺産を与える旨の遺言書がある場合に、相続人全員で遺言書の内容と異なった遺産分割をしたときには、受遺者である相続人が遺贈を事実上放棄し、共同相続人間で遺産分割が行われたとみるのが相当です。したがって、各人の相続税の課税価格は、相続人全員で行われた分割協議の内容によることとなります。
> なお、受遺者である相続人から他の相続人に対して贈与があったものとして贈与税が課されることにはなりません。

質疑応答事例

【照会要旨】

被相続人甲は、全遺産を丙（三男）に与える旨（包括遺贈）の公正証書による遺言書を残していましたが、相続人全員で遺言書の内容と異なる遺産の分割協議を行い、その遺産は、乙（甲の妻）が1/2、丙が1/2それぞれ取得しました。

この場合、贈与税の課税関係は生じないものと解してよろしいですか。

【回答要旨】

相続人全員の協議で遺言書の内容と異なる遺産の分割をしたということは（仮に放棄の手続がされていなくても）、包括受遺者である丙が包括遺贈を事実上放棄し（この場合、丙は相続人としての権利・義務は有しています。）、共同相続人間で遺産分割が行われたとみて差し支えありません。

したがって、照会の場合には、原則として贈与税の課税は生じないことになります。

【関係法令通達】

民法第907条、第908条、第915条、第939条、第990条

最高裁　平成10年6月11日判決

まず、特定財産承継遺言は、民事上はあくまでも「相続」であるため、それを放棄するには特定遺贈（民法986①）と異なり、相続放棄手続きが必要と解されています[17]。タックスアンサーを見る限りでは、「遺贈」とされているため、特定財産承継遺言の場合にも当てはまるのかという点について疑問がありますが、質疑応答事例では同じく相続放棄が必要な包括遺贈でも、原則として贈与税の課税は生じないとされているため、相続放棄が必要な特定財産承継遺言を除外している趣旨とまでは見てとれないでしょう。

17　東京高決平成21年11月18日（判タ1330号203頁）

一方で、タックスアンサーおよび質疑応答事例ともに、特定の相続人に全ての財産を取得させる遺言であることを前提としており、質疑応答事例において、引用されている「最高裁平成10年6月11日判決」は、遺留分を侵害された者が、遺産分割を請求した場合には、遺留分減殺請求（当時）の意思表示があったものと解するというものです[18]。つまり、遺留分侵害の請求があった場合には、それを遺産分割で調整するということが多々あるため、そのような場合に限定して、解釈をしているのか否かという点については、必ずしも明らかではありません。

(2) 実務上の注意すべき場合

前述のとおり、明確な理論上の根拠は不明な部分もありますが、課税実務上は、原則として遺言と異なる遺産分割がなされても、「相続」の問題として扱われ、贈与税等は課税されていないものと考えられます。私見では、遺産分割のやり直しと異なり、遺言はそもそも納税者ではない被相続人の一方的なものですし、相続人の意思決定として、1回限りの分割であれば、租税公平主義に与える影響も小さいことなどが背景にあるものと考えられます。

ただし、質疑応答事例でも「原則として」とされているところ、以下の場合には実務上も注意が必要であると考えます。

①遺言執行者がいる場合

民事上、遺言執行者が存在する場合には、遺言と異なる遺産分割をするには、遺言執行者の同意が必要とされています（民法1013①、②）。

そして、遺言執行者の同意がない形式上の遺産分割合意については、遺産分割としては無効である一方で、相続人間において贈与ないし交換等の贈与をする旨の合意として有効となると解されています。

18 最決平成10年6月11日（民集52巻4号1034頁）

○東京地判平成13年6月28日[19]
民法1013条によれば、遺言執行者がある場合には、相続人は、相続財産の処分その他遺言の執行を妨げるべき行為をすることが出来ず、これに違反するような遺産分割行為は無効と解すべきである。
もっとも、本件遺産分割協議は、分割方法の指定のない財産についての遺産分割の協議と共に、本件土地持分については、Xが本件遺言によって取得した取得分を相続人間で贈与ないし交換的に譲渡する旨の合意をしたものと解するのが相当であり、……省略……有効な合意と認めることができる。

つまり、本件の遺言において、遺言執行者が選任されているにもかかわらず、遺言執行者の同意がない場合には、遺産分割ではなく、新たな譲渡（売買、交換または贈与等）の合意と評価されるおそれが強いため、遺産分割を行う場合には、遺言執行者の同意を取得すべきでしょう。

②遺言により異なる遺産分割が禁止されている場合

前述のさいたま地判平成14年2月7日（152ページ参照）では、特定財産承継遺言と異なる遺産分割に通常の遺産分割の効力が生じるとされる場合について、「遺言でこれと異なる遺産分割を禁じている等の事情があれば格別」とされています。つまり、遺言によりこれと異なる遺産分割を禁止する旨の規定がある場合には、税務上も、その遺産分割の合意は、相続人間における新たな譲渡（売買、交換または贈与等）の合意と評価される可能性が高いでしょう。

③不動産等について既に登記等を済ませてしまった場合

本件で、Xが既に甲不動産を一度、自己が単独で取得したものとして登記をした場合です。

19　判タ1086号279頁

このようなXが遺言を承諾するような外形的行為があった場合にまで、それと異なる遺産分割が認められるのかという点です。

前述のとおり、課税実務上、特定財産承継遺言と異なる遺産分割について原則として贈与税とはならないとされているのは、一回的な相続人の合意によるものであり、租税公平主義に与える影響も少ないことが背景としてはあるように思います。一度それを事実上承認した行為を外形的に行っている以上、遺産分割のやり直しと異なり一方の相続人Xの行為に過ぎないとしても、贈与税等が発生するという考えもあり得るところかと考えます。

なお、私見では、このように解するとしても、実質的に遺留分侵害額請求の調整である等といえる事案であれば、贈与税等の問題は生じないものと考えます（相法32①三の趣旨参照）。

④相続税の確定申告後に遺産分割を行う場合

本件の遺言がある場合、相続税申告では、遺言で既に分割された財産は、「分割されていない財産」（相法55）には該当しないため、未分割申告はできないものと解されている[20]ことから、遺言に沿った申告がなされているものと考えられます[21]。

このような相続税申告後に、遺言と異なる遺産分割をすることは、税務上は、新たな法律行為（売買、交換または贈与等）としての課税関係が生じるとする見解[22]も有力です。

(3) 税理士の実務対応と私見

①税理士の実務対応

前述のとおり、課税実務上、特定財産承継遺言と異なる遺産分割は、原

20 国税不服審判所　平成23年12月6日裁決（裁決事例集85集393頁）等
21 実務上は、未分割として申告しているケースも多いですが、税法上は誤りであると解されます。
22 編著関根稔「相続をめぐる民法と税法の理解」ぎょうせい207頁等

則として贈与税等の課税は行われていません。本件でも、原則として譲渡所得課税や贈与税等は発生しないものと考えられます。

ただし、(2)の各場合には注意が必要です。「(2)の③及び④」に関しては、必ずしも理論上の根拠が明確ではない一方で、贈与課税等のリスクも比較的残るため、クライアントが強く希望した場合、しっかりとリスクを説明し、理解した上での意思決定を促すことが必要でしょう。

②私見

前述のとおり、特定財産承継遺言と贈与税等の関係は、裁判例等によっても、必ずしも理論上の根拠が明らかとはされていないところです。

最後に僭越ながら、私見を述べさせていただくと、贈与課税等が生じるかという点については、一律に定まるものではなく、遺産分割のやり直しが問題となった裁判例である東京地判平成11年2月25日[23]（147ページ）のように、遺言と遺産分割協議の内容の相違、遺言と異なる遺産分割協議が行われるに至った原因、経緯、時期、目的、関係当事者の認識等の諸事情を総合考慮して、相続による遺産分割と評価できるのか、それとも形式的な遺産分割の名の下の新たな財産移転行為と評価できるのかという問題となるかと存じます。その認定の際には、当裁判例の指摘と同様に、相続税申告期限なども重視されるものと考えます。

前述の注意すべき場合は、この事実認定と評価に影響を与える事情であるというのが筆者の私見となります。

23　税資240号902頁。その後、東京高判平成12年1月26日（税資246号205頁）でもその判断が維持され、最判平成13年6月14日（税資250号順号8923）で上告不受理として確定。

Q&A 17 取得財産を超える代償金の支払いと贈与税

Q 被相続人Aの相続財産には、甲不動産（時価2,000万円）があります。Aの相続人である長男Xと次男Yは、長男Xが甲不動産を取得するために、代償金として3,500万円を支払う旨の遺産分割をする方針です。この場合、Xの相続税申告における課税価格から代償財産の価額3,500万円を控除し、Yの課税価格は代償財産の価額3,500万円となるのでしょうか。

A Xの課税価格から控除される代償金の価額は2,000万円が限度となり、Yの課税価格は2,000万円とされ、差額1,500万円は、XからYに対する贈与として、贈与税の対象となるものと考えられます。

1 遺産分割における代償分割

遺産分割において、不動産を分割する方法としては、現物のまま分割する方法（現物分割）、不動産を売却しその代金を分割する方法（換価分割）および不動産自体を特定の相続人が取得する代わりに代償金を支払う方法（代償分割）という3つがあります。

本件では、長男Xが甲不動産を取得する代わりに、Yに対して代償金を支払う代償分割という形式で遺産分割をする方針となっています。

2 取得財産を超える代償金の支払いと贈与税

しかし、形式上は遺産分割による代償分割となっていますが、Xが取得する甲不動産の財産額2,000万円の価値を超える3,500万円（差額1,500万円）を、Yに対して支払う方針となっています。

民事上は、そのような合意自体が無効となるわけではないものと考えられます。しかし、代償分割に関して、取得した財産の価額を超える額の代償金の支払いがあった場合、税務上は、「相続」の範囲をでた財産移転であると解されます。仮にこれを無制限に「相続」とすると、相続により、特定の相続人の固有財産からの他の相続人に対する財産移転が自由に可能ということとなってしまうからです。この点について、東京地判平成11年2月25日[24]は、以下のとおり判断しています。

> 代償分割に係る代償金として、代償債務者である相続人からその者が取得した積極財産の価額を超える代償金を受領した場合には、その積極財産の価額を超える部分は、現物をもってする分割に代える代償債務に該当せず、代償債務者から他方相続人に新たな経済的利益を無償にて移転する趣旨でされたものというべきである。したがって、代償債務のうち他方相続人が取得する積極財産を超える部分については、代償債務者の相続税の課税価格の算定に当たって、消極財産として控除すべきではなく、他方相続人が取得した同部分に相当する代償債権の額は、代償債務者からの贈与により取得したものというべきである。

3　結論

以上より、相続税申告におけるXの課税価格から控除される代償財産の価額は取得財産の価額2,000万円となり、Yの課税価格は2,000万円とされ、差額の1,500万円は、XからYに対する贈与税の対象となるものと考えられます。

なお、実務上は、甲不動産の評価方法として、3,500万円以上の価額で評価できないかなども検証する必要があるでしょう。

24　税資240号902頁

Q&A 18 相続開始後に相続財産の価額が上昇した場合の代償金の支払いと贈与税

Q 今から約10年前に被相続人Aの相続が発生しました。相続財産には甲不動産があり、その相続開始時の価額は2,000万円でした。Aの相続人である長男Xと長女Yは、相続開始より不仲で、遺産分割が進まず、最近、遺産分割の審判で、長男Xが甲不動産を取得し、代償金を長女Yに支払うとされました。

裁判の資料を見ると、甲不動産の価額が、相続開始から審判までの間に上昇し、4,000万円となっているため、長男Xが長女Yに対して、代償金として2,000万円を支払うこととされています。

相続発生後の資産価値の増加部分を分配する趣旨の代償金（1,000万円分）の支払いは、「相続」の範囲外の財産移転として、贈与税が課税される可能性はないでしょうか。

A 今回の代償金の支払いは、「相続」の範囲内の行為（遺産分割）と評価されますので、贈与税が課税されることはありません。

1 遺産分割の財産評価の基準時

遺産分割は、共同相続人の共有ないし準共有（遺産共有）となっている相続財産の終局的な帰属を確定させる手続きです（112ページ参照）。

そして、遺産分割がなされるとその効果は、相続開始時に遡ります（民法909）が、遺産共有となっている財産の評価時点は、あくまでも遺産共有物の分割時（実際の遺産分割時）となると実務上は解されています。

相続開始時を基準に評価すべきという説も存在しますが、分割時に価額の下落した財産を取得する相続人と価額が維持または上昇した遺産を取得する相続人間とでは公平が害されるため、遺産分割時が実務上の通説となっています。

なお、特別受益や寄与分が問題となる遺産分割の事案では、相続開始時を基準として、「みなし相続財産」を算出し、相続分を計算する必要がある（121ページ、128ページ参照）ため、遺産分割時の評価とは別に相続開始時の評価も必要となります。

本件では、甲不動産の相続開始時の価額は2,000万円ですが、裁判所が遺産分割時の価額は4,000万円と評価し、相続分に従って、甲不動産を取得した長男Ｘが、長女Ｙに対し、代償金として2,000万円を支払うことと裁判所が審判したということになります。

２　価額上昇相当分の代償金には贈与税が課税されるか？

相続税法は、相続税に関する財産評価について、相続開始時を基準として課税価格を計算するとされている（相法22、民法909）ことから、甲不動産の相続開始後の財産価額の上昇分（2,000）も含めて、その部分に対応する代償金（1,000万円）を支払うと、相続後の事情に応じた財産の移転として、相続税の問題の枠外となり、相続とは別途の法律行為と評価され、贈与税が課税されることにならないかという疑問自体は生じます。

しかし、相続税法の「相続」や「贈与」は、民法の借用概念であり、みなし贈与等の特別の規定が税法上に存在しない以上、民法の判断に従うこととなります。

そして、遺産分割において、遺産共有財産の評価は、遺産分割時に行うことが民事実務上の通説である以上、税法上は、この民法上の遺産分割（代償分割）を「相続」の問題の枠外と評価し、贈与税の対象とするという解釈をすることはできないでしょう[25]。

なお、実務上も、相続税法基本通達11の２－９および相続税法基本通達

11の2-10も、相続の問題として取り扱うことが前提とされています。

（代償分割が行われた場合の課税価格の計算）

相基通11の2-9　代償分割の方法により相続財産の全部又は一部の分割が行われた場合における法第11条の2第1項又は第2項の規定による相続税の課税価格の計算は、次に掲げる者の区分に応じ、それぞれ次に掲げるところによるものとする。

（1）代償財産の交付を受けた者　相続又は遺贈により取得した現物の財産の価額と交付を受けた代償財産の価額との合計額

（2）代償財産の交付をした者　相続又は遺贈により取得した現物の財産の価額から交付をした代償財産の価額を控除した金額

（注）「代償分割」とは、共同相続人又は包括受遺者のうち1人又は数人が相続又は包括遺贈により取得した財産の現物を取得し、その現物を取得した者が他の共同相続人又は包括受遺者に対して債務を負担する分割の方法をいうのであるから留意する。

（代償財産の価額）

相基通11の2-10　11の2-9の（1）及び（2）の代償財産の価額は、代償分割の対象となった財産を現物で取得した者が他の共同相続人又は包括受遺者に対して負担した債務（以下「代償債務」という。）の額の相続開始の時における金額によるものとする。

ただし、次に掲げる場合に該当するときは、当該代償財産の価額はそれぞれ次に掲げるところによるものとする。

（1）共同相続人及び包括受遺者の全員の協議に基づいて代償財産の額を次の（2）に掲げる算式に準じて又は合理的と認められる方法によって計算して申告があった場合　当該申告があった金額

25　相続の問題として取り扱っている裁判例として東京高判平成17年2月10日（税資255号順号9931）

（２）（１）以外の場合で、代償債務の額が、代償分割の対象となった財産が特定され、かつ、当該財産の代償分割の時における通常の取引価額を基として決定されているとき　次の算式により計算した金額

A×(C÷B)

(注) 算式中の符号は、次のとおりである。

Aは、代償債務の額

Bは、代償債務の額の決定の基となった代償分割の対象となった財産の代償分割の時における価額

Cは、代償分割の対象となった財産の相続開始の時における価額(評価基本通達の定めにより評価した価額をいう。)

第 4 章

遺留分侵害額請求と贈与

1　遺留分制度の概要

（1）遺留分制度の趣旨

現在の遺留分制度は、相続人の最低限の生活保障や共同相続人間の公平を維持すること等の趣旨から、各相続人に、被相続人の行為（贈与、遺言および信託等）によっても、侵害できない一定の財産領域（遺留分）を認めています。

一定の相続人（遺留分権利者）であれば、最低限保証される領域が遺留分であると捉えればイメージしやすいでしょう。

具体的には、現在では、遺留分が侵害された金額について、遺留分侵害額請求権として、侵害した者に対して、金銭債権として請求することができます。

（2）相続法改正

平成30年の相続法改正前の民法では、遺留分を侵害された相続人が遺留分減殺請求権を行使すると、物権的な効力つまり侵害の限度で、各財産について共有持分権が生じるなどの効力があると解されていました。したがって、減殺の対象となった財産の現物返還が原則とされ、例外的に価額弁償が認められるという仕組みでした。

しかし、遺留分減殺請求がなされ、財産が共有の状態になるというのは煩雑です。事業承継の場面をイメージするとわかりやすいですが、事業用財産や自社株式が共有ないし準共有状態となれば、事業の円滑な遂行を阻害してしまいます。

そこで、相続法の改正により（2019年7月1日以降に生じた相続に適用）、その呼称も「遺留分侵害額請求」に改められ、侵害された遺留分額について、遺留分侵害額請求権の行使により、金銭の請求ができる金銭債権となると整理されました。そのほか、後述するように、遺留分の算定基礎財産の価額に加算される相続人への生前贈与等の特別受益の価額が、原則として相続開始前10年間にされた贈与に限定されるなどの規定も設けられました。

2 遺留分侵害額の計算方法

ここでは、相続法改正後の遺留分侵害額請求権を前提に、遺留分侵害額の計算方法について具体的なイメージをお持ちいただくため、遺言、生前贈与がある場合における基本的な事例を利用しながら解説します。

〈家族構成〉
　被相続人A、妻W、長男X、長女Y
〈Aの相続開始時期〉
　2021年9月1日
〈相続開始時におけるAの相続財産〉
・a銀行預金　8,000万円
・b銀行預金　1,000万円
・居住用不動産　相続時の時価　3,000万円
〈遺言内容〉
・a銀行預金について、長男Xに相続させる。
・b銀行預金について、長女Yに相続させる。
・居住用不動産について、妻Wに相続させる。
〈Aの生前贈与〉
・相続開始5年前に、長男Xに対して2,000万円の生前贈与
・相続開始12年前に、長女Yに対して500万円の生前贈与

(1) 遺留分権利者

まず、遺留分は全ての相続人に対して認められるものではなく、兄弟姉妹以外の相続人について、認められます（民法1042①）。つまり、相続人のうち、配偶者、子、直系尊属（親等）に認められる権利です。遺留分が認められる相続人は、「遺留分権利者」と呼ばれます。遺留分権利者とな

る者が先に死亡した場合の代襲相続人も、遺留分権利者に含まれます。なお、遺留分権利者であっても、相続放棄をした者は、相続開始時から相続人とならなかった者とみなされる（民法939）ため、遺留分は認められません。そのほか、相続欠格者（民法891）および被廃除者（民法892、893）も同様です。

本事例では、妻W、長男Xおよび長女Yの相続人全員が遺留分権利者となります。

(2) 遺留分侵害額の計算方法

遺留分侵害額の計算について整理すると、以下の算式により求めることができます。

遺留分侵害額＝①遺留分権利者が有する具体的な遺留分額
　　　　　　　－②遺留分権利者が得た財産額

①遺留分権利者が有する具体的な遺留分額
　＝遺留分の算定基礎財産の価額×（遺留分率×法定相続分率）

②遺留分権利者が得た財産額
　＝各遺留分権利者が相続・遺贈により得る財産額＋各遺留分権利者が得た特別受益となる贈与の価額－各遺留分権利者の相続債務負担額

①「①遺留分権利者が有する具体的な遺留分額」

①各遺留分権利者が有する具体的な遺留分額
　＝遺留分の算定基礎財産の価額×（遺留分率×法定相続分率）

a　遺留分率と法定相続分率

基本的に遺留分率は、２分の１となります（民法1042①二）。ただし、直系尊属（親等）のみが相続人である場合には、３分の１とされるので注意が必要です（民1042①一）。

本事例では、直系尊属のみが相続人である場合には該当しないため、２分の１が遺留分率となります。各遺留分権利者の「（遺留分率×法定相続分率）」は、以下のとおりです。

妻W　：（1／2×1／2）＝1／4
長男X：（1／2×1／4）＝1／8
長女Y：（1／2×1／4）＝1／8

b　遺留分の算定基礎財産の価額

遺留分の算定基礎財産の価額は、以下の算式で求めることができます（民法1043～1045）。

　　i　相続開始時に被相続人が有する積極財産の価額[1]
＋）ii　相続開始前１年間に贈与された財産の価額
＋）iii　共同相続人へ相続開始前10年間に贈与された特別受益となる財産の価額
＋）iv　当事者双方が遺留分権利者に損害を加えることを知っ

1　遺贈・特定財産承継遺言・死因贈与された財産も含む。

	てされた不相当な対価による有償行為
+）v	ⅱおよびⅲの贈与の期間外のものについて、当事者双方が遺留分権利者に損害を加えることを知ってなされた贈与財産の価額
−）vi	相続開始時に被相続人が有する消極財産の価額（相続債務の全額）

(a)　i　相続開始時に被相続人が有する積極財産の価額

まず、遺留分の算定基礎財産の価額計算の出発点は、相続開始時の被相続人の積極財産です。この積極財産には、遺贈、特定財産承継遺言および死因贈与された財産も含む形で計算します。

本事例においては、「a 銀行預金 8,000 万円」、「b 銀行預金 1,000 万円」および「居住用不動産 3,000 万円」の価額の合計金額となりますので、**「1 億 2,000 万円」**です。

(b)　ii　相続開始前 1 年間に贈与された財産の価額

相続人以外の者に対するものも含めて、相続開始前 1 年間に贈与された財産の価額は、遺留分の算定基礎財産の価額に加算されます（民法 1044①）。ここにいう「贈与」には、贈与契約によるものだけではなく、無償による債務免除なども含まれます（Q&A19（181 ページ）参照）。また、負担付贈与については、贈与財産の価額から負担の価額を控除した金額が遺留分の算定基礎財産の価額に加算されることとなります（民法 1045①）。

本事例では、相続開始前 1 年間にされた贈与はないため、この加算はありません。

(c)　iii　共同相続人へ相続開始前 10 年間に贈与された特別受益となる財産の価額

共同相続人へ相続開始前 10 年間に贈与された特別受益となる財産の価額は、遺留分の算定基礎財産の価額に加算されます（民法

1044③、①）。つまり、相続開始前10年間になされた「婚姻若しくは養子縁組のため又は生計の資本として受けた贈与の価額」（Q&A19（181ページ）参照）が、遺留分の算定基礎財産の価額に含まれることとなります。負担付贈与等についても前述「(b)」と同様です。

相続法改正前においては、民法に明文はなく、共同相続人相互の公平を維持する趣旨で、判例[2]により加算が認められていたものでしたが、相続法改正により、特別受益となる財産の価額が遺留分の算定基礎財産の価額に加算されることが明文化されました（民法1044③）。また、判例上は期間の制限はありませんでしたが、期間制限を設けないとあまりにも受贈者の地位が不安定となることから、相続法改正により、原則として相続開始前10年間に限定されることとなりました。

本事例では、相続開始前10年間の贈与として、相続開始5年前の「長男Xに対して2,000万円の生前贈与」がありますので、**2,000万円が遺留分の算定基礎財産の価額に加算**されます。一方で、相続開始12年前の「長女Yに対して500万円の生前贈与」は、加算対象とはなりません。

(d) iv　当事者双方が遺留分権利者に損害を加えることを知ってされた不相当な対価による有償行為

財産の低額譲渡など、不相当な対価による有償行為については、「当事者双方が遺留分権利者に損害を加えることを知ってしたものに限り」、その対価を負担の額とする負担付贈与とみなされ、遺留分の算定基礎財産に加算されることとなります（民法1045②）。

本事例では、該当する行為がないため、この加算はありません。

(e) v　iiおよびiiiの贈与の期間外のものについて、当事者双方が遺留分権利者に損害を加えることを知ってなされた贈与財産の価額

2　最判平成10年3月24日（民集52巻2号433頁）

前述ⅰ、ⅱのとおり、遺留分の算定基礎財産に加算される贈与等の価額は、相続人以外の者も含む贈与（1年間）や特別受益にあたる贈与（10年間）について、それぞれ加算を認めるものに、期間制限があります。しかし、「当事者双方が遺留分権利者に損害を加えることを知って」なされた贈与については、例外的に期間制限の適用がないものとされています（民法1044①、③但書）。「当事者双方が遺留分権利者に損害を加えることを知って」の意義については、Q＆A21（188ページ）をご参照ください。

本事例では、相続開始12年前の「長女Yに対して500万円の生前贈与」がありますが、該当しません。

(f) ⅵ　相続開始時に被相続人が有する消極財産の価額（相続債務の全額）

相続債務が存在する場合には、相続債務の金額が遺留分の算定基礎財産の価額から減算されます（民法1043①）。

本事例では、相続債務は存在しませんので、遺留分の算定基礎財産の価額から減算される価額はありません。

(g) 遺留分の算定基礎財産の価額の評価基準時

相続分の計算における特別受益と同様（113ページ参照）に、特別受益となる生前贈与があった場合、遺留分の算定基礎財産に加算される財産の価額は、相続開始時を基準に評価するものと解されています[3]。

特に株式や不動産の価額は、贈与時と相続開始時ではその評価額が異なることが多いため、生前対策には注意が必要です（343ページ参照）。

本事例において、遺留分の算定基礎財産に加算される生前贈与は、現金の贈与であり（前述（c）参照）、相続開始時2021年9月1

3　最判昭和51年3月18日（民集20巻2号111頁）

日と５年前で、貨幣価値に大きな変動がないため、贈与時の金額と同様に考えてよいでしょう。

(h) 本事例における遺留分の算定基礎財産の価額

以上より、本事例の**「遺留分の算定基礎財産の価額」**は、**「１億4,000万円」**となります。

i　相続開始時に被相続人が有する積極財産の価額
……… **1億2,000万円**

＋）ii　相続開始前１年間に贈与された財産の価額………０円

＋）iii　共同相続人へ相続開始前10年間に贈与された特別受益となる財産の価額
……(長男Ｘに対して2,000万円の生前贈与) **2,000万円**

＋）iv　当事者双方が遺留分権利者に損害を加えることを知ってされた不相当な対価による有償行為……………０円

＋）v　iiおよびiiiの贈与のうち期間外のものについて、当事者双方が遺留分権利者に損害を加えることを知ってなされた贈与財産の価額……………………………０円

－）vi　相続開始時に被相続人が有する消極財産の価額
(相続債務の全額)…………………………………０円

c　本事例における①各遺留分権利者が有する具体的な遺留分額

本事例における「①各遺留分権利者が有する具体的な遺留分額」は以下のとおりです。

妻W　：1億4,000万円×（1/2×1/2）＝3,500万円
長男X：1億4,000万円×（1/2×1/4）＝1,750万円
長女Y：1億4,000万円×（1/2×1/4）＝1,750万円

②「②遺留分権利者が得た財産額」

前述のとおり、遺留分侵害額は、①遺留分権利者が有する具体的な遺留分額から②遺留分権利者が得た財産額を差し引いた金額となります（民法1046②）。各遺留分権利者について、これが正の値であれば、その価額が遺留分侵害額であり、負の値であれば遺留分侵害額はないこととなります。

②遺留分権利者が得た財産額
＝各遺留分権利者が相続・遺贈により得る財産額＋各遺留分権利者が得た特別受益となる贈与の価額－各遺留分権利者の相続債務負担額

以下では、本事例における「②遺留分権利者が得た財産額」を見ていきましょう。

a　妻Wについて

妻Wの「相続により得る財産額」は、居住用不動産の時価3,000万円です。一方で、「特別受益となる贈与の価額」および「遺留分権利者の相続債務負担額」はありませんので、妻Wが得た財産額は以下のとおりとなります。

妻Ｗが得た財産額＝ 3,000 万円＋０円－０円＝ 3,000 万円

b　長男Ｘについて

長男Ｘの「相続により得る財産額」は、「a銀行預金 8,000 万円」です。また「特別受益となる贈与の価額」は、相続開始５年前の「長男Ｘに対して 2,000 万円の生前贈与」の 2,000 万円となります。一方で、「遺留分権利者の相続債務負担額」はありませんので、長男Ｘが得た財産額は次のとおりとなります。

長男Ｘが得た財産額＝ 8,000 万円＋ 2,000 万円－０円＝１億円

c　長女Ｙについて

長女Ｙの「相続により得る財産額」は、「b銀行預金 1,000 万円」となります。また「特別受益となる贈与の価額」は、相続開始 12 年前の「長女Ｙに対して 500 万円の生前贈与」の 500 万円となります。なお、相続開始 10 年以上前の特別受益となる生前贈与も、この「特別受益となる贈与の価額」に含まれる点はＱ＆Ａ22（191 ページ）をご参照ください。

一方で、「遺留分権利者の相続債務負担額」はありませんので、長女Ｙが得た財産額は以下のとおりとなります。

長女Ｙが得た財産額＝ 1,000 万円＋ 500 万円－０円＝ 1,500 万円

③本件事例における遺留分侵害額

以上を整理すると、本事例における各遺留分権利者の遺留分侵害額は以下のとおりです。

遺留分侵害額＝①遺留分権利者が有する具体的な遺留分額－②遺留分権利者が得た財産額

妻Wの遺留分侵害額　＝①3,500万円－②3,000万円＝　500万円
長男Xの遺留分侵害額＝①1,750万円－②　1億円＝△8,250万円
（侵害額なし）
長女Yの遺留分侵害額＝①1,750万円－②1,500万円＝　250万円

したがって、本事例では、妻Wは500万円、長女Yは250万円を長男Xに対して、遺留分侵害額の請求をすることができます。

(3) 遺留分の負担の限度額

本事例では問題となりませんが、遺留分の侵害額請求を受ける者（長男X）は、遺言で取得した財産額または遺留分の算定基礎財産の価額に加算される贈与の価額を限度として、遺留分侵害額を負担します。なお、本事例のように遺留分侵害額請求を受ける者が相続人の場合は、この価額から遺留分額を控除した額が限度額となります。

(4) 複数の者が遺留分侵害額請求を受ける場合の順序

①受遺者と受贈者があるとき

まず、受遺者（遺言により財産を得る者）と受贈者（遺留分の算定基礎財産に加算される贈与を受けた者）があるときは、受遺者が先に遺留分侵害額を負担するとされています（民法1047①一）。この規定は強行規定であり、遺言でも順序を変更することはできません。

②遺贈が複数または同時の贈与が複数ある場合

次に、受遺者が複数ある場合においては、その目的の価額の割合に応じ

て負担することとなります（民法1047①二）。他方で、受贈者が複数ある場合について、贈与が同時にされたときは、受贈者がその目的の価額の割合に応じて負担します（民法1047①）。この規定は任意規定であり、遺言において別の定めをすることができます。

③受贈者が複数ある場合（同時の贈与を除く）

受贈者が複数ある場合で、贈与に先後があるときは、後の贈与に係る受贈者から順次前の贈与に係る受贈者が負担します。この規定は強行規定であり、遺言でも順序を変更することはできません。

（5）遺留分侵害額請求の消滅時効等

（遺留分侵害額請求権の期間の制限）
民法1048条　遺留分侵害額の請求権は、遺留分権利者が、相続の開始及び遺留分を侵害する贈与又は遺贈があったことを知った時から１年間行使しないときは、時効によって消滅する。相続開始の時から10年を経過したときも、同様とする。

遺留分侵害額請求自体は、従前と同様一種の形成権と解されており、法律で特別な時効などの定めがあります。なお、遺留分侵害額請求権自体（遺留分侵害額請求の意思表示）は形成権ですが、一度行使されれば、遺留分侵害額に相当する金銭を請求できる金銭債権が生じることになります。

遺留分侵害額請求権は、相続の開始および遺留分を侵害する贈与または遺贈があったことを知った時から１年間で、消滅時効が完成します。また、仮に「知った時」といえなくとも、相続開始の時から10年を経過したときも消滅するとされています。「知った」か否かの判断は、事案によりどの程度の認識が必要かについて、裁判例によっても幅があるため、時効期間が1年と短期であることもあり、実務上は、遺留分侵害の可能性を認識した時点で、早期に遺留分侵害額請求の意思表示のみでも行うこととなります。なお、意思表示の方法に法律上の制限はありませんが、後日の紛争に備えて、内容証明郵便など意思表示の事実が証明できるように行うことが通例です。

(6) 遺留分侵害額請求があった場合の相続税の申告等

遺留分侵害額請求があった場合、その支払われる金額が相続税申告期限前に当事者間で確定すれば、それを前提に相続税申告をすることとなります。一方で、支払われる金額の確定が、相続税申告期限後であれば、その金額を前提に、その支払いをした者は更正の請求（国通法23①、相法32①一）をし、支払いを受けた者は、期限後申告（相法30）または修正申告をすることとなります。

なお、実務上は、更正の請求および期限後申告または修正申告を行わず、相続税を考慮した金額の合意を当事者で行っていることもあります。

3 遺留分制度と贈与の関係

前述のとおり、本書のテーマである「贈与」は、遺留分侵害額の計算において、大きな影響を及ぼします。具体的には、遺留分の算定基礎財産の価額に加算される1年以内の贈与および特別受益となる10年以内の贈与や各遺留分権利者が得た財産額を算定するにあたっても特別受益となる贈与が関連してきます。

遺留分制度に関連する「贈与」を中心に、以下のQ&Aで個別論点等を解説していきます。

Q&A

19 特別受益となる「贈与」とは

Q 遺産分割等における相続分の計算や遺留分侵害額の計算に影響を及ぼす「特別受益となる贈与」とは、具体的にはどのような贈与をいうのでしょうか。

A 贈与契約によるものに限らず、広く無償の処分を含むものと解されている一方で、例外も存在します。詳細は、解説をご覧ください。

1 各場面における特別受益となる贈与の整理

(1) 遺産分割等の相続分の計算における特別受益となる贈与

まず、遺産分割等の相続分の計算における特別受益となる贈与（112ページ参照）については、民法903条1項に定めがあります。

民法第903条　共同相続人中に、被相続人から、遺贈を受け、又は**婚姻若しくは養子縁組のため若しくは生計の資本として贈与**を受けた者があるときは、被相続人が相続開始の時において有した財産の価額にその贈与の価額を加えたものを相続財産とみなし、第900条から第902条までの規定により算定した相続分の中からその遺贈又は贈与の価額を控除した残額をもってその者の相続分とする。
（以下省略）

(2) 遺留分侵害額計算における特別受益となる贈与

遺留分の算定基礎財産の価額に加算される特別受益となる贈与価額（170ページ参照）については、民法1044条3項および1項に定めがあります。

> 民法 1044 条　贈与は、相続開始前の一年間にしたものに限り、前条の規定によりその価額を算入する。当事者双方が遺留分権利者に損害を加えることを知って贈与をしたときは、一年前の日より前にしたものについても、同様とする。
> 2　……省略……
> 3　相続人に対する贈与についての第一項の規定の適用については、同項中「１年」とあるのは「10 年」と、「価額」とあるのは「価額（**婚姻若しくは養子縁組のため又は生計の資本として受けた贈与の価額に限る。**）」とする。

また、各遺留分権利者が得た財産額において考慮される各遺留分権利者が受けた贈与（175 ページ参照）についても、民法 1046 条２項１号により、民法 903 条に規定する贈与の価額とされています。

> 民法 1046 条　……省略……
> 2　遺留分侵害額は、第 1042 条の規定による遺留分から第１号及び第２号に掲げる額を控除し、これに第３号に掲げる額を加算して算定する。
> 一　遺留分権利者が受けた遺贈又は**第 903 条第１項に規定する贈与の価額**
> （以下省略）

(3) 特別受益となる贈与

つまり、相続分の計算において考慮される贈与も遺留分侵害額の計算において考慮される贈与も、「**婚姻若しくは養子縁組のため又は生計の資本として受けた贈与**」ということとなります。

2 「贈与」の意義

ここにいう「贈与」は、贈与契約（第1章参照）に限られるという見解も一部存在しますが、それに限られず、すべての無償処分を指すとする見解が有力です[4]。裁判例[5]においても、贈与契約に限定されているとはいえません（本書各Q&A参照）。例えば、無償での債務免除などもここにいう「贈与」に含まれると解されます。

一方で、特別受益にあたる贈与は、「婚姻若しくは養子縁組のため」の贈与（無償処分）と「生計の資本として」の贈与（無償処分）に限定されています。

3 「婚姻若しくは養子縁組のため」の贈与

婚姻・養子縁組のための贈与については、婚姻・養子縁組の際の持参金・支度金が該当します。

一方で、子（推定相続人）の結納金や挙式費用を親（被相続人）が支出した場合については、親から推定相続人への贈与というよりは、結納の相手方の親に対する贈与や挙式に関する親自らのための社交上の出費である性質が強いため、「婚姻若しくは養子縁組のため」の贈与とはいえないという考えが一般的です。

4 「生計の資本として」の贈与

「生計の資本としての贈与」とは、広く生計の基礎として有用な財産上の無償の給付を意味するものと解されています[6]。したがって、基本的に

4 潮見佳男「詳細相続法」弘文堂532頁
5 平成3年11月19日高松家丸亀支部審（家月44巻8号40頁）等
6 潮見佳男「詳細相続法」弘文堂201頁

は、贈与は広く特別受益に該当することとなります。

もっとも、その贈与が生計の資本となり得るもののうち、被相続人の財産状態に照らして夫婦間の生活保持義務および親族間の扶養義務の範囲内のものであると評価できる場合には、例外的に特別受益に含まれないと解されています。つまり、これらの義務の範囲を超えた贈与のみが特別受益となります。

よく問題なるケースとして、学費があります。一般論としては、学費の贈与が特別受益となるかは、学費の金額、高等教育か否か、親の収入、社会的地位などによって異なります。

ただし、義務教育を受けさせるための支出はもちろんのこと、高校の学費も高校への進学率が90％を超えている現代においては、義務教育に準じて特別受益とならないと評価されているケースが多いものと考えられます。筆者の経験上も高校の学費が特別受益と認められるケースはほとんどありません。

一方で、大学の学費については、将来の生活の基礎となるのは明らかですが、個別事情に応じて結論が異なってきます。

例えば、他の相続人（子）が家業を手伝っていた一方で、１人の相続人（子）だけが家業の手伝いをせず、４年生の私立大学に通わせてもらったという事案において、特別受益と認められている裁判例[7]がある一方で、相続人のうち１人の相続人（子）だけが医学部を卒業した事案において、親が開業医であって、親の資産、社会的地位を基準にすれば、その程度の高等教育を施すことも通常と認められることから、特別受益には該当しないとする裁判例[8]も存在します。

7　京都家審平成２年５月１日（家月43巻２号153頁）
8　京都地判平成10年９月11日（判タ1008号213頁）

5 その他

そのほか、生命保険金、死亡退職金、信託などが特別受益と評価できるかまたはそれに準じて扱うのかという点が実務上は頻繁に問題となります。これらの点については、Q&A28（211ページ）、Q&A29（218ページ）およびQ&A31（227ページ）をご参照ください。

Q&A 20 遺留分の算定基礎財産における特別受益の持戻し免除の影響

Q 遺留分の算定基礎財産に、特定の相続人に対する特別受益となる生前贈与の価額が加算される点について、遺産分割等における相続分の計算のための特別受益と同様に被相続人による持戻し免除（113ページ参照）があれば、加算は不要となるのでしょうか。

A 遺留分の算定基礎財産の価額への特別受益の加算については、被相続人の持戻し免除の意思表示があろうとなかろうと加算する必要があります。

1 持戻し免除の意思表示

遺産分割等における相続分の計算のための特別受益は、被相続人のみなし相続財産への持戻しをしない旨の意思表示があれば、それに従うこととなります（113ページ参照）。

一方で、遺留分の算定基礎財産の価額に加算される特別受益についても、この加算が免除されるのかという問題があります。

2 遺留分制度と持戻し免除の意思表示

遺留分制度は、各相続人（遺留分権利者に限る）に、被相続人の行為によっても侵害できない一定の財産領域（遺留分）を認めることで、相続人の最低限度の財産の取得を保証し、相続人間の最低限の平等を図るものです。

そうすると、まさに被相続人の行為である持戻し免除の意思表示により、遺留分の算定基礎財産への特別受益の加算を免除できるとすれば、その制度趣旨に反することになります。

3 結論

したがって、特別受益となる贈与について、被相続人の持戻し免除の意思表示がなされたとしても、遺留分の算定基礎財産への加算が免除されることはありません。

なお、旧法下の判例[9]も、以下のように述べており、相続法改正後もこの点に変更はありません。

> 遺留分制度の趣旨等に鑑みれば、被相続人が、特別受益に当たる贈与につき、当該贈与に係る財産の価額を相続財産に算入することを要しない旨の意思表示（以下「持戻し免除の意思表示」という。）をしていた場合であっても、上記価額は遺留分算定の基礎となる財産額に算入されるものと解される。

9　最判平成24年1月26日（判タ1369号124頁）

Q&A 21

遺留分の算定基礎財産に加算される贈与と期間制限

Q 相続法の改正により、遺留分の算定基礎財産に加算される特別受益となる贈与の価額について、相続開始前10年間の贈与に限定されることとなりましたが、例外があると聞きました。どのような場合に、10年より前の贈与が含まれることとなるのでしょうか。

A 贈与の「当事者双方が遺留分権利者に損害を加えることを知って贈与をしたとき」と評価される場合には、期間制限なく遺留分の算定基礎財産に加算されることとなります。詳細は、以下の解説をご参照ください。

1　遺留分の算定基礎財産に加算される特別受益となる贈与の期間制限

従来の判例法理では、共同相続人のうち特定の相続人に対する特別受益となる贈与の価額は、その時期に限らず、遺留分の算定基礎財産に加算されるという扱いがなされていました。しかし、期間制限を設けないとあまりにも受贈者の地位が不安定となることから、相続法改正により、原則として相続開始前10年間の贈与に限定されることとなりました（172ページ参照）。

2　期間制限の例外

民法1044条　贈与は、相続開始前の1年間にしたものに限り、前条の規定によりその価額を算入する。当事者双方が遺留分権利者に損害を加えることを知って贈与をしたときは、1年前の日より前にしたものについても、同様とする。
2 ……省略……
3 相続人に対する贈与についての第1項の規定の適用については、同項中「1年」とあるのは「10年」と、「価額」とあるのは「価額（婚姻若しくは養子縁組のため又は生計の資本として受けた贈与の価額に限る。）」とする。

この民法1044条が、期間の制限の根拠となる条項ですが、特別受益に関する第3項が第1項を準用する形とされており、第1項但書の「当事者双方が遺留分権利者に損害を加えることを知って贈与をしたとき」と評価される場合には、例外的に期間制限なく遺留分の算定基礎財産に贈与の価額が加算されることとなります。

民法1044条1項に相当する条項（1年間の贈与）は、相続法改正前から同様の規定が存在したところ、判例は、当事者双方が「遺留分権利者に損害を加えることを知って贈与をしたとき」と評価される場合を以下のように判断しています。

大判昭和11年6月17日
i 贈与当時財産が残存財産の価額を超えることを知っていたのみならず、
ii 将来相続開始までに被相続人の財産に何らの変動もないこと、少なくともその増加のないことを予見していた事実があることを必要とする。

非常に古い判例ですが、実務上のリーディングケースとして扱われています。相続法の改正に伴い今後の判例変更等の可能性がないわけではありませんし、事実認定は個別の事案により行う必要がありますが、実務家の感覚としては、「少なくともその増加のないことを予見していた事実」は、ハードルが高い要件であると考えます。

例えば、贈与者が贈与の時点で、病気の場合や高齢の場合で今後稼働することを想定しておらず、年金生活を過ごしている者などで、将来財産が増加する見込みがないような状況ですとこれに該当することとなるでしょう。

Q&A 22

各遺留分権利者が得た財産における特別受益に期間制限があるか

Q 被相続人Ａの相続人は、長男Ｘと次男Ｙです。被相続人Ａは、生前自分の面倒を家族ぐるみでみてくれていた長男Ｘに対して、全ての財産（時価5,000万円）を相続させる旨の遺言を残していました。また、被相続人Ａは、長男Ｘに対して相続開始11年前に不動産甲（相続時の時価2,000万円）を贈与する一方で、同じタイミングで、次男Ｙに対しても、不動産乙（相続時の時価2,000万円）を贈与していました。

この場合、両方の贈与は、相続開始10年より前のものですので、Ｙの遺留分侵害額請求の計算には影響を及ぼさないと考えてよいでしょうか。

A 次男Ｙの遺留分侵害額を計算するに際して、両者への贈与は原則として、遺留分の算定基礎財産には加算されませんが、次男Ｙが得た財産として不動産乙の価額は遺留分侵害額の計算に影響を及ぼします。

1　遺留分侵害額の計算

遺留分侵害額の計算方法の詳細については、169ページのとおりです。

遺留分侵害額＝①各遺留分権利者が有する具体的な遺留分額
　　　　　　　－②各遺留分権利者が得た財産額

2　次男Ｙの「①具体的な遺留分額」

①各遺留分権利者が有する具体的な遺留分額
　＝遺留分の算定基礎財産の価額×（遺留分率×法定相続分率）

「①各遺留分権利者が有する具体的な遺留分額」を算定するのに必要な遺留分の算定基礎財産の価額に加算される贈与は、原則として相続開始前10年間の贈与に限定されたことは繰り返し述べているとおりです。つまり、原則として相続開始前11年の長男Ｘに対する甲不動産（相続時の時価2,000万円）および次男Ｙに対する乙不動産（相続時の時価2,000万円）は、遺留分の算定基礎財産に加算されません。

したがって、本件における次男Ｙの①具体的な遺留分額は、被相続人の相続時の財産が遺留分の算定基礎財産となり、以下のとおりとなります。

①遺留分権利者が有する具体的な遺留分額
　＝ 5,000万円×（遺留分率１／２×法定相続分率１／２）＝ 1,250万円

3　次男Ｙが「②得た財産額」

一方で、次男Ｙの遺留分侵害額は、次男Ｙが得た財産額が遺留分に満たない金額となります。

②遺留分権利者が得た財産額
　＝各遺留分権利者が相続・遺贈により得る財産額＋各遺留分権利者が得た特別受益となる贈与の価額−各遺留分権利者の相続債務負担額

ここでいう「各遺留分権利者が得た特別受益となる贈与の価額」に、相続開始11年前の次男Yに対する不動産乙（相続時の時価2,000万円）の生前贈与の価額が含まれるのであれば、次男Yの具体的な遺留分額（1,250万円）から不動産乙の相続時時価2,000万円が差し引かれることとなるため、遺留分侵害額は生じないこととなります。

遺留分の算定基礎財産の計算では、10年より前の長男Xおよび次男Yの贈与の価額は加算されない一方で、次男Yが得た財産額の計算では、10年より前の贈与の価額が含まれるのか疑問があるところです。

> 民法1046条 ……省略……
>
> 2 遺留分侵害額は、第1042条の規定による遺留分から第1号及び第2号に掲げる額を控除し、これに第3号に掲げる額を加算して算定する。
>
> 一 遺留分権利者が受けた遺贈又は**第903条第1項に規定する贈与の価額**
>
> （以下、省略）

遺留分侵害額から、次男Yへの特別受益となる贈与の価額が差し引かれる根拠となる条項は民法1046条2項1号となりますが、この条項では、903条1項に規定する贈与（＝特別受益に該当する贈与）とされるのみです。そして、903条1項の定める相続分の計算における特別受益（113ページ参照）の持戻しに関しては、期間制限はありません。

つまり、条文上は、相続開始11年前の次男Yへの乙不動産の生前贈与については、乙不動産の相続時の時価（173ページ参照）が、具体的な遺留分から差し引かれることとなります。また、①遺留分権利者が有する具体的な遺留分額の算定では考慮されないにもかかわらず、②遺留分権利者が得た財産額では考慮されるということについて、アンバランスであるという問題がありますが、遺留分制度が「最低限」の財産（遺留分）確保が目的である以上、このように解されることもやむを得ないものと考えられます。

４　結論

結論として、次男Ｙの遺留分侵害額は以下のとおり生じないため、長男Ｘに対して遺留分侵害額請求をすることはできません。

遺留分侵害額＝
①Ｙの具体的な遺留分額：1,250万円－②Ｙが得た財産額：2,000万円＜０

23 代襲相続と特別受益

Q

被相続人Aには、子Xと子Yがいましたが、長男Xは、Aの相続開始の2年前に死亡しているため、長男Xの子Zが代襲相続人となっています。以下の贈与は、Zの特別受益となり、遺留分の算定基礎財産の価額に加算されるでしょうか。

① Aから長男Xの生前になされた長男Xに対する贈与
② Aから長男Xの死後になされたZに対する贈与
③ Aから長男Xの生前になされたZに対する贈与

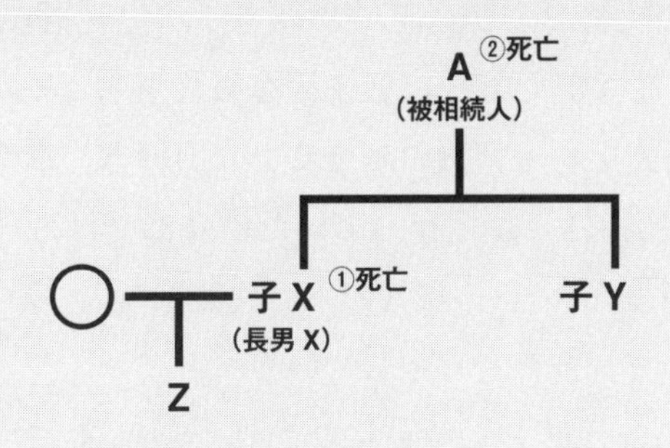

A

① 現在の実務では、特別受益に該当するというのが支配的な見解です。
② 特別受益に該当します。
③ 現在の実務では、原則として、特別受益に該当しないという考え方がとられています。

詳細については解説をご覧ください。

1　被代襲者に対する贈与

「①Aから長男Xの生前になされた長男Xに対する贈与」は、亡Xに対するものであり、実際に相続人となる代襲相続人Zに対するものではないため、子YとZの相続人間で、特別受益として、遺留分の算定基礎財産の価額に加算されるのかについては、争いがあります。

加算を否定する見解は、代襲相続についての相続権は、代襲相続人の固有の地位に基づくものであるという考え方を前提として、被代襲者（X）に対する贈与により、代襲相続人（Z）が直接的に利益を受けたものではないことを理由とし、この見解による裁判例も一部見られます[10]。

しかし、現在の実務および通説においては、代襲相続人（Z）は、被代襲者（X）が有するはずであった相続権を被代襲者（X）が被相続人（A）よりも先に死亡したという偶然の事情により引継ぎ、享受する結果となることから、被代襲者（X）が生存していた場合に受けるべき相続上の利益を超えて、他の相続人（Y）の犠牲の下、代襲相続人（Z）が利益を受けるべきではないとして、加算を肯定しています[11]。

つまり、①Aから長男Xの生前になされた長男Xに対する贈与の価額は、特別受益として、相続開始前10年間になされたもの[12]であれば、遺留分侵害額の計算における遺留分の算定基礎財産に加算されるとするのが現在の主流な考え方です。

2　代襲原因が生じた後の代襲相続人に対する贈与

「②Aから長男Xの死後になされたZに対する贈与」については、代襲相続人（Z）が推定相続人の地位を有した後に、贈与を受けているため、

10　大分家審昭和49年5月14日（家月27巻4号66頁）
11　福岡高判平成29年5月18日（判タ1443号61頁等）
12　なお、期間の例外について188ページ参照

その贈与の価額が特別受益に該当するものとして、遺留分の算定基礎財産に加算されることに争いはありません。

つまり、②Aから長男Xの死後になされたZに対する特別受益となる贈与の価額は、原則として、相続開始前10年間になされたもの[13]であれば、遺留分侵害額の計算における遺留分の算定基礎財産に加算されることとなります。

3 代襲原因が生じる前の代襲相続人に対する贈与

「③Aから長男Xの生前になされたZに対する贈与」は、Zが、推定相続人となる地位を有する前になされたものです。贈与時点においては、単なる祖父から孫への贈与であったにもかかわらず、その後の偶然の事情の変化（Xの死亡）で遺留分の算定基礎財産に加算される特別受益としての贈与となるのかという点について、争いがあります。

この点について、一部、加算すべきという見解も存在しますが、現在の実務では、原則としては加算はされず、遺産の前渡しと評価することができる特段の事情がある例外的な場合に限定して加算されると解されています。

その理由については、以下のような裁判例[14]があります。

> 相続人でない者が、被相続人から直接贈与を受け、その後、被代襲者の死亡によって代襲相続人の地位を取得したとしても、上記贈与が実質的に相続人に対する遺産の前渡しに当たるなどの特段の事情がない限り、他の共同相続人は、被代襲者の死亡という偶然の事情がなければ、上記贈与が特別受益であると主張することはできなかったのであるから、上記贈与を代襲相続人の特別受益として、共同相続人に被代襲者が生存していれば受けることがで

13 なお、期間の例外について188ページ参照
14 福岡高判平成29年5月18日（判タ1443号61頁）

きなかった利益を与える必要はない。また、被相続人が、他の共同相続人の子らにも同様の贈与を行っていた場合には、代襲相続人と他の共同相続人との間で不均衡を生じることにもなりかねない。

したがって、相続人でない者が、被相続人から贈与を受けた後に、被代襲者の死亡によって代襲相続人としての地位を取得したとしても、その贈与が実質的には被代襲者に対する遺産の前渡しに当たるなどの特段の事情がない限り、代襲相続人の特別受益には当たらないというべきである。

なお、当裁判例では、被相続人Ａが被代襲者（X）への遺産の前渡しとして自宅の敷地である土地を贈与するにあたり、その持分２分の１を被代襲者（X）、２分の１を代襲者（Z）の名義にしたものにすぎず、代襲者（Z）への贈与が実質的には被代襲者（X）への遺産の前渡しとも評価し得るとして、例外的な「実質的には被代襲者に対する遺産の前渡しに当たるなどの特段の事情」があるとしていますので、注意が必要です。

4　その他

上記は、遺留分の算定基礎財産に加算されるかという局面について解説していますが、遺産分割等の相続分の計算における特別受益の持戻しについても、同様に解されます（112ページ参照）。なお、相続分の計算における特別受益の持戻しについては、その贈与について期間制限はありません（113ページ参照）。

Q&A

24 数次相続と特別受益

Q1

Aに相続（以下、「第１次相続」）が発生し、Aの相続人は、Aの子Xおよび子Yでした。その後、Aの遺産分割が未了の間に、Xに相続（以下、「第２次相続」）が発生し、Xの相続人は、Xの子Zのみです。この場合、第１次相続の遺産分割において、ⅰ）AからXに対する生前贈与および、ⅱ）AからZに対する生前贈与があった場合、これらの贈与は特別受益として、相続分の計算に影響を及ぼすのでしょうか。

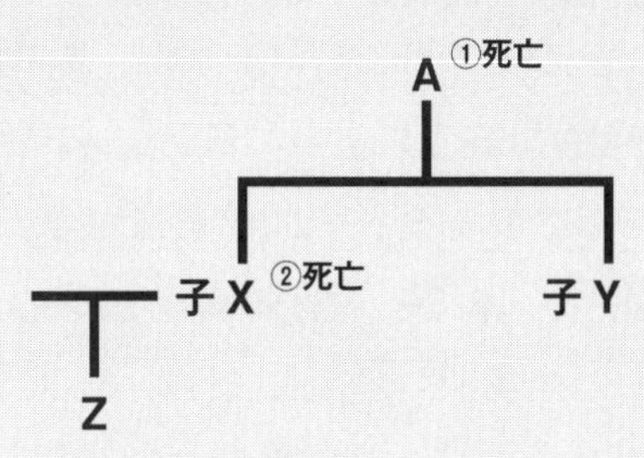

Q2

Aに相続（以下、「第１次相続」）が発生し、Aの相続人は、Aの妻W、子Xおよび子Yでした。Aの遺産分割が未了の間に、妻Wに相続（以下、「第２次相続」）が発生しました。妻Wにはめぼしい固有の相続財産はなく、第１次相続の相続分のみがある状態でした。

この場合、第２次相続の遺産分割において、妻Wから子Xへの生前贈与があった場合、特別受益として、子Xおよび子Yの相続分の計算に影響を及ぼすのでしょうか。

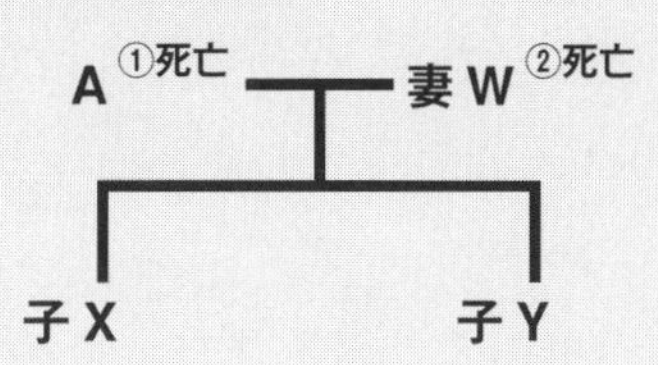

Q1 ｉ）ＡからＸに対する生前贈与は第１次相続の遺産分割における特別受益として、相続分の計算に影響を及ぼす一方、ⅱ）ＡからＺに対する生前贈与は、第１次相続の遺産分割における特別受益とはされず、相続分の計算に影響を及ぼさないでしょう。

Q2 妻Ｗから子Ｘへの生前贈与は、第２次相続の遺産分割において、相続分の計算に影響を及ぼします。

1　相続分の計算と特別受益

本章は、「遺留分」をテーマとしていますが、数次相続と特別受益の問題は、遺産分割における相続分の計算（112ページ参照）において主に問題となります。本書では、特別受益の問題を遺留分のテーマの中で、まとめて解説している便宜上、本Q&Aは遺産分割等の相続分の計算に関する事例となりますが、この箇所で解説します。なお、相続分の計算における特別受益と遺留分計算における特別受益の関係については、115ページをご参照ください。

2　Q1について

(1) ｉ)ＡからＸに対する生前贈与について

まず、Ａの第１次相続における相続人は、ＸおよびＹでしたが、Ｘが第１次相続後死亡しているため、遺産分割の当事者は、Ｘの相続人であるＺとＹとなります。

第１次相続の遺産分割時点では、Ｘが死亡しているため、ＡからＸに対する生前贈与が特別受益となり得るのかという点について問題が生じます。

この点について、Ｘの相続人であるＺは、Ｘの「財産」を相続することで、第１次相続の遺産分割の当事者となるわけですから、その受益も承継するものと解されています[15]。

つまり、ＺとＹによる第１次相続の遺産分割においても、ＡからＸに対する生前贈与が特別受益となる前提で、相続分の計算がされることとなります（具体的な相続分の計算方法についてはQ&A12（121ページ）参照）。

(2) ⅱ)ＡからＺに対する生前贈与

次に、ＡからＺに対する生前贈与が特別受益となるかという問題があります。ＡからＺに対する生前贈与は、Ａの死亡時点では、Ｘが相続人であったため、贈与時点では、当然に推定相続人以外の者への生前贈与となります。

この点について、明確な裁判例等はありませんが、Ｚは、第１次相続開始後に相続人であるＸを相続することで、第１次相続の遺産分割の当事者となるに過ぎないため、代襲原因が生じる前の代襲相続人に対する贈与（Q&A23（197ページ）参照）同様に、特別受益に該当するとする理由はないものと解されます。

具体的には、贈与時点および第１次相続開始時点において、Ｘが相続人であった以上、ＡからＺへの生前贈与については、相続人Ｘへの贈与と同視できる例外的な場合（Q&A26（205ページ）参照）でない限り、第１次相続の特別受益とはならないものと考えられます。

3 Q2について

第２次相続における被相続人である妻Ｗには、固有の相続財産はなく、Ａの第１次相続における相続分のみの状態です。この場合、妻Ｗから子Ｘへの生前贈与があった場合に、この生前贈与は、第２次相続の特

15 大阪高決平成15年3月11日（家月55巻8号66頁）

別受益として考慮され得るのかが問題となります。

この点について、学説上は、Aの遺産分割未了の間にWが死亡した場合、相続人WのAの相続財産に対する共有持分権を、Wの遺産と捉えるのか（遺産説）、それとも単なる遺産総額に対する計算上の割合として具体的財産権ではない（非遺産説）と捉えるのかによって、争いがあります。

Wの遺産として捉える場合、第2次相続における遺産分割の対象財産となるため、特別受益（民法903）の適用場面と解することになる一方で、遺産として捉えない場合には、Wの第1次相続の相続分は、第2次相続における遺産分割によらずに当然承継されることとなり、妻Wから子Xへの生前贈与を特別受益として考慮する場面ではないと解するという争いです。

判例[16]・通説は、遺産説を採用しており、Wの第1次相続における相続分は、第2次相続における遺産分割の対象となるものと解しています。

したがって、本件では、第2次相続における遺産分割の相続分の計算として、妻Wから子Xへの生前贈与を特別受益とした上で、第2次相続におけるXおよびYの相続分を計算することとなります。

16　最決平成17年10月11日（民集59巻8号2243頁）

Q&A 25 贈与を受けた後に養子縁組等がなされた者と特別受益

Q 被相続人Ａには、相続人として、実子Ｘと養子Ｙがいます。ＡとＹの養子縁組の効力発生前に、ＡはＹに対して、贈与をしていました。

このように養子縁組の効力発生前になされた贈与は、特別受益となり、遺留分の算定基礎財産の価額に加算されるでしょうか。

A 実務上の支配的見解によれば、特別受益となり、加算されることとなります。

1　推定相続人の資格を得た後に受けた生前贈与

まず、前提として、養子Ｙが、養子縁組の効力発生後に受けた生前贈与は、特別受益に該当し、原則として、遺留分の算定基礎財産に加算されます。

2　推定相続人の資格を得る前に受けた生前贈与

では、本件のように養子Ｙが、養子縁組により推定相続人の資格を得る前に受けた生前贈与は、遺留分の算定基礎財産に加算される特別受益となるのかという点について争いがあります。

この点について、贈与と養子縁組（または婚姻）の先後関係ではなく、両者の間に牽連関係のある場合には、特別受益として遺留分の算定基礎財産に加算されるという見解と相続開始時に相続人であれば、特別受益として遺留分の算定基礎財産に加算されるという見解があります。

実務上の支配的な見解は、後者の相続開始時に相続人であれば、特別受益として遺留分の算定基礎財産に加算されるという見解[17]です。

代襲相続の事案における代襲原因が生じる前の代襲相続人に対する贈与（Q＆A23（197ページ）参照）が原則として、特別受益とならず遺留分の算定基礎財産に加算されないとする通説的見解からすれば、推定相続人としての資格を得る前（養子縁組または婚姻）の生前贈与も加算されないという考え方に整合性があるとも考えられます。しかし、代襲相続による代襲原因（被代襲者の死亡）が偶然的な事情によることと異なり、養子縁組や婚姻は、当事者の意思により効力を発生させることができるものであることから、相続人間の公平がより強く強調され、相続開始時に相続人であれば、特別受益に該当し、遺留分の算定基礎財産の価額に加算されるという見解が支配的見解となっているものと考えられます。

3　結論

以上より、実務上の支配的見解によれば、ＡとＹの養子縁組の効力発生前におけるＡのＹに対する贈与の価額は、相続開始前10年間になされたもの[18]であれば、遺留分侵害額の計算における遺留分の算定基礎財産に加算されることとなります。

なお、遺産分割等の相続分の計算における特別受益の持戻しについても、同様に解されています（112ページ参照）。相続分の計算における特別受益の持戻しについては、その贈与について期間制限はありません（113ページ参照）。

17　大判昭和19年7月31日（大民集23巻422頁）等
18　なお、期間の例外について188ページ参照

Q&A 26 相続人の配偶者や子に対してなされた贈与と特別受益

Q 被相続人Aの相続人は、長女Xと長男Yです。被相続人Aは生前、長女Xの配偶者（夫）Zに対して、多額の贈与を行っていました。

長男Yとしては、長女Xの家系への偏った財産の分配であり、遺留分侵害額を計算するに際して、遺留分の算定基礎財産の価額への加算が認められなければ、不公平だと考えています。Zは相続人ではない以上、加算されることはないという理解でよいでしょうか。

A 原則として、AからZへの贈与は、特別受益とはならず、遺留分の算定基礎財産には加算されません。ただし例外がありますので、解説をご参照ください。

1　相続人の「配偶者」や「子」への贈与

遺留分の算定基礎財産に加算される贈与の価額は、原則として[19]、相続開始前1年間のものを除き、相続開始前10年間の相続人に対する特別受益となる贈与によるものです（民法1044）。

したがって、ご質問のとおり、被相続人Aの相続人ではない長女Xの夫Zに対する贈与の価額は、条文上、遺留分の算定基礎財産の価額に加算されません。

2　例外的な場合

原則としては前述のとおりですが、長男Yの不公平であるという感覚

19　例外は、188ページ参照

も理解できるところです。

この点について、実務上は、形式上は相続人の配偶者や子に対する贈与であったとしても、実質的に相続人に対する贈与と同視できる場合には、その限りにおいて、相続人が得た特別受益として扱うべきものと考えられています[20]。具体的には、贈与の経緯、贈与された物の価値・性質、当該贈与によりその相続人が受けている利益等を総合的に考慮した上で、判断されます。

したがって本件でも、実質的にＺに対する贈与が長女Ｘに対する贈与であると評価できる例外的な場合には、特別受益として、Ｚへの贈与の価額が遺留分の算定基礎財産に含まれることもあります。

3　過去の裁判例の紹介

「実質的に相続人に対する贈与と同視できる場合」の認定は、個別事案に応じた判断となりますが、配偶者および子に対する贈与を実質的に相続人に対する贈与と同視した裁判例をここでは紹介します。実際の裁判実務では、お互いに同視すべき事情と同視すべきでない事情を主張していくこととなります。ただし、あくまでも例外的な場合であることに留意が必要です。

(1) 配偶者への贈与が実質的に相続人への贈与に該当するとした裁判例[21]

本件贈与は、相続人である相手方Ｘに対してではなく、その夫であるＺに対してなされているのであるから、形式的に見る限り特別受益にはあたらないことになる。しかし、通常配偶者の一方に贈与がなされれば、他の配偶

20　（配偶者への贈与の事案について）福島家白河支部審昭和55年5月24日（家月33巻4号75頁）、（子への贈与の事案について）神戸家尼崎支部審昭和47年12月28日（家月25巻8号65頁）
21　福島家白河支部審昭和55年5月24日（家月33巻4号75頁）

者もこれにより多かれ少なかれ利益を受けるのであり、場合によつては、直接の贈与を受けたのと異ならないこともありうる……省略……贈与の経緯、贈与された物の価値、性質これにより相続人の受けている利益などを考慮し、実質的には相続人に直接贈与されたのと異ならないと認められる場合には、たとえ相続人の配偶者に対してなされた贈与であつてもこれを相続人の特別受益とみ……省略……べきである。

これを本件についてみると、……省略……本件贈与はX夫婦が分家をする際に、その生計の資本としてXの父親である被相続人からなされたものであり、とくに贈与された土地のうち大部分を占める農地についてみると、これを利用するのは農業に従事しているXであること、また、右贈与は被相続人の農業を手伝つてくれたことに対する謝礼の趣旨も含まれていると認められるが、農業を手伝つたのはXであることなどの事情からすると、被相続人が贈与した趣旨はXに利益を与えることに主眼があつたと判断される。登記簿上Zの名義にしたのは、Xが述べているように、夫をたてたほうがよいとの配慮からそのようにしたのではないかと推測される。以上のとおり本件贈与は直接Xになされたのと実質的には異ならないし、また、その評価も、遺産の総額が、2,147万3,000円であるのに対し、贈与財産の額は1,355万1,400円であり、両者の総計額（筆者：3,502万4,400円）の38パーセントにもなることを考慮すると、右贈与によりXの受ける利益を無視……省略……することは、相続人間の公平に反するというべきであり、本件贈与はXに対する特別受益にあたると解するのが相当である。

当裁判例では、贈与対象財産が農地であり、従来被相続人Aが営む農業に利用されていたもので、相続人Xがこれらの土地を利用して農業に従事していくという状況であり、形式上はZへの贈与となっているものの、その実質的利用者が相続人Xであることから、贈与により実質的利益を受けるのは相続人Xである上、贈与財産の価額も相対的に大きいことから、相続人間の公平のためにZへの贈与は実質的に相続人Xに対する贈与と同視できると評価しています。

(2) 相続人の子への贈与が実質的に相続人への贈与に該当するとした裁判例[22]

> Xは……子を残して家出したことがあり、その間被相続人AがXの子であるZの○○帝国大学工学部○○学科在学中の学費および生活の一切を援助したことが認められ、被相続人AはZの扶養義務者ではなかつたから、これは被相続人のZに対する学費、生活費の贈与と見ることができる。
> ところで、このように共同相続人中のある相続人の子が被相続人から生計の資本として贈与を受けた場合において、そのことがその相続人が子に対する扶養義務を怠つたことに基因しているときは、実質的にはその相続人が被相続人から贈与を受けたのと選ぶところがないから……省略……その相続人の特別受益分とみな……省略……するのが公平の見地からいつて妥当である。

当裁判例では、扶養義務の観点から、本来は親である相続人Xがその子Zの学費や生活費の負担をすべきところ、それを被相続人Aが代わりに負担したことから、実質的に相続人に対する贈与と同視できる場合と評価されています。子（孫）への贈与が相続人の特別受益と例外的に評価されるかについて、非常に参考になる裁判例となります。

なお、当Q&Aでは、遺留分の算定基礎財産に加算されるかという局面について解説していますが、遺産分割等における相続分の計算における特別受益の持戻しについても、同様に解されています（112ページ参照）。相続分の計算における特別受益の持戻しについては、その贈与について期間制限はありません（113ページ参照）。

22　神戸家尼崎支部審昭和47年12月28日（家月25巻8号65頁）

Q&A 27 生命保険契約の受取人の指定・変更と特別受益

Q Aの推定相続人には、長男Xと長女Yがいます。Aは、以下の生命保険契約をしています。

契約者（保険料負担者）：A
被保険者　　　　　　　：A
受取人　　　　　　　　：Y

このたび、Aは、受取人を長女Yから長男Xに変更することを検討しています。このような受取人の変更や指定などは、遺留分の算定基礎財産価額に加算させる特別受益となる贈与になるのでしょうか。

A Aの受取人の変更や指定は、特別受益に該当せず、遺留分の算定基礎財産の価額に含まれません。

Aが自身を被保険者とする生命保険契約の受取人とした場合、その受取人は、Aが死亡した場合、生命保険金を受け取ることができます。この点を経済的利益（ないし地位）と捉えて、受取人の指定や変更があった場合に、特別受益となる贈与となるのかについて、過去に争われた事例があります。

しかし、生命保険金の受取人は、あくまでも現状のまま将来Aが死亡した場合に、生命保険金を受け取ることができるというのみであり、Aが死亡時までに契約を解約することも、受取人を変更することもできるものであることから、生命保険契約の受取人の地位の贈与を観念することはできないと考えられます。なお、判例[23]も以下の理由で、受取人の変更について、特別受益に該当しないとしています。

23　最判平成14年11月5日（民集56巻8号2069頁）

> 自己を被保険者とする生命保険契約の契約者が死亡保険金の受取人を変更する行為は、民法1031条に規定する遺贈又は贈与に当たるものではなく、これに準ずるものということもできないと解するのが相当である。けだし、死亡保険金請求権は、指定された保険金受取人が自己の固有の権利として取得するのであって、保険契約者又は被保険者から承継取得するものではなく、これらの者の相続財産を構成するものではないというべきであり……また、死亡保険金請求権は、被保険者の死亡時に初めて発生するものであり、保険契約者の払い込んだ保険料と等価の関係に立つものではなく、被保険者の稼働能力に代わる給付でもないのであって、死亡保険金請求権が実質的に保険契約者又は被保険者の財産に属していたものとみることもできないからである。

以上より、Ａが長女Ｙから長男Ｘに受取人を変更・指定しても、遺留分の算定基礎財産価額に加算させる特別受益となる贈与とはなりません。

なお、当Q&Aでは、遺留分の算定基礎財産に加算されるかという局面について解説していますが、遺産分割等における相続分の計算における特別受益の持戻しについても、同様に解されています（113ページ参照）。

28 生命保険金と特別受益

Q 被相続人Aの相続人は、長男Xと長女Yです。被相続人Aは、以下の生命保険契約をしていました。

契約者（保険料負担者）：A
被保険者　　　　　　：A
受取人　　　　　　　：X

Aの死亡により、Xが受取る生命保険金は、相続財産にはならず、かつ遺留分侵害額計算において遺留分の算定基礎財産の価額に加算される特別受益ともならないという理解でよろしいでしょうか。実務上の指針も含めて教えてください。

A Xの生命保険金請求権は、民事上は相続財産とはなりませんし、原則として遺留分の算定基礎財産の価額に加算される特別受益ともなりません。ただし、例外的に特別受益に準じて扱われる場合がありますので、実務上の指針も含めて、解説をご参照ください。

1　生命保険金請求権と相続財産（遺産）性

ご質問の生命保険契約がある場合、長男Xは、Aの死亡を事故として、保険会社に対して、生命保険金を請求する権利を有することになります。

長男Xは、Aの死亡に起因して、この権利を取得していますから、この権利が相続財産に含まれるかが問題となります。なお、遺留分侵害額の算定という意味では、遺留分の算定基礎財産の価額のうち、「i 相続開始時に被相続人が有する積極財産の価額」（170ページ参照）に含まれるのかという問題となります。

この点については、特定の者が保険金受取人に指定されている場合における生命保険金請求権は、生命保険契約から生じるその受取人の固有の財産であり、相続財産に属さないというのが判例[24]の考え方であり、それは、保険金受取人が相続人である場合であっても同様とされています[25]。

したがって、Xの生命保険金請求権は、民事上は相続財産ではありません。

なお、相続税法上は、相続税法3条1項1号により「みなし相続財産」として、相続税の課税対象となります。相続税法は、民事上このような生命保険金請求権が相続財産を構成しないことから、税法特有の観点により相続財産と「みなす」という規定を置いているわけです。

2　生命保険金請求権と特別受益該当性

(1) 原則的な考え方

Xの生命保険金請求権は、相続財産となりませんが、本件のような生命保険契約の場合、生前にXが負担した保険料の対価であるという見方もできるため、「贈与」と同視して、特別受益に該当するという考え方もかつて存在しました。

しかし、判例[26]は、以下の理由から、原則として「贈与」と同視できないとしています。

> 死亡保険金請求権は、被保険者が死亡した時に初めて発生するものであり、**保険契約者の払い込んだ保険料と等価関係に立つものではなく、被保険者の稼働能力に代わる給付でもない**のであるから、実質的に保険契約者又は被保険者の財産に属していたものとみることはできない。したがって、上記の養老保険契約に基づき保険金受取人とされた相続人が取得する死亡保険金

24　大判昭和11年5月13日（大民集15巻877頁）
25　最判昭和40年2月2日（民集19巻1号1頁）
26　最判平成16年10月29日（民集58巻7号1979頁）

請求権又はこれを行使して取得した死亡保険金は、……省略……**贈与に係る財産には当たらないと解するのが相当**である。

(2) 例外的に特別受益に準じる場合

一方で、受取人が保険金請求権を取得したのは、被相続人が保険料の支払いをしてきたことが理由となっていることも否定できないため、判例[27]は、保険金受取人である相続人とその他の共同相続人との間に生じる不公平が極めて著しいといえる特段の事情がある場合には、例外的に特別受益に準じて、扱うべきものとしています。

死亡保険金請求権の取得のための費用である保険料は、被相続人が生前保険者に支払ったものであり、保険契約者である被相続人の死亡により保険金受取人である相続人に死亡保険金請求権が発生することなどにかんがみると、**保険金受取人である相続人とその他の共同相続人との間に生ずる不公平が民法903条の趣旨に照らし到底是認することができないほどに著しいものであると評価すべき特段の事情が存する場合には、同条の類推適用により、当該死亡保険金請求権は特別受益に準じて**持戻しの対象となると解するのが相当である。

そして、この特段の事情の有無については、以下の事情等を総合考慮して決するものとされています。

特段の事情の有無については、
○保険金の額、
○この額の遺産の総額に対する比率のほか、
○同居の有無、被相続人の介護等に対する貢献の度合いなどの保険金受取人

27 最判平成16年10月29日（民集58巻7号1979頁）

　である相続人及び他の共同相続人と被相続人との関係、
○各相続人の生活実態等、
の諸般の事情を総合考慮して判断すべきである。

(3)「特段の事情」についての裁判例等の分析と実務上の指針

総合考慮といわれてしまうと、相続・事業承継対策などの事前対策にあたって、どの程度の考慮が必要なのかという点が実務上悩ましい問題となります。

ここでは、前述の最高裁の判断以降の過去の代表的な裁判例等を整理した上で、実務上どのように考えたらよいのかを検証したいと思います。

a　代表的な裁判例の事案と整理

次ページの表は、代表的な裁判例の事案で考慮された事由と最終的な裁判所の判断です。

b　実務上の一応の指針

前述の最高裁判例からすると、様々な事情を考慮するとされていますので、一概にはいえません。ただし、実務上は将来の見込み等の一定の指針が必要かと思われます。前述の裁判例や筆者の経験からすると、裁判所は、相続財産（遺産）の額と保険金の額の比較を重視しているように思われます。これは、裁判官が判決の理由として、明確に述べやすいという事情もあると考えられます。

	特別受益性	保険金の額	相続財産（遺産）の額	受取人と被相続人との関係		その他の共同相続人と被相続人の関係		その他
				同居	介護	同居	介護	
①最判平成16年10月29日（民集58巻7号1979頁）	否定	約 574万円	約 6,000万円	○	○	×	—	
②東京高決平成17年10月27日（家月58巻5号94頁）	肯定	約 1億 129万円	約 1億 134万円	×	×	×	×	
③大阪家堺支部平成18年3月22日（家月58巻10号84頁）	否定	約 429万円	約 6,963万円	○	○	—	—	
④名古屋高決平成18年3月27日（家月58巻10号66頁）	肯定	約 5,154万円	約 6,658万円	○	—	—	—	受取人と被相続人の婚姻期間は3年5ヶ月に過ぎない。
⑤東京地平成25年10月9日（判例秘書L06830807）	否定	約 4億円	約 15億円	○	○	×	×	・被相続人の夢であるビル建築計画を受取人が継続し、保険金はその費用に当てるために設定された。 ・建築費用の約10億円の負債も受取人が全て返済継続
⑤東京判決高平成26年3月19日（民集70巻2号235頁）	否定	約1億 3,788万円 （＋死亡退職金3億 6,100万円）	約 17億 8,670万	○	—	×	—	・死亡退職金も含めて検討 ・受取人は配偶者として長期に渡り貢献 ・特別受益該当性を主張する者も、生命保険金3,000万円を受取り、かつ毎月経済的援助を受ける。

もちろん保険金額の多寡などにもよりますが、実務上の目安としては以下のことがいえるでしょう。

◯相続財産（保険金は含めない）：保険金＝１：１→特別受益に準じる
◯相続財産（保険金は含めない）：保険金＝２：１→他の要素も考慮（限界事例）
◯相続財産（保険金は含めない）：保険金＝３：１→特別受益としたものは見当たらない

実務上は、受取人（X）の立場からすると、「３：１」の比率であれば、一応の安全ラインと考えられるでしょう。ただし、特別受益に準じるとされた場合には、一定の金額を超えた部分ではなく、生命保険金が全て遺留分の算定基礎財産の価額に加算されるという現在の実務からすると、特別受益に準じるとされる場合に生じる不利益が大きいため、同居や介護（同居が難しい場合はその費用負担等）も検討しておくとより安全でしょう。

なお、相続財産とならない死亡退職金等の支給がある場合、最近の裁判例は、「保険金」とされている部分を「保険金＋死亡退職金」と考えて比率を検討しているものが多いです（Q＆A29（218ページ）および前ページ表の⑤裁判例参照）ので、その点も注意が必要です。

なお、遺留分の算定基礎財産の価額に加算されるかという局面について解説していますが、遺産分割等における相続分の計算における特別受益の持戻しについても（112ページ参照）、同様に解されています。

3　相続法改正の影響について

遺留分の算定基礎財産に加算される贈与の価額は、原則として[28]、相続

28　例外は、188ページ参照

開始前1年間のものを除き、相続開始前10年間の相続人に対する贈与によるものとなります（民法1044）。仮に例外的に特別受益に準じるとされた場合、生命保険金請求権は、死亡時に発生するものであるため、旧民法時代同様、期間制限なく全額が加算されるというのが現在の考え方となります。

ただし、最判平成16年10月29日は、保険料の支払いと保険金に対価性がないことを前提にしつつも、「死亡保険金請求権の取得のための費用である保険料は、被相続人が生前保険者に支払ったものであり、保険契約者である被相続人の死亡により保険金受取人である相続人に死亡保険金請求権が発生することなどにかんがみると」としており、保険料の支払いがあるからこそ生命保険金を得られたという関係性から一定の場合の例外を認めています。そうすると、相続開始から10年より前の保険料の支払いに対応する部分もこの例外により特別受益に準ずるとすべきかという点については、相続法改正の趣旨から疑問がないわけではありません。現在、この点についての研究や論文などは見当たりませんが、今後実務で争われる可能性も否定できないでしょう。

Q&A
29 役員死亡退職金の相続財産性と特別受益

Q 被相続人Aは、甲株式会社の創業者で、その相続人には長男Xと次男Yがいます。甲株式会社の株式は、後継者である長男Xに遺言により承継されています。Aは生前まで甲株式会社の代表取締役であったため、役員死亡退職金を後継者Xに支給しました。

これに対して、次男Yは、役員死亡退職金は、相続財産であることおよび特別受益にあたると主張し、遺留分侵害額請求をしてきています。この場合、Yの請求に応じるべきでしょうか。また、役員死亡退職金について、遺留分対策などで注意すべき点などもあわせて教えてください。

A 役員死亡退職金請求権が、相続財産に該当するか、または特別受益に該当するかは、個別事案によりますので、対策の考え方等もあわせて、解説をご参照ください。

1 役員死亡退職金請求権は、相続財産となるのか

(1) 死亡退職金の法的性質

まず、死亡退職金というと、本件のような役員死亡退職金や従業員死亡退職金等の類型が存在します。

一般的に、死亡退職金は、相続財産とはならないという理解がされていますが、死亡退職金の法的性質については、賃金の後払的性質と遺族の生活保障としての性質などが指摘されており、前者の性質を強調すれば相続財産となるという方向に傾きますし、後者の性質を強調すれば、相続財産ではなく受給者の固有財産であるという方向性に傾きます。なお、相続税法上は、一律に相続財産と「みなす」ものとされています（相法3①二）。

特に役員死亡退職金に関して、以下の東京地判平成14年11月29日[29]の存在から相続財産とはならないことを前提に理解されていることが多いでしょう。

> 私企業における死亡退職金は、会社の株主総会あるいは取締役会で特定の受給権者が定められたときは、その者が直接会社に対し請求権を有するもので、相続財産に属さないとみるのが相当である。

しかし、近時の裁判例では、以下のような役員死亡退職金の事案において、半分が相続財産であり、半分が受給者の固有財産とされるケースなども存在しており、具体的な事案に応じて個別的に検討することが必要となっています。

> ○東京地判平成26年5月22日[30]
>
> 一般に、死亡退職金が被相続人の遺産を構成するか否かについては、当該死亡退職金の支給の根拠や経緯、支給基準の内容等の事情を総合考慮して判断するのが相当である。
>
> これを本件退職金等についてみると、甲においては退職金等の支給規定はなく、本件退職金等の支給は、甲の大株主であり代表取締役でもあるXの提案により本件総会において議決され、承認されたものであり、支給の可否や支給額についてXの意向が大きく影響していることに加え、その全額がXに支給されていることからすれば、甲は、本件退職金等をX固有の財産としてXに支給することを決定したものであることが推認できる。
>
> もっとも、本件総会において確認されているとおり、本件退職金等の支給はAの功績に報いるためのものであり、その金額についてもAの勤続年数や創立者としての功績等を考慮して算定されていることからすれば、これが

29 LLI／DB判例秘書登載　判例番号L05731188
30 LLI／DB判例秘書　判例番号L06930401

遺産としての性質を有していることも否定できない。
　そうすると、本件退職金等については、Ｘの固有財産としての性質とＡの遺産としての性質の双方を有しているというべきであり、その割合は等しいものというべきであるから、本件退職金等のうちその半額に相当する○○○万円をＡの遺産として遺留分算定の基礎となる積極財産に組み入れることとするのが相当である。

(2) 一応の実務基準

　死亡退職金の相続財産性については、実務上、支給規定があるか否かで場合分けを行い、規定がある場合には、支給基準、受給者の範囲または順位などの規定により判断する一方で、それがない場合には、従来の支給慣行や支給の経緯等を勘案して、個別的に相続財産性を判断するといわれています。

　国家公務員の死亡退職手当[31]、地方公務員の県学校職員の退職手当[32]、私立の学校法人の職員の死亡退職手当[33]などの相続財産性が問題となった事案で、法令、条例またはその支給規定による受給権者の範囲または順位が、民法の相続人の範囲および順位と異なる定めがなされていることを理由に、相続財産性が否定されていることから、支給規定にこのような受給権者の規定を設ければ、相続財産とならないという理解がされています。

　ただし、これらの法律や裁判例の支給規定では、内縁関係を含む配偶者が第１順位とされていたり、死亡当時に死亡した者の収入により生計を維持する者に優先的に受給権が生じるような規定となっている等、受給者の生活保障としての性質が読み取れるものであったということがいえます。

31　国家公務員退職手当法２条の２参照
32　最判昭和58年10月14日（判時1124号186頁）
33　最判昭和60年１月31日（家月37巻８号39頁）

(3) 役員死亡退職金を利用して相続対策をする注意点

①特定の相続人を受給者とする支給規定を作成すればよいのか

例えば、生命保険を活用した遺留分対策（Q&A28（211ページ）参照）のように役員死亡退職金を、本件のような特定の相続人（特に事業承継の場合は後継者である子などが多い）に支給する場合、現状の裁判例を参考にすると、受給者を特定した支給規定や株主総会の支給決定をすることとなると考えられます。ただし、これは、裁判例上、支給基準が存在し、そこで受給者が民法上の相続人と異なるような定めがある事案で、相続財産とされた事例が見当たらないという理由に過ぎません。前述の東京地判平成26年5月22日も支給規定がない事案であったため、例えば、Xを受給者とする規定さえあれば、すべて相続財産ではないとされた可能性自体はあります。

一方で、役員死亡退職金を支給する場合、法人税法上、過大役員退職給与に該当しないように行うケースが多いと考えられます（法法34②、法令70二）。そして、役員死亡退職金について、（利益処分ではなく）損金性が認められるのは、生前の役員報酬の後払的性格によるもので、最終月額報酬や勤続年数を根拠にその金額を算定しているでしょう。そうすると、役員死亡退職金の支給基準からは、多くの場合、相続財産となるという方向性に傾く賃金の後払的性質が強くなるものとも考えられます。

実務では、受給者を特定した支給基準があれば、相続財産とならないという考え方が広まっているため、そのような支給基準があれば争いになる可能性自体も低くなり、対策の有用性自体は否定できませんが、特に役員死亡退職金に関しては、相続財産とされるリスク自体がなくなるわけではないことに注意が必要です。

②その他の対策との併用と遺言の注意点

以上より、役員死亡退職金を遺留分対策等に利用する場合、この方法で安心というわけではなく、他の遺留分対策等を併用した方がよいでしょう。

また、特に注意していただきたいのが、遺言についてです。相続対策を積極的に行っている場合、遺言書が作成されているケースが多いかと思われます。本件でいうと甲株式会社の株式を後継者である長男Ｘに遺言により承継させているということで、遺言が存在しているでしょう。例えば、その遺言書の中で、主な事業関連財産（自社株や事業用不動産等）と一定の現預金を、長男Ｘに相続させるとともに、その他の財産を次男Ｙに相続させるとしている場合、役員死亡退職金に相続財産性が認められると、遺言の対象財産となるため、次男Ｙに役員死亡退職金全額が帰属するおそれがあります。また、遺言に「その他の財産」の帰属についての定めがなければ、長男Ｘと次男Ｙに相続分にしたがって帰属するおそれもあるでしょう。つまり、遺留分侵害額の問題であれば、役員死亡退職金が遺留分の算定基礎財産の価額となるとしても、遺留分率（２分の１）と法定相続分率が乗じられます（170ページ参照）が、相続財産となる場合には、より大きな額が次男Ｙに帰属することになってしまう可能性があるということです。したがって、遺言の内容について、「その他の財産はＸに相続させる」や「甲株式会社に対する死亡退職金請求権が相続財産であると評価された場合には、その退職金請求権はＸに相続させる」等を定めておくことも重要です。

2　相続財産とならない死亡退職金請求権は、特別受益となるのか

次に、後継者Ｘが受給した役員死亡退職金がＸの固有財産となるとしても、生命保険金のように、例外的に遺留分の算定基礎財産に加算される

特別受益に準じて扱われる場合はないのか（213ページ参照）を検討する必要があります。

役員死亡退職金が相続財産とならないとされた以上、特別受益に準じて扱われることはないとする見解[34]も有力です。

しかし、近時の裁判例[35]では、生命保険金の場合と同様に、「その他の共同相続人との間に生ずる不公平が民法903条の趣旨に照らし到底是認することができないほどに著しいものであると評価すべき特段の事情が存する場合」には、例外的に特別受益に準ずる扱いとなることを前提とするものが多くなっています（216ページ参照）。

そして、「特段の事情」の判断における保険金（退職金）の額や遺産との比率などについては、保険金と死亡退職金の合計を基準に判断していることに注意が必要です。

つまり、生命保険金と死亡退職金について、例外的に特別受益に準じるか否かの「実務上の指針」（216ページ参照）を考慮した対策を行う場合には、両者の合計額の見込みから実行の有無を判断していくこととなります。

なお、当該議論は、遺産分割等における相続分の計算における特別受益の持戻しについても、同様に解されます（112ページ参照）。

3 結論

以上より、特に役員死亡退職金の相続財産（遺産）性や特別受益該当性は、個別事情に依存する問題となりますので、事前対策を含めて、個別事案ごとの精査・分析が必要です。

---

34 片岡武・管野眞一／編著『第3版　家庭裁判所における遺産分割・遺留分の実務』日本加除出版263頁
35 東京高判平成26年3月19日（民集70巻2号235頁）等

Q&A 30 被相続人が相続人の債務を肩代わり弁済した場合と特別受益

Q 被相続人Aには、相続人として配偶者、長男Xと次男Yがいます。長男Xは、事業の失敗により700万円の債務を負っていましたが、被相続人Aがこれを肩代わりし返済していました。このような返済は、Yの遺留分侵害額を計算するに際して、遺留分算定の基礎財産に加算される「贈与」に該当するでしょうか。

A Aの長男Xに対する第三者弁済による求償権の放棄があると認定されれば、遺留分の算定基礎財産に加算される特別受益となる一方で、放棄が認められない場合には、Aから長男Xに対する求償権が相続財産となります。最終的な遺留分侵害額の計算に影響を及ぼすものかについては、以下の解説をご覧ください。

1 第三者弁済と求償権の放棄

本件では、被相続人Aが、債務者である長男Xの代わりに返済をした行為（第三者弁済）により、長男Xに対して、その弁済金額に相当する金額について求償権が発生していたことになります（102ページ参照）。したがって、第三者弁済をしたという事実のみでは、Aは弁済した代わりにXに対して、求償権を有することになりますので、税務上のみなし贈与と同様に「贈与」とは評価されません。

一方で、被相続人Aが第三者弁済時点またはその後の時点で、Xに対する求償権を放棄していたという認定がなされれば、その時点で遺留分の算定基礎財産に加算される特別受益となる贈与と評価されることになります。この点については、相続税法上のみなし贈与と同様です（102ページ参照）。

求償権の放棄の有無について、AからXに対する放棄する旨の書面等が残っていれば強力な証拠となりますが、親族間でのやりとりであるため、書面等が残っている可能性は低いと考えられることから、基本的には事実認定と評価の問題となります。

高松家丸亀支部審平成3年11月19日[36]では、17年間にわたり求償権の請求をしていない事案において、「家族の幸せのためその支払いを免除したものと解される」とした上で、『生計の資本としての贈与』と解するのが相当である」とされています。

2 相続法改正による議論の実益

前述のとおり、AがXの債務を第三者弁済した場合、遺留分の算定基礎財産に加算させる特別受益となる「贈与」に該当するか否かは、求償権の放棄があったか否かに依存することとなります。一方で、仮に求償権が放棄されていない場合には、被相続人AのXに対する求償権が相続財産となります。この場合、特別受益となる贈与として遺留分の算定基礎財産に加算されなくとも、「i 相続開始時に被相続人が有する積極財産の価額」(170ページ)に該当するため、遺留分の算定基礎財産に相続財産として含まれ、議論の実益がないようにも考えられます。

相続法改正前においては、遺留分の算定基礎財産に加算される特別受益となる贈与は、期間の制限なく加算されるとされていました(171ページ以下参照)。求償権は一般民事債権として、10年[37]で時効が完成するものとされていたため[38]、特別受益となる贈与に該当すれば、遺留分の算定基礎財産に加算される一方で、そうでない場合には加算されないという状態

36 家月44巻8号40頁
37 なお、2020年4月1日以降に発生した債権については、権利行使ができることを知った時から5年、それ以外の場合は10年と改められた(民法166①)。
38 民事上は時効の援用があると、権利行使が可能となった時から債権は消滅していたものとして扱われる(民法144)。なお、税務上は時効の援用時を基準とされることについて、『民事・税務上の「時効」解釈と実務〜税目別課税判断から相続・事業承継対策まで〜』(清文社)参照。

が生じていました。相続法改正により、遺留分の算定基礎財産に加算される贈与についても、相続開始前10年間のものに限定されたため、実益がないケースも多くなったと考えられます。一方で、2020年４月以降に発生した債権の消滅時効は、債権法の改正により、権利行使ができることを知った時から５年（第三者弁済から５年）との改正がされましたので、2020年４月以降に求償権が発生した事案については、例えば、８年前の求償権放棄については、同様の問題が残ります。

3　その他

遺留分の算定基礎財産に加算される贈与に関する議論の実益は、上述のとおりですが、遺産分割等の相続分の計算における特別受益（112ページ参照）や「遺留分権利者が得た特別受益となる贈与の価額」（175ページ参照）については、相続法改正による期間制限はありませんので、議論の実益は残ります。

また、遺言により、求償権の帰属が確定されていない場合[39]には、むしろ遺留分の算定基礎財産としての加算よりも、相続債権として相続分に応じて請求する方が金額が大きくなるため（時効との関係は個別事案により検討）、求償権の放棄を受けた相続人以外の相続人から、放棄はなかったことが主張されるケースもあります。

39　その他の財産の帰属等の定めがない場合等

Q&A 31 （受益者連続型）信託における遺留分と課税関係

Q

Aの推定相続人には、長男Bと次男Cがいます。一方で、長男Bの推定相続人には、子Dおよび子Eが存在します。なお、Aは死別、長男Bは離婚をしており配偶者はいません。

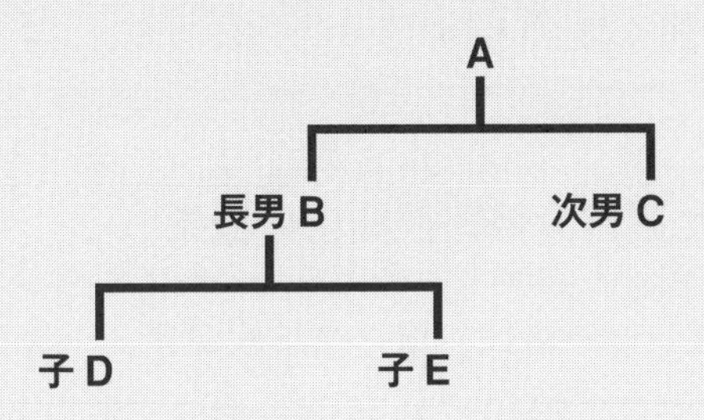

Aは、自己が高齢であることもあり、その所有する不動産および現預金を信託財産、信託の終了事由をBの死亡として、以下のような信託契約を締結したいと考えています。なお、受益者となる者は対価等を負担しません。

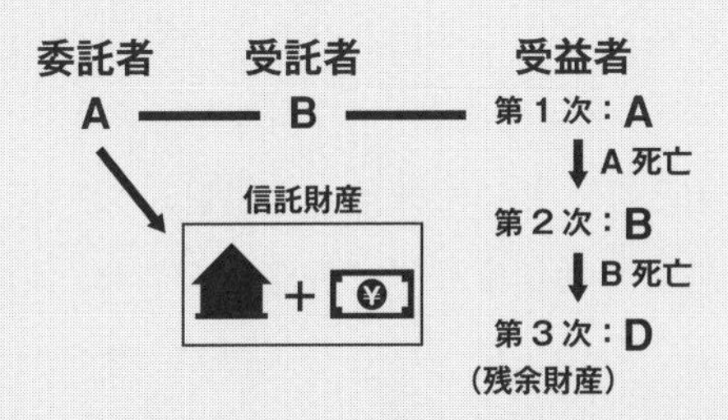

① Aに相続が発生した場合（Bは存命）、当該信託を理由に、Cは遺留分侵害額請求をすることができるのでしょうか。

② Aの死亡後、Bの相続が発生した場合、当該信託を理由に、Eは、遺留分侵害額請求をすることができるのでしょうか。

③ 課税関係はどのようになりますか。

① Cは、当該信託を理由に、遺留分侵害額請求ができるものと考えられます。なお、誰に対して、いくらの請求ができるのかについては、議論があるところですので解説をご参照ください。

② Eが、当該信託を理由に遺留分侵害額請求ができるか否かは、議論があるところです。詳しくは、解説をご参照ください。

③ 解説をご参照ください。

1　信託行為と遺留分侵害額請求の概要

信託行為と遺留分の関係は、様々な議論があり、現在の実務においても、統一的な解釈が存在するとはいえない領域です。具体的には、ⅰ遺留分侵害行為は何か（信託設定自体、信託財産の処分行為、受益権の取得や帰属）、ⅱ遺留分侵害額請求の相手方は誰か（受託者、受益者、または双方）、ⅲ遺留分の算定基礎財産に算入される価額は信託財産自体の価額か、受益権の価額か、ⅳ受益権の価額の算定方法などがあげられます。

相続法改正前の事案において、信託行為と遺留分減殺請求に関する有名な裁判例として、東京地判平成30年9月12日[40]があります。当裁判例は、信託契約の対象となっていた一部の不動産について、経済的利益の分配が想定されず、遺留分制度を潜脱する意図でされた信託であることを理由に信託契約の一部を公序良俗違反として無効（民法90）とした上で、有効な信託契約について、遺留分減殺請求の対象は受益権となる（前記ⅰの問題）と判示しています。ただし、学説上の議論などと整合しない部分もあり、どこまで先例性がある裁判例として評価してよいかについては、疑問も多い裁判例とされています[41]。

信託のアドバイス等を行う専門家としては、現在の実務において、将来

40　金融法務事情2104号78頁。なお、高裁段階で和解となったため、高裁判例はありません。
41　私法判例リマークス59号、ジュリスト2020年1月号No.1540参照

の予測可能な部分（硬い部分）や議論を整理して理解しておくことが求められるものと考えられます。

2 ①A に相続が発生した場合の C の遺留分侵害額請求について

(1) 信託を利用すれば、遺留分侵害額が消失するのか

まず、本件信託契約により、信託財産となった不動産および現預金自体は、A に所有権がなくなるため、A の相続財産ではなくなります。

その意味で、信託行為があった場合には、生命保険契約（211 ページ参照）と同様に、原則として遺留分の算定基礎財産の価額に含まれないという見解が一部の専門家の間ではあるようです。つまり、C は本件信託契約を理由に遺留分侵害額請求は原則としてできないという見解でしょう。

この点について、最高裁判例は存在しません。しかし、私見では、遺留分は民法における相続人間の平等を図る最後の砦としての役割を担っているところ、信託を利用しさえすれば、遺留分侵害額を消失させることができるという解釈を裁判所が採用するとは考えられません。信託法の審議過程においても、信託も遺留分減殺請求の対象となり得ることが確認されているところです[42]。前述の東京地判平成 30 年 9 月 12 日も、有効とされた信託契約について、遺留分減殺請求の対象となることを前提としています。

(2) C の遺留分侵害額請求

次に、A の相続に際して、C が遺留分侵害額請求をするにしても、どの行為を特別受益に該当する「贈与」と考えるのか、遺留分侵害額請求の相手方は誰か、遺留分の算定基礎財産に加算される価額をどのように考える

42 「逐条解説新しい信託法 補訂版」（商事法務）259 頁等参照

のかという点が問題となります。

どの行為を特別受益に該当する「贈与」と考えるのかという点について、学説上の見解を大きく分類すると以下のように整理できます。

○信託財産説………信託行為による委託者から受託者への（信託）財産の移転と捉える見解
○受益権説…………信託行為による受益者への受益権の付与と捉える見解
○双方説……………双方と捉える見解

そして、請求の相手方および遺留分の算定基礎財産に加算される価額について、信託財産説からは受託者および信託財産の価額、受益権説からは受益者および受益権の価額、双方説からは選択的に双方（受託者か受益者）および請求者の選択（信託財産か受益権の価額）によるとすることが整合的であると概ね整理されていました。

前述の裁判例では、「信託契約による信託財産の移転は、信託目的達成のための形式的な所有権移転にすぎないため、実質的に権利として移転される受益権を対象に遺留分減殺の対象とすべきである」とし、受益権の付与を対象行為と判示しています。信託では、信託財産から生じる経済的利益が、受益者に帰属するため、私見としては妥当なものであると考えます。

ただし、当裁判例では、受益権の評価額を、信託財産の売却および運用による経済的利益を取得させるものであることを理由に、信託財産の価額によるものとしています。さらに、受益者連続型信託において、受益権説を採用する場合、受益権は、信託契約により、第１次受益者、第２次受益者（B）および第３次受益者（D）などにＡから直接に設定されるものとも解されている[43]ところ、第２次受益者（B）および第３次受益者（D）

43 「逐条解説新しい信託法 補訂版」（商事法務）260頁

の各々の受益権の評価をどう解するのかについては触れることなく、本件でいう第２次受益者の受益権の価額単体を信託財産の価額として評価しているため、学説上の受益権説と同様の考え方を前提にしているのかという点については、疑問が残ることが指摘されています。

本件において、前述の裁判例を前提にすると、Ａの相続において、次男Ｃは、第２次受益者である長男Ｂに対して、信託契約による受益権の取得を特別受益として、遺留分侵害額請求ができるということとなりそうです。

一方で、信託契約により、委託者Ａから、直接的に第２次受益者Ｂと第３次受益者Ｄが受益権を取得していると考えるのであれば、遺留分の算定基礎財産に加算されるＡの相続開始時点の受益権価額を、Ｂの受益権について平均余命などを参考に相続開始からＢ死亡時までの評価額とし、Ｄの受益権をＢの死亡を始期とする条件付権利類似のものとして評価した価額とした上で、Ｃは、遺留分侵害額請求の相手方をＢとＤとするべきという考え方もあり得るところです。

(3) Ｃの遺留分侵害額請求に対する信託を利用した対策について

前述のとおり、信託と遺留分の関係については、未だに明らかとなっていない議論が多く含まれますが、少なくともＡの相続において、信託により、Ｃの遺留分侵害額が消失するということは考え難いため注意が必要です。

また、相続法改正がどのような影響を与えるのか不明な点も残りますが、前述の裁判例のように、個別事情により、遺留分潜脱目的による信託契約は、信託契約自体が無効とされる可能性自体も残ります。

Ｃの遺留分侵害額請求への対策を主目的として、本件信託を組成するということであれば、おすすめできるものではありません。

なお、本件とは離れますが、経済的実態を前提とした不動産を信託財産とする受益権の比率の調整や複層化などによる対策については別途検討可能でしょう。

3　Ｂに相続が発生した場合のＥの遺留分侵害額請求

Ｂに相続が開始した場合、Ｄには、第３次（残余財産）受益者として受益権が具体化します。この場合、Ｂの受益権をＤが取得したものと同視して、Ｂの相続開始時のＤの受益権を評価して、ＥがＤに対して、遺留分侵害額請求をすることができるかという問題が生じます。

前述のＡの信託行為により、Ｄは第３次受益権をＡから直接取得したと考えるのであれば、Ｂの相続について、Ｄの受益権取得を対象にＥが遺留分侵害額請求をすることができないという理解と整合的となります。

この点については、被相続人であるＢがＤに対して、受益権を取得させたものではない以上、Ｂの相続財産またはＤへの特別受益として、遺留分の算定基礎財産に加算するというのは理論上、難しいものと考えます。

ただし、裁判所は、遺留分を相続人の平等のための最後の砦と考えていますので、何かしらの法律構成（実態として、Ｂの受益権の消滅に基因してＤが受益権を取得している等）で、受益権の価額を遺留分の算定基礎財産の価額に加算するという判断をする可能性自体は残るように思います。

Ｅの遺留分侵害額請求への対策を考える場合、その他の方法も、できる限り考慮した上で、対策を講じる必要があるでしょう。

4　課税関係

(1) 信託契約時点の課税関係

信託行為時点において、適正な対価を負担せず、受益者となる者があるときは、信託の効力が発生した時点で、受益者が、信託に関する権利を委託者から贈与により取得したものとみなされるのが原則です（相法９の２

①)。

ただし、本件では、委託者Aの信託行為時点における受益者をAとするいわゆる自益信託ですので、贈与税の課税対象とはならないものと解されています[44]。

なお、民事上の理解としては、前述のとおり、Aの信託行為時点で、第2次受益者Bおよび第3次受益者Dにも、Aから直接受益権が付与されるという考え方がありますが、相続税法9条の2第1項は、受益者としての権利を「現に有する者」とされていることから、これに該当しないものと解されています（相基通9の2－1)。

(2) 委託者Aが死亡した場合の課税関係

本件では、委託者Aが死亡した場合でも、第2次受益者および第3次受益者が存在するため、信託契約は終了しません。そして、Aが死亡した場合に、経済実態としては、Bが第2次受益者となります。

受益者等の存する信託について、適正な対価を負担せずに新たに当該信託の受益者等が存するに至った場合には、その受益者等となる者は、信託に関する権利を受益者等であった者から贈与（受益者等であった者の死亡に基因して受益者等が存する至った場合には遺贈）により取得したものとみなすとされています（相法9の2②)。

本件では、第1次受益者であるAの死亡に基因して、第2次受益者Bが信託に関する権利を取得したとみなされるため、Bに対して、相続税の課税関係が生じることとなります。なお、受益者連続信託にあたるため、Bの利益を受ける期間の制限はないものとして評価されます（相法9の3①)。

44 自益信託であっても、特定委託者（信託の変更する権限を現に有し、かつ信託財産の給付を受けることとされている者）に該当する者がいる場合等は注意が必要です。

(3) 第２次受益者Ｂが死亡した場合の課税関係

第２次受益者Ｂの死亡により、信託が終了することとなり、残余財産受益者であるＤに残余財産が帰属することになります。

受益者等が存知する信託が終了した場合において、適正な対価を負担せずに信託の残余財産の給付を受けるべき者は、信託の残余財産を受益者等から贈与（受益者等であった者の死亡に基因して受益者等が存する至った場合には遺贈）により取得したものとみなすとされています（相法９の２④）。

本件では、第２次受益者であるＢの死亡に基因して、第３次（残余財産）受益者Ｄが信託財産を遺贈により取得したものとみなされるため、Ｄについて相続税の課税関係が生じることとなります。

Q&A 32 相続人間の相続分の譲渡における特別受益と贈与税

Q ＡとＢは夫婦であり、その子には、長男Ｘと次男Ｙがいました。Ａが死亡し、Ａの相続に関する遺産分割前に、Ｂは長男Ｘに無償でＡの相続に関する相続分を譲渡しました。その後、長男Ｘと次男ＹでＡの相続についての遺産分割は完了しています。その後、Ｂが死亡しましたが、Ｂは、長男Ｘに対して、全ての財産を相続させる遺言をしていました。この場合、Ｂの相続に関して、Ｂから長男Ｘに対する前述の無償の相続分の譲渡は、特別受益となる贈与となり、次男Ｙの遺留分の算定基礎財産の価額に加算されるでしょうか。また、贈与となる場合、無償の相続分の譲渡については、贈与税の対象となるのでしょうか。

A Ｂの長男Ｘへの無償の相続分の譲渡は、Ｂから長男Ｘへの特別受益となる贈与にあたり、遺留分の算定基礎財産に加算されます。一方で、無償の相続分の譲渡に対して、贈与税は課税されません。

1　相続分の譲渡とは

遺産分割前において、各相続人は相続財産に対する相続分を有しています。この相続分は、相続人の意思により譲渡することが可能です。

本件では、Ａの相続において、その配偶者であるＢは、２分の１の法定相続分を有しています。そして、配偶者Ｂは、長男Ｘに対して、この相続分を譲渡しています。そうすると、Ｂの２分の１の相続分を長男Ｘが譲り受けた結果、長男Ｘは、Ａの相続について、自己の相続分（４分の１）に加えＢから譲渡を受けた相続分（２分の１）を取得することとなる一方、Ｂは相続分を失うため遺産分割手続きから離脱することとなります。

つまり、Ａの相続について、長男Ｘの相続分が４分の３と次男の相続分４分の１であることを前提に遺産分割手続きを行うこととなります。本件では、Ａの相続に関しては、両者で遺産分割が完了しています。

2　無償の相続分の譲渡は、特別受益となる贈与となるか

本件のＢの相続に関して、Ｂは生前に自己のＡの相続に関する相続分を「無償」で長男Ｘに譲渡しているため、相続分の価額が特別受益にあたる贈与の価額となり、遺留分の算定基礎財産の価額に加算されるかが問題となります。

Ａの相続においては、遺産分割が完了しており、Ａの相続時に遡って、効力が発生している（民法909）ため、Ｂから長男Ｘへの相続分譲渡もなかったことになり、特別受益にはあたらないとも考えられます。例えば、Ｂから相続分の譲渡がない場合で、Ｂ、長男Ｘおよび次男Ｙの３名の遺産分割で、Ｂの取得財産を０とし、その分、長男Ｘが多く財産を取得する合意をした場合と異ならないという考え方です。

しかし、判例[45]は、以下の理由で、相続人間における無償の相続分の譲渡は特別受益となるとしています。

> 共同相続人間で相続分の譲渡がされたときは、積極財産と消極財産とを包括した遺産全体に対する譲渡人の割合的な持分が譲受人に移転し、相続分の譲渡に伴って個々の相続財産についての共有持分の移転も生ずるものと解される。
>
> そして、相続分の譲渡を受けた共同相続人は……当該遺産分割手続等において、他の共同相続人に対し、従前から有していた相続分と上記譲渡に係る

45　最判平成30年10月19日（民集72巻5号900頁）

相続分との合計に相当する価額の相続財産の分配を求めることができることとなる。

このように、相続分の譲渡は、譲渡に係る相続分に含まれる積極財産及び消極財産の価額等を考慮して算定した当該相続分に財産的価値があるとはいえない場合を除き、譲渡人から譲受人に対し経済的利益を合意によって移転するものということができる。遺産の分割が相続開始の時に遡ってその効力を生ずる（民法909条本文）とされていることは、以上のように解することの妨げとなるものではない。

したがって、共同相続人間においてされた無償による相続分の譲渡は、譲渡に係る相続分に含まれる積極財産及び消極財産の価額等を考慮して算定した当該相続分に財産的価値があるとはいえない場合を除き、上記譲渡をした者の相続において、民法903条1項に規定する「贈与」に当たる。

本件においても、Bの相続に関して、生前のBから長男Xへの無償の相続分の譲渡は、相続開始前10年間[46]のものであれば、次男Yの遺留分の算定基礎財産に加算される贈与にあたることとなります。

なお、遺産分割等の相続分の計算における特別受益の持戻しについても同様です（112ページ参照）。ただし、相続分の計算における特別受益の持戻しについては、その贈与について期間制限はありません（113ページ参照）。

3　相続人間の無償の相続分の譲渡は贈与税の対象となるか

前述のとおり、無償の相続分の譲渡は、特別受益となる「贈与」に該当するとされています。前述の判例から、相続人間の無償の相続分の譲渡は、贈与として、贈与税の課税の対象となるようにも思えます。

46　例外は、188ページ参照

しかし、相続人間における遺産分割前の相続分の譲渡は、遺産の分割に至る一連の手続きで行われるものである上、その後、遺産分割が成立すれば、Ｘの相続開始時に遡って、効力を有するものとされることから、相続税により評価されているものです。税務に関する判例[47]上も、相続税法55条の「相続分」には、共同相続人間の譲渡に係る相続分も含まれるとされています。つまり、相続税法上において、相続人間の無償の相続分の譲渡に贈与税を課税すると、相続税との二重課税となり、相続税の補完税であるという贈与税の趣旨に反することから、あくまでも「相続」の範囲の問題と解されます。

以上から、Ｂから長男Ｘに対する無償の相続分の譲渡に対して、贈与税は課税されません。

47　最判平成５年５月28日（家月46巻３号41頁）

Q&A 33 現物による遺留分侵害額請求に対する弁済と譲渡所得・贈与課税等

Q 被相続人Ａには、相続人として長男Ｘと次男Ｙがいるところ、次男Ｙから長男Ｘに対して遺留分侵害額請求がありました。長男Ｘとしては、金銭の支払いではなく、遺言により取得した不動産の一部を次男Ｙに対して渡すことを提案し、次男Ｙも了承しています。この場合、「相続」の問題として、相続税のみ考慮すればよいでしょうか。

A 相続法の改正により、長男Ｘには譲渡所得による課税が発生する一方で、次男Ｙには、一定の場合には贈与税が課せられる可能性があります。

1　旧民法における遺留分減殺請求権と相続法改正後の遺留分侵害額請求の法的性質

相続法改正前の民法では、遺留分減殺請求は、遺留分を侵害された相続人が遺留分減殺請求権を行使すると、物権的な効力つまり侵害の限度で、各財産について共有持分権が生じる効力があると解されてきました。したがって、減殺の対象となった財産の現物返還が原則とされ、例外的に価額弁償が認められるという仕組みになっていました。

しかし、遺留分減殺請求がなされ、財産が共有の状態になるというのは煩雑です。事業承継の場面をイメージするとわかりやすいですが、事業用財産や株式が共有ないし準共有状態となれば、事業の円滑な遂行を阻害してしまいます。

そこで、相続法改正後（2019年７月１日以降に生じた相続に適用）は、これを遺留分侵害額請求権に改め、侵害された遺留分については、金銭請求をすることができるものとされたわけです（遺留分侵害請求の金銭債権化）。

2　現物による弁済における課税関係

従前の遺留分減殺請求では、請求があると物権的効果が生じ、その限度で遺言等による財産承継の効力を消滅させるものであったため、その履行として、長男Ｘが、次男Ｙに対して、現物で不動産を渡したとしても、相続税の問題として取り扱われていました。

一方で、相続法の改正により、遺留分侵害額請求という単なる金銭債権となったため、その履行として、不動産等の資産を長男Ｘから次男Ｙに対して渡した場合、その消滅する債務の額を対価とする譲渡であるとして、長男Ｘには譲渡所得税が発生することとなりました（所法33、所基通33-１の６）。

一方で、遺留分侵害額を超える不動産の譲渡があった場合には、個人から個人への低額譲渡として、Ｙへのみなし贈与（相法７）課税が発生する場合がある（91ページ参照）ことにも注意が必要です。

第5章

不動産と贈与

1 不動産と贈与等の関係

第１章から第４章までにおいて、民法・税法の視点から問題となる「贈与」について、制度ごとに解説してきました。

実務の中では、これらの「贈与」について、不動産および非公開会社の株式についてよく問題となる上、通常の財産と異なる特有の問題が生じます。本章では、第１章から第４章までの各別の局面による「贈与」の問題を、不動産特有の問題（借地権に関する遺留分や権利金課税等も含む）などを含めて、Q＆A（ケーススタディ）を通じて、横断的に解説します。

不動産に関連する「贈与」は、民法と税法の交差する問題が複雑に生じるため、両者の視点からの検討が非常に重要となります。

Q&A
34 不動産の贈与契約書があっても、生前贈与が否定され相続財産とされる場合

Q 父Aとその子Bは、10年前に、甲土地について、公正証書により贈与契約書（効力発生も同日）を締結しました。Bは、贈与税の申告もせず、所有権移転登記などもしていませんでした。そのような状況で、Aが2年前に他界しました。Bは、Aの死後、甲土地の所有権移転登記を上記贈与契約書に基づき行い、相続税申告では、相続財産とはならない前提で申告をしていました。税務調査が行われ、当該甲土地はAの相続財産であるとの指摘を受けました。仮に更正などをされた場合、不服申立ても検討しています。過去の裁判例などに照らし見込みはいかがでしょうか。

A 本件では、贈与契約の実態がなく、公正証書による贈与契約書は形式的に作成した文書に過ぎないものとされ、甲不動産は、相続財産とされる可能性が高いでしょう。

1　贈与契約書の意義

父Aと子Bは、10年前に公正証書により贈与契約書（効力発生も同日）を締結しており、この贈与契約書を前提とすると、甲土地は、相続税の対象となる相続財産には含まれないこととなります。通常であれば、贈与契約書の存在は、贈与契約の存在を証明する重要な証拠となります。

一方で、本件のような公正証書といえども、贈与契約書は、あくまでも実態のある贈与契約の成立要件（2ページ参照）を証明するためのものに過ぎないという視点も実務上は重要です。

2　贈与契約書が存在しても、贈与契約が認められない場合

裁判例などでは、双方において実際に契約をするつもりがないにもかかわらず、形式的に契約書を作成しただけの場合等には、その契約が成立していない、または成立していたとしても、通謀虚偽表示で無効（民法94）なものと扱われています[1]。ただし、これらの判断は、事実認定とそれらの総合評価の問題になりますので、個別事案による判断が必要となります。

税務上、贈与契約の有無や時期などが問題となる裁判例では、贈与契約書の記載と異なる行動や言動をしていた事実はないか、贈与契約書作成時に贈与を必要とする客観的、合理的な事情があるか、租税回避目的以外に長期間にわたり登記をしない合理的な理由があるか、対象とされている物（不動産等）への支配管理、果実の帰属や贈与契約書締結前後の変化の状況などを考慮しているものと思われます。

最終的には個別事案による詳細な判断が必要ですが、以下の裁判例等からみると本件では、実態の伴わない贈与契約書であるとされる可能性も高いと考えられます。

同種の事案である東京地判平成18年7月19日[2]は、以下のように判示し、生前の公正証書による贈与証書の効力を否定し、甲土地は相続財産に含まれるものとしています。

> 完全な所有権を移転させることについて当事者間で確定的な合意が成立したものとして、「贈与証書」なる書面をわざわざ作成したのであれば、特段の支障のない限り、速やかに所有権移転登記の手続を経るのが通常であると考えられるところ、甲土地につき、Xと原告らとの間で登記手続を経ることに

1　神戸地判昭和56年11月2日（税資121号218頁）など
2　その後、東京高判平成19年12月4日、最決平成20年7月8日税資258号順号10984不受理で確定

ついて支障があったことをうかがわせる事情は認められない。それにもかかわらず、……省略……本件贈与証書が作成されてからXが死亡するまで13年近くもの長期間、Xから原告らへの移転登記が行われなかったことからすると、Xはその所有権を自身の下にとどめておく意思であり、原告らもそうした意思であったとみるのが自然である。
……省略……
そうであるとすれば、本件贈与証書は、Xから原告らに対して所有権を移転するとの真意を伴ったものと解するのは相当でなく、むしろ、贈与により所有権を移転するとの外観を仮装したものとみるのが相当である。

※「X」「甲」としたのは筆者。

3　本件について

前述の裁判例は、もちろん個別具体的な事案に対する判断となりますので、例えば、甲土地を第三者に賃貸しており、その収益について、贈与契約書締結後よりBが得ている等の事情などがあれば、別途、個別事情に基づいた総合評価が必要となりますが、少なくとも贈与契約書だけ存在しているという状況ですと、甲土地はAの相続財産と評価される可能性が高いでしょう。

Q&A
35 不動産の負担付贈与における贈与税と遺留分等

Q

Aには、推定相続人として、長男Xと次男Yがいます。Aと長男Xは、宅地（通常の取引価額6,000万円、相続税評価額4,000万円）の贈与契約を締結することを予定しています。ただし、この贈与契約は、長男Xが、Aの金融機関からの借入金1,000万円を代わりに支払うことを負担とします。

この場合の課税関係と将来の相続における次男Yとの関係についての民事上の注意点を教えてください。

A

長男Xについては、5,000万円が贈与税の贈与財産の価額となる一方、Aについては、1,000万円が譲渡所得の収入金額となります。一方で、Aから長男Xに対する特別受益として、遺産分割等における相続分の計算や遺留分の計算に影響を及ぼすことも検討する必要があります。詳細は解説をご参照ください。

1 課税関係について

本件の贈与契約は、受贈者である長男Xが金融機関からの借入金1,000万円を返済する義務を負担するものですので、負担付贈与にあたります（4ページ参照）。負担付贈与における一般的な課税関係は、23ページをご覧ください。

(1) 長男Xへの贈与税

まず、「負担付贈与に係る贈与財産の価額は、負担がないものとした場合における当該贈与財産の価額から当該負担額を控除した価額」（相基通21の2-4）とされ、贈与税の課税対象となります（相法7）。

特に、不動産において、従来より相続税評価額を若干上回る負担や対価によって不動産を移転させるという方法により、税負担を回避する行為がなされていたため、課税実務上、財産評価基本通達による相続税評価額ではなく、通常の取引価額により評価されることが通達上明示されています（平成元年3月29日直評5直資2-204）。

つまり、受贈者たる長男Xが贈与により取得した財産の価額は、相続税評価額4,000万円ではなく通常の取引価額6,000万円（贈与財産の価額）から借入金1,000万円（負担額）を控除した5,000万円ということになり、この金額が贈与税の課税対象となります。

(2) Aへの譲渡所得課税

本件贈与では、受贈者である長男Xの負担がAの債務の引受けにあたり、贈与者自身が受贈者の負担により経済的利益を得ていることから、Aから長男Xへの負担額を対価として宅地を譲渡したものと考えられます。つまり、Aには、負担額1,000万円を譲渡所得の収入金額として、所得税が課せられます（91ページ参照）。

なお、負担額が、時価の2分の1未満となりますので、譲渡損失はないものとされます（所法59②、92ページ参照）。

2　将来の相続における次男Yとの関係についての民事上の注意点

(1) 本件の負担付贈与と特別受益

負担付贈与も特別受益となると解されているため、遺産分割等における具体的相続分の算定（112ページ参照）、遺留分侵害額の算定における遺留分の算定基礎財産の価額（170ページ参照）および遺留分侵害額算定における遺留分権利者が得た財産の価額（175ページ参照）に影響を及ぼします。遺言の有無、Aの財産額、Aの年齢等との関係から、遺産分割対象財産の有無やその金額、Yの遺留分を侵害しないかを検討する必要があります。

(2) 負担付贈与の特別受益の価額

民事上の特別受益の価額の計算においても、負担付贈与である場合には、贈与された財産価額から負担価額を控除した額とされています（民法1045等）。

(3) 負担付贈与の特別受益の評価時点

贈与税の課税対象となる負担付贈与の価額と異なる点として、特別受益の価額を算定する評価時点は、贈与時点ではなく、Aの相続開始時点であるということに注意が必要です（173ページ参照）。

つまり、贈与時点における宅地の時価から負担額の1,000万円を控除した金額ではなく、相続開始時点の宅地の時価から負担額の時価（貨幣価値に変動がある場合）を控除した額ということとなります。

Q&A 36

息子所有の家屋を父親が増築した場合の贈与税と遺留分等

Q

Aには、推定相続人として長男Xと長女Yがいます。長男Xは、自己が所有する自宅家屋について、子供が大きくなってきたこともあり、増築を検討していたところ、Aが増築費用を負担することになりました。

この場合の課税関係と将来の相続における長女Yとの関係についての民事上の注意点を教えてください。

A

長男Xに対するみなし贈与課税や将来のAの相続における特別受益該当性などを考慮することが必要です。詳細は解説をご参照ください。

1　課税関係

(1) 増築部分の所有権の帰属と贈与税

まず、家屋を増築した場合において、増築部分が、従前の家屋の構成部分となり、独立の存在を有しない場合には、従来の建物の所有者に属することになります[3]（民法242）。

つまり、本件において、Xの所有する家屋の増築費用をAが負担したとしても、増築部分だけで独立していると評価できない限り、その増築部分の所有権は、長男Xに帰属することとなります。

（不動産の付合）

民法242条　不動産の所有者は、その不動産に従として付合した物の所有

3　最判昭和38年5月31日（民集17巻588頁）

> 権を取得する。ただし、権原によってその物を附属させた他人の権利を妨げない。

したがって、Xが、何らの負担なしに、増築部分の所有権を取得する場合、贈与税が課せられることとなります[4]（相法9）。

(2) 住宅取得等資金の贈与の非課税の特例

ただし、本件では、一定の要件を満たす場合には、「住宅等資金の贈与に係る贈与税の非課税措置」（28ページ参照）を適用の上、親から子に対する増築資金の贈与とすることで、非課税措置を利用することができます（措法70の2）。

2　将来の相続における長女Yとの関係についての民事上の注意点

(1) Aが増築費用を負担したことと特別受益

Aが増築費用を負担したことが特別受益に該当する場合、遺産分割等における具体的相続分の算定（112ページ参照）、遺留分侵害額の算定における遺留分の算定基礎財産の価額（170ページ参照）および遺留分侵害額算定における遺留分権利者が得た財産の価額（175ページ参照）に影響を及ぼします。

(2) 特別受益の評価対象行為と特別受益の価額の評価時点

このようなケースで、実務上問題となるのは、Aが増築費用を負担した行為が増築資金の贈与と評価して、相続開始時の増築資金の貨幣価値を特別受益の価額とするのか、増築部分の建物一部の贈与と同視し、相続開

4　東京地判昭和51年2月17日（税資87号337頁）

始時の建物の価額の一部を特別受益の価額とするのかという点です。

私見ではAの増築費用の支払時点で、増築資金の贈与または不当利得の返還請求権の放棄と評価するのであれば、増築資金の相続開始時の貨幣価値が特別受益となると考える方が素直かと思いますが、前述の付合の理解から金銭を支払うことにより建物の増築部分を得させたものとして、相続開始時の建物の価格の一部を特別受益の価額とすることもあり得るところです。この点については、書籍などにも明確な記載はありません。

裁判実務上は、増築資金の額を出発点として、両者の価額の乖離の大きさや増築することになった経緯、Aがその費用を負担することとなった経緯等からのAの意思の推認などから、当事者の主張を踏まえて、総合考慮されることになるでしょう。

(3) 遺留分の算定基礎財産の価額への加算の期間制限

遺留分侵害額の算定における遺留分の算定基礎財産の価額（170ページ参照）は、原則[5]として相続開始前10年間の贈与に限られるため、特別受益とされる対象行為が相続開始10年より前になされたものであれば、遺留分の算定基礎財産の価額には加算されません。

本件の場合、増築資金の贈与と評価する場合には費用負担時点、不当利得返還請求の放棄と評価する場合には放棄時点（明確な書面等がなければ通常は費用負担時点）、増築部分の贈与と評価するのであれば増築完成時点となるでしょう。相続法改正により、期間制限が設けられたことから、前述の対象行為をどのように評価するのかという点が、新たな実務上の論点になるものと考えられます。

なお、遺産分割等における具体的相続分の算定（112ページ参照）および遺留分侵害額算定における遺留分権利者が得た財産の価額（175ページ参照）においては、期間制限はありません。

5　例外は188ページ参照

Q&A
37 個人間の共有持分権の放棄における贈与税と遺留分等

Q

Aの推定相続人として長男Xおよび次男Yがいます。長男X家族とAは、従前より同居しており、新居を建築する際に、土地の購入費および建築費用を折半したため、土地および建物（以下、「本件不動産」）はAとXの2分の1ずつの共有となっています。

Aは、施設に入ることになったこともあって、本件不動産の共有持分を放棄してしまいました。

この場合の課税関係と将来の相続における次男Yとの関係についての民事上の注意点を教えてください。

A

長男Xに対するみなし贈与課税が生じます。また、将来のAの相続におけるXの特別受益となりますので、遺産分割等における相続分の計算や遺留分の算定基礎財産の価額に加算される可能性がある点を踏まえて、今後の対策を検討する必要があります。

1 共有持分の放棄の効果

まず、Aが共有持分を放棄した場合、その持分は他の共有者に帰属することになります。つまり、Aの持分放棄により、長男Xは、本件不動産を単独で所有することとなります。

（持分の放棄及び共有者の死亡）
民法255条 共有者の1人が、その持分を放棄したとき、又は死亡して相続人がないときは、その持分は、他の共有者に帰属する。

2 個人間の共有持分の放棄の課税関係

(1) 放棄者(A)について

まず、本件では、Aの持分の放棄により、対象の持分を取得するのは長男X個人であるため、少なくともAが何らの対価を得ることなく持分を放棄した場合には、放棄者Aに対する課税関係は生じないと考えられます。

(2) 帰属者(長男X)について

Aの持分の放棄により、結果として長男Xは本件不動産の2分の1の持分を得ることとなっています。持分の放棄は、贈与契約ではありませんが、長男Xが「対価を支払わないで……利益を受けた場合」にあたりますので、相続税法9条のみなし贈与規定（103ページ参照）の適用により、その持分の贈与を受けたものとみなされます（相基通9-12)。

なお、法人が当事者となる場合の課税関係はQ&A38（255ページ参照）をご覧ください。

3 将来の相続における次男Yとの関係についての民事上の注意点

(1) 共有持分の放棄と特別受益該当性

共有持分の放棄が、長男Xへの特別受益に該当する場合、遺産分割等における具体的相続分の算定（112ページ参照)、遺留分侵害額の算定における遺留分の算定基礎財産の価額（170ページ参照）および遺留分侵害額算定における遺留分権利者が得た財産の価額（175ページ参照）に影響を及ぼします。

この点について、共有持分の放棄は、贈与契約ではないものの相続人間の平等を趣旨とする特別受益の考慮場面においては、その経済的実質が長男Ｘが贈与を受けたことと変わらないこと、あえてＡが共有持分の放棄という法形式を選択していることからすると、その後、共有持分が長男Ｘに帰属することを想定した上で行われている可能性が高いことなどから、長男Ｘに贈与をした場合と同視されるものと解されます。贈与契約と異なり、放棄者Ａの一方的な意思表示で効果が発生しますが、一方的な意思表示である遺贈等も特別受益に含まれることを考えると、この点を持って、特別受益該当性が否定されることにはならないものと考えます。

(2) 特別受益の価額と評価時点

特別受益の価額については、相続開始時の本件不動産の２分の１の持分価値ということになります。

(3) 遺留分の算定基礎財産の価額への加算の期間制限

遺留分侵害額の算定における遺留分の算定基礎財産の価額（170ページ参照）は、原則[6]として相続開始前10年間の贈与に限られるため、共有持分の放棄の時期が相続開始10年より前になされたものであれば、遺留分の算定基礎財産の価額には、加算されません。

なお、遺産分割等における具体的相続分の算定（112ページ参照）および遺留分侵害額算定における遺留分権利者が得た財産の価額（175ページ参照）においては、期間制限はありません。

6　例外は188ページ参照

Q&A 38 同族法人が関係する共有持分権の放棄における課税関係と遺留分等

Q

Aには、推定相続人として長男Xと次男Yがいます。Aは、従来、甲社の経営をしていましたが、長男Xを後継者として甲社株式を全て長男Xに引き継いで、株式についての承継は完了しています。ただし、甲社の工場の敷地についての所有者が、Aと甲社の共有となっています。先日、Aから、自身が共有持分を放棄すれば、工場も甲社の単独所有となるのではないかと話がありました。

このように、法人が関係する場合の共有持分の放棄の課税関係と将来の相続における次男Yとの関係についての民事上の注意点を教えてください。

A

Aには、原則として課税関係は生じず、甲社については持分の時価について益金となり、長男Xにはみなし贈与課税が発生する可能性があります。放棄者が法人である場合等の課税関係についても解説をご覧ください。

民事上は、原則として、共有持分の放棄は長男Xの特別受益とはなりません。その他詳細は、解説をご参照ください。

1　共有持分の放棄の効果と法人が関係する場合の課税関係

共有持分の放棄があると、その持分は共有者に帰属することになる（Q&A37（252ページ）参照）ため、Aの指摘のとおり、Aが共有持分を放棄すれば、甲社の工場の敷地については、甲社の単独所有となります。

まず、法人が関連する共有持分の放棄があった場合の課税関係をここでは整理します。なお、持分放棄者と持分帰属者両方が個人の場合の課税関係は、Q&A37（252ページ）をご参照ください。

(1) 個人が放棄し、法人に持分が帰属する場合

本件のように個人（A）が持分を放棄し、共有者である法人（甲社）に持分が帰属する場合です。

①放棄者（個人A）に対する課税

まず、共有持分を放棄した場合、実質的には個人（A）から法人（甲社）へ贈与があった場合と同様の経済的効果が発生します。

通常の贈与契約であれば、法人に対する贈与となりますので、みなし譲渡規定（所法59①一）により、時価による譲渡があったものとして、譲渡所得の収入金額が計算されますが、共有持分の放棄の場合においても同様に解することになるかについては、見解が分かれるところです。

> （贈与等の場合の譲渡所得等の特例）
>
> 所得税法59条　次に掲げる事由により居住者の有する山林（事業所得の基因となるものを除く。）又は譲渡所得の基因となる資産の移転があつた場合には、その者の山林所得の金額、譲渡所得の金額又は雑所得の金額の計算については、その事由が生じた時に、その時における価額に相当する金額により、これらの資産の譲渡があつたものとみなす。
>
> 一　**贈与（法人に対するものに限る。）**又は相続（限定承認に係るものに限る。）若しくは遺贈（法人に対するもの及び個人に対する包括遺贈のうち限定承認に係るものに限る。）
>
> （以下省略）

所得税法59条の趣旨が、資産価値の増加益（キャピタルゲイン）に対する無制限の繰延べ防止にあり、共有持分の放棄による場合にもその（類推）適用を認めなければ、その趣旨は達成できないことから、適用を肯定する見解もあり得るところでしょう。

しかし、共有持分の放棄は、あくまでも民法上の贈与契約とは異なる法律行為の類型であることからすると、租税法律主義（および借用概念[7]）の

観点から、明文の規定を欠く所得税法において、収入を擬制する効果を発生させる所得税法59条1項の適用はできないとする見解[8]が適切であると考えます。相続税法においては、「贈与」が民法上の贈与契約による財産の譲渡を意味しているため、あえてみなし贈与規定（90ページ参照）を設けている点とも整合的です。

したがって、個人Aには、放棄を仮装した贈与契約との評価ができない限り、課税関係は生じないものと考えます。

②帰属者（甲社）に対する課税

放棄された持分が帰属する者が法人の場合、「その他の取引」（法法22②）に該当して、帰属する持分の時価について益金が生じることとなります。

これは、法人税法の「その他の取引」とは、会計上の取引を意味し、法律上の契約を意味するものではないと解されるためです。

③長男Xに対する課税

本件においては、Aの共有持分の放棄により、甲社が無償で財産の提供を受けたと評価できるため、長男Xが保有する株式価値が増加した点をとらえて、みなし贈与規定（相法9）が適用され、Aから長男Xへの贈与としてみなし贈与課税が発生する可能性があります。

(2) 法人が放棄し、個人に持分が帰属する場合

本件とは離れますが、法人が共有持分を放棄し、個人に持分が帰属する場合の課税関係を整理すると次のようになります。

7　民法上の「贈与」は贈与契約を指す場合以外に特別受益となるものとしても用いられており、後者は贈与契約に限定されていないことから、「贈与」の借用概念について再考する余地があるとも考えられますが、裁判例およびいかなる論文等でも、税法上単なる「贈与」と記載された場合には、民法上の「贈与契約」を指すこととされていることから本書ではこの点は割愛します。

8　新訂第7版「法律家のための税法［民法編］」東京弁護士会　第一法規52頁等

①放棄者（法人）

法人の共有持分の放棄は、「無償による……取引」にあたり、贈与契約をした場合と同様（22ページ参照）、時価により譲渡したものとみなされます。なお、それに対応する法人税法上の処理として、時価相当額について、持分帰属者との関係や放棄の理由等により、寄附金や役員賞与等となります。

②帰属者（個人）

こちらも通常の贈与と同様（22ページ参照）に、放棄者との関係や帰属の理由等により、一時所得または給与所得となります。

(3) 法人が放棄し、法人に持分が帰属する場合

①放棄者（法人）

上記「(2)-①」と同様です。ただし、帰属者が法人のため、原則として寄附金となります。

②帰属者（法人）

上記「(1)-②」と同様です。

2　将来の相続における次男Ｙとの関係についての民事上の注意点

本件の共有持分の放棄が、長男Ｘへの特別受益に該当する場合、遺産分割等における具体的相続分の算定（112ページ参照）、遺留分侵害額の算定における遺留分の算定基礎財産の価額（170ページ参照）および遺留分侵害額算定における遺留分権利者が得た財産の価額（175ページ参照）に影響を及ぼします。

共有持分の放棄であっても特別受益となる贈与とされる場合があることはＱ＆Ａ37（252ページ）のとおりです。

しかし、本件のＡの共有持分の放棄によって、持分が帰属するのは推

定相続人である長男Xではなく、甲社となりますので、原則として特別受益とはなりません。

一方で、直接的に相続人への贈与ではなくとも、その配偶者や子への贈与が特別受益となる場合があることはQ&A26（205ページ）のとおりですが、長男Xが経営する甲社への贈与が特別受益となることがあり得るかが問題となります。

この点については、法人格否認の法理の適用があるような極めて例外的な場合を除き（Q&A52（357ページ）参照）、甲社への贈与が長男Xの特別受益とされることはないでしょう。本件では、甲社は、事業承継をするような実態のある会社であり、工場等も保有していることからしても、このような例外的な場合には該当しないでしょう。

Q&A
39 個人間の土地の使用貸借契約における贈与税と遺留分等

Q

Aの推定相続人には、長男Xと次男Yがいます。Aは、甲土地を所有していますが、今年から長男Xが甲土地上に建物を建て、Xとその家族が居住しています。長男Xは、甲土地の使用について、対価を払っていませんし、Aも無償での甲土地の使用を承諾しているようです。

この場合の課税関係と将来の相続における次男Yとの関係についての民事上の注意点を教えてください。

A

Xに対して、借地権相当額の贈与があったとして贈与税は課税されません。ただし、地代相当額については、理論上、みなし贈与となります。

Aの相続が開始した場合には、土地の使用借権が特別受益と評価されることとなります。その他詳細は解説をご覧ください。

1　個人間の使用貸借契約における贈与税

本件では、長男XがA所有の甲土地に建物を所有することで、甲土地を使用していますが、この使用は、AX間で、Xが甲土地を無償で使用することの合意があるものと考えられますので、Aを使用貸人、Xを使用借人とする使用貸借契約（民法593）に基づくものとなります。

(1) 借地権相当額の贈与税

個人間で、建物所有のための土地の使用貸借があった場合には、大阪地判昭和43年11月25日[9]以前は、地主（A）から使用借人（X）に借地権相当額の贈与が行われたものとして贈与税が課税されていた時期がありましたが、同判決を契機として、いわゆる使用貸借通達[10]が整備され、土地の使用貸借に係る使用権の価額は0として取り扱われることとなっています（使用貸借通達1）。

使用借権の場合、賃借権（借地権）の場合と異なり、建物所有目的を有するものであっても、借地借家法の保護が及ばず、借主の死亡によっても終了するものであるから、その使用権の経済的価値は借地権に比して極めて低いことがその理由となります。

したがって、Xは、借地権の設定に際し権利金を支払う慣行のある地域であったとしても、権利金相当額の贈与があったものとして贈与税が課税されることはありません。また、土地の所有者との身分関係を問わず、届出等も不要です。

一方で、仮にAに相続が発生した場合、甲土地は自用地として評価されることとなります。

(2) 毎年の地代相当額

使用貸借における毎年の地代相当額については、理論上は、原則として相続税法9条のみなし贈与規定の適用を受けると考えられます[11]。

ただし、課税実務上は、「その利益を受ける金額が少額である場合又は課税上弊害がないと認められる場合には、強いてこの取扱いをしなくても妨げないものとする」（相基通9-10）とされています。

9　判時544号25頁（行政事件裁判例集19巻12号887頁）
10「使用貸借に係る土地についての相続税及び贈与税の取扱いについて」昭和48年11月1日　直資2-189、直所2-76、直法2-92
11　大阪地判昭和43年11月25日（行政事件裁判例集19巻12号1887頁）

2　将来の相続における次男Ｙとの関係についての民事上の注意点

(1) 民事上の使用借権負担付き土地の評価

仮にＡの相続発生まで使用貸借契約が継続している場合、甲土地の民事上の相続財産の評価として、他人所有の建物が存在する土地については事実上売却が困難であるため、その客観的評価額が一定程度減価されるのが通常です。個別の建物の構造等によりますが、一般的に更地価格の１～３割程度が減価され、減価された価額が使用借権相当額となります。例えば、建物が非堅固な建物である場合には、解体等も容易なため、使用借権相当額は、土地の１割程度で評価されることが多いです。

(2) 土地の使用借権および地代相当額は、特別受益としての贈与となるか

本件において、使用借権および地代相当額が、長男Ｘへの特別受益に該当する場合、遺産分割等における具体的相続分の算定（112ページ参照）、遺留分侵害額の算定における遺留分の算定基礎財産の価額（170ページ参照）および遺留分侵害額算定における遺留分権利者が得た財産の価額（175ページ参照）に影響を及ぼします。

①土地の使用借権の特別受益性

実務上、相続開始時における土地の使用借権が生活の資本としての贈与として特別受益となると解されています。つまり、土地を無償で使用している長男Ｘは、使用借権相当額について特別受益となる贈与を得たものと解されています。

なお、一部の裁判例[12]に、使用借権を特別受益として扱っていないものも存在しますが、当裁判例は、使用借人が対象土地を取得し、使用借人

12　東京家審昭和61年3月24日（家月38巻11号110頁）

が完全に所有権を取得することになる結果、上記（1）の土地の評価で使用借権による減額を行わず更地価格で評価するとされた事例です。

②地代相当額の特別受益性

長男Xは、地代相当額の支払いをすることなく、継続的に甲土地を利用してきたという事実があります。このような考えから前述の地代相当額がみなし贈与（相法9）となり得るものと解されています。

しかし、民事上の多くの裁判例では、使用借権相当額とは別に地代相当額まで特別受益とする判断はされていません。

○東京地判平成15年11月17日[13]

遺留分侵害額算定に当たり、本件土地の使用貸借権の価値をどのように評価するのが相当であるかということが問題となる。この点について、Yは、使用期間中の賃料相当額及び使用貸借権価格をもって本件土地の使用貸借権の価値と評価すべきであると主張する。しかし、使用期間中の使用による利益は、使用貸借権から派生するものといえ、使用貸借権の価格の中に織り込まれていると見るのが相当であり、使用貸借権のほかに更に使用料まで加算することには疑問があり、採用することができない。

したがって、XがAから受けた利益は本件土地の使用貸借権の価値と解するのが相当である。

これらの裁判例も個別事案を前提にした判断に過ぎませんが、現状の実務では、土地の使用貸借において、地代相当額を特別受益の価額とすることは困難を極めます。

特別受益の考え方は、本来、贈与がなければ、相続財産として当然残存していたはずの財産を相続人の平等を図るために相続分の計算において相

13　判タ1152号241頁

続財産に持戻したり、遺留分の算定基礎財産の価額に加算するものとなります。その物（甲土地）自体が相続財産とされている以上、Xに甲土地を無償使用させていなければ、当然第三者に賃貸することでAが賃料を得ていたであろうことが立証できなければ、無償使用により、相続財産を減少させたとは評価し難いという考え方が根底にあるように考えられます。裏を返せば、この立証ができるような事案であれば、土地の地代相当額も特別受益とされる可能性はあるでしょう。

(3) 遺留分の算定基礎財産の価額への加算の期間制限

遺留分侵害額の算定における遺留分の算定基礎財産の価額（171ページ参照）へ加算される贈与は、原則[14]として相続開始前10年間の贈与に限られるため、相続法改正における新たな問題として、使用貸借契約開始時が10年より前の場合には加算されないのかという点が問題となります。この点については、相続法改正による新たな実務上の論点であり、裁判例や書籍等にも解説は見当たりません。

通常の贈与と異なり、使用借権は、継続的な契約である使用貸借契約により生じているものです。相続開始時点でも使用借権が存在している場合、私見としては、現状の実務として、相続財産としての土地の評価額から使用借権相当額を減価し、その相当額を特別受益として認める一方で、地代相当額は特別受益として原則的に扱われていないことからすると、相続開始の時点で使用借権が存在している以上、使用貸借契約開始時点が相続開始より10年前であるという理由で、遺留分の算定基礎財産の価額に加算しないとはいえないものと考えます。

なお、遺産分割等における具体的相続分の算定（112ページ参照）および遺留分侵害額算定における遺留分権利者が得た財産の価額（175ページ参照）においては、期間制限はありません。

14　例外は188ページ参照

Q&A 40 法人を当事者とする土地の使用貸借契約と課税関係

Q 個人間の土地の建物所有を目的とする使用貸借契約については、Q&A39（260ページ参照）で理解しましたが、当事者の一方または双方が法人である場合の建物所有目的である土地の使用貸借契約の課税関係を教えてください。

A 契約当事者の属性により、課税関係を検討する必要があります。詳細は解説をご覧ください。

1 個人間の使用貸借契約との違い

個人間での土地の使用借権は、その経済的価値が低いことから、権利金等の取引慣行がある地域であっても、借地権の場合と異なり、課税実務上、使用借権の評価は0と扱うものとされています（261ページ参照）。使用借権の経済的価値が借地権に比して低いことについては、法人が当事者となる場合も法的には同様であるものの、税務当局は、それとは異なる取扱いをしています。経済的利益の追求を目的とする法人については、無償による土地の貸付けなどは想定できないという考え方が根底にあるものと考えられます。

2 法人が当事者となる土地の使用貸借契約の課税関係

(1)【貸主：法人　借主：法人】の場合

①貸主（法人）について

原則として、賃貸借契約によるものと同様に、借地権を貸主に譲渡したものとみなされて、権利金相当額が益金となります（法法22②、法基通

13-1-3）。一方で、無償譲渡となります（22ページ参照）ので、同額が寄附金（法法37①）と扱われます。

ただし、「土地の無償返還に関する届出書」（268ページ参照）を貸主と借主の連名で課税庁に届出をした場合には、権利金相当額の課税は行わないものとされています（法基通13-1-7）。なお、この場合でも、毎年「相当の地代」（土地の更地価額の概ね6％）に相当する金額が益金となり（法基通13-1-7、13-1-2、「法人税の借地権課税における相当の地代の取扱いについて」平成元年3月30日直法2-2）、その金額が借主への寄附金として扱われます。

②借主（法人）について

借地権相当額が受贈益として益金となります（法法22②）。

ただし、前述の「土地の無償返還に関する届出書」を提出している場合には、借地権相当額は受贈益としては扱われず、「相当の地代」相当額が受贈益となりますが、支払地代として損金ともなり、両建となるため、課税がされないこととなります。

(2)【貸主：個人　借主：法人】の場合

①貸主（個人）について

貸主が個人である場合には、借地権相当額が譲渡所得の収入金額とされることはありません。使用貸借契約は、みなし譲渡規定である所得税法59条1項1号の「贈与」には該当しないからです（所基通59-5）。また、「相当の地代」相当額についても、収入金額とはみなされません。

なお、この場合には、貸主に相続があった場合における小規模宅地等の特例等の適用との関係も含めて、使用貸借で問題ないかを検討する必要があります。

②借主（法人）について

「(1)-②」と同様になります。

(3)【貸主：法人　借主：個人】の場合

①貸主（法人）について

「(1)-①」と同様になります。ただし、借地権相当額または「相当の地代」相当額が益金とされる場合に、同額が寄附金となるか、給与となるか等については、法人と個人の関係性や使用貸借とされた理由によることとなります。

②借主（個人）について

法人と個人の関係性や使用貸借とされた理由などにより、一時所得、給与所得または雑所得となります。

2通提出
（添付書類含む）

土地の無償返還に関する届出書

※整理事項	1 土地所有者 2 借地人等	整理簿	
		番　号	
		確　認	

受付印

令和　　年　　月　　日

殿

土地所有者＿＿＿＿＿＿は、（借地権の設定等）により下記の土地を令和＿＿年＿＿月＿＿日から＿＿＿＿＿に使用させることとしましたが、その契約に基づき将来借地人等から無償で土地の返還を受けることになっていますので、その旨を届け出ます。

なお、下記の土地の所有又は使用に関する権利等に変動が生じた場合には、速やかにその旨を届け出ることとします。

記

土地の表示

所　在　地	
地目及び面積	＿＿＿＿＿＿　　　　㎡

	（土地所有者）	（借地人等）
住所又は所在地	〒 電話（　　）　－	〒 電話（　　）　－
氏名又は名称		
代表者氏名		
	（土地所有者が連結申告法人の場合）	（借地人等が連結申告法人の場合）
連結親法人の納税地	〒 電話（　　）　－	〒 電話（　　）　－
連結親法人名等		
連結親法人等の代表者氏名		

借地人等と土地所有者との関係	借地人等又はその連結親法人の所轄税務署又は所轄国税局

02.12改正

（契約の概要等）

1 契約の種類 ______

2 土地の使用目的 ______

3 契約期間 令和　　年　　月 ～ 令和　　年　　月

4 建物等の状況

(1) 種類 ______

(2) 構造及び用途 ______

(3) 建築面積等 ______

5 土地の価額等

(1) 土地の価額 ______円 （財産評価額　　　円）

(2) 地代の年額 ______円

6 特約事項 ______

______

7 土地の形状及び使用状況等を示す略図

8 添付書類 (1) 契約書の写し (2) ______

〔出典：国税庁ホームページ〕

Q&A

41 借地権上の建物の贈与があった場合の贈与税と遺留分等

Q Aの推定相続人には、長男Xと次男Yがいます。Aは、第三者（地主）より甲土地上に借地権の設定を受けて、乙建物を所有しています。このたび、Aは、長男Xに対して、乙建物を贈与することを予定しており、賃貸人からの承諾も取り付けています。

この場合、借地権の価額を含めて贈与税の対象となるのでしょうか。借地権の価額を含めない方法はあるでしょうか。

また、このような建物を贈与した場合の、将来の相続における次男Yとの関係についての民事上の注意点を教えてください。

A 長男Xの甲土地の使用権限により、課税関係や特別受益となる金額が異なってきます。詳細は、解説をご覧ください。

1 借地権上建物の贈与の民事上の効果と使用貸借による借地権の転借について

(1) 借地権上の建物の贈与と借地権の関係

まず、前提として、Aが長男Xに対して、借地権上の建物を贈与する場合に、借地権について、民事上どのように扱われるかを解説します。

この点、判例[15]は、民法87条2項を準用（ないし類推適用）し、建物を主物、借地権を建物利用のための「従たる権利」として、特段の事情がない限り、建物の譲渡があれば、借地権もそれに付随して建物の譲受人（長男X）に移転するものと解しています。

15 最判昭和53年10月26日（民集125号543頁）

（主物及び従物）
民法87条　物の所有者が、その物の常用に供するため、自己の所有に属する他の物をこれに附属させたときは、その附属させた物を従物とする。
2　従物は、主物の処分に従う。

したがって、Aが長男Xに対して借地上の建物を贈与した場合、原則として借地権についても無償で移転するものと解されます。

なお、借地権の無断譲渡は、賃貸人と賃借人（借地権者）の賃貸借契約（借地契約）の解除事由となります（民法612）が、本件では地主である第三者の承諾を取り付けていますので、この点は問題ありません。

(2) 使用貸借による借地権の転借

前述のとおり、借地権上の建物の贈与があった場合、その敷地利用権である借地権も特段の事情がない限り、移転することとなりますが、この「特段の事情」がある場合には、借地権を贈与者に留保し、建物の受贈者が土地を使用する権利を、贈与者と受贈者の使用貸借契約に基づくものである旨を合意することが含まれると解されています。

したがって、Aと長男Xの間で、建物の贈与と使用貸借による借地権の転借である旨の合意があれば、例外的にAに借地権が留保されることとなります。

なお、借地権の無断転貸も、賃貸人と賃借人（借地権者）の賃貸借契約（借地契約）の解除事由となります（民法612）が、本件では賃貸人の承諾を取り付けていますので、この点は問題ないでしょう。

2　借地権上の建物の贈与と贈与税

(1) 通常の建物の贈与契約の場合

まず、原則として、借地権上の建物を贈与すると借地権も無償で移転することとなりますので、長男Xにおいては借地権価額も含めた金額について、贈与税の対象となります。

(2) 使用貸借による借地権の転借による場合

一方で、前述の建物の贈与と使用貸借による借地権の転借である旨の合意がある場合には、例外的に借地権自体はAに留保され、長男Xに移転しないこととなります。

この場合、課税実務では、土地について使用貸借をし、使用借人が土地上に建物を所有した場合（Q&A39（260ページ）参照）と同様に、借地権の設定に際し権利金を支払う慣行のある地域であったとしても、使用貸借に係る使用権（使用借権）は、0とすることとされており（使用貸借通達[16] 2）、権利金等の授受がなくとも、借地権の価額は贈与税の対象とならないものとされています。ただし、同通達では、その事実を確認することが必要であるという理由で、次ページの「借地権の使用貸借に関する確認書」を用いるものとされています。

なお、Aに相続が開始した場合には、借地権は自用のものとして評価されることになります。

16 「使用貸借に係る土地についての相続税及び贈与税の取扱いについて」昭和48年11月1日　直資2-189、直所2-76、直法2-92

借地権の使用貸借に関する確認書

① （借地権者）　　　　　　（借受者）

＿＿＿＿＿＿は、＿＿＿＿＿＿に対し、令和＿＿年＿＿月＿＿日にその借地

している下記の土地 ｛に建物を建築させることになりました。／の上に建築されている建物を贈与（譲渡）しました。｝ しかし、その土地の使用

（借地権者）

関係は使用貸借によるものであり、＿＿＿＿＿＿の借地権者としての従前の地位には、何ら変

更はありません。

記

土地の所在＿＿＿＿＿＿＿＿＿＿＿＿＿＿＿＿

地　　積＿＿＿＿＿＿＿＿＿＿㎡

② 上記①の事実に相違ありません。したがって、今後相続税等の課税に当たりましては、建物の所有者はこの土地について何らの権利を有さず、借地権者が借地権を有するものとして取り扱われることを確認します。

令和　　年　　月　　日

借 地 権 者（住所）＿＿＿＿＿＿＿＿＿＿　（氏名）＿＿＿＿＿＿

建物の所有者（住所）＿＿＿＿＿＿＿＿＿＿　（氏名）＿＿＿＿＿＿

③ 上記①の事実に相違ありません。

令和　　年　　月　　日

土地の所有者（住所）＿＿＿＿＿＿＿＿＿＿　（氏名）＿＿＿＿＿＿

※

上記①の事実を確認した。

令和　　年　　月　　日

（確認者）＿＿＿＿＿＿税務署　＿＿＿＿＿＿部門　担当者＿＿＿＿＿＿

（注）※印欄は記入しないでください。

〔出典：国税庁ホームページ〕

(3) まとめ

以上から本件でＡから長男Ｘへの借地上の建物の贈与における贈与税の対象に借地権の価額を含めない方法としては、使用貸借による借地権の転借による方法があります。

3　将来のＡの相続における次男Ｙとの関係についての民事上の注意点

本件において、借地上の建物の贈与が、長男Ｘへの特別受益に該当する場合、遺産分割等における具体的相続分の算定（112ページ参照）、遺留分侵害額の算定における遺留分の算定基礎財産の価額（170ページ参照）および遺留分侵害額算定における遺留分権利者が得た財産の価額（175ページ参照）に影響を及ぼします。

(1) 通常の建物の贈与契約の場合

まず、前述のとおり、原則として、借地権上の建物を贈与すると借地権も無償で移転することとなりますので、Ａの相続開始時における借地権付き建物の価額が特別受益の価額となります。

(2) 使用貸借による借地権の転借による場合

裁判例やその他書籍などに明確な記載はありませんが、土地について使用貸借をし、使用借人が土地上に建物を所有した場合（Q＆A39（262ページ）参照）と同様の考え方から、Ａの相続財産の評価額として、借地権の価額は、通常の借地権の価額から使用借権の価額が減価された価額となり、建物および使用借権の価額がＸの特別受益の価額となるでしょう。なお、使用借人が土地上に建物を所有した場合と同様に、実務上は地代相当額を特別受益の価額とすることは難しいでしょう（Q＆A39（263ページ）参照）。

(3) 遺留分の算定基礎財産の価額への加算の期間制限

①通常の建物の贈与契約の場合

遺留分侵害額の算定における遺留分の算定基礎財産の価額（171ページ参照）へ加算される贈与は、原則[17]として相続開始前10年間の贈与に限られるため、当該贈与が相続開始から10年より前に行われたものであれば、遺留分の算定基礎財産の価額には加算されないこととなります。

②使用貸借による借地権の転借による場合

この場合には、建物の部分の贈与については、相続開始から10年より前に行われたものであれば、遺留分の算定基礎財産の価額には加算されないものと考えられます。一方で、使用借権については、土地について使用貸借をし、使用借人が土地上に建物を所有した場合（Q＆A39（264ページ）参照）と同様に、贈与自体が10年前によるものであったとしても、加算されるとの考え方が有力と考えます。

(4) その他の問題

通常の建物の贈与契約の場合には、長男Xはその時点で借地権者となりますが、使用貸借による借地権の転借による場合には、長男Xの権利は使用借権ですので、弱い権利となります。

したがって、仮に長男Xが遺言等で借地権を取得しない場合には、借地権の準共用として、次男Yも借地権の持分を有してしまうため注意が必要です。

17　例外は188ページ参照

Q&A 42

被相続人が借地権者となっている底地を推定相続人が取得した場合の贈与税と遺留分等

Q

Aの推定相続人には、長男Xと次男Yがいます。Aは、従前、第三者（地主）より甲土地上に借地権の設定を受けて、乙建物を所有していました。その後、長男Xは、地主から甲土地を底地価額で買取りましたが、長男Xの甲土地の買取り以降、Aと長男Xの間で、地代の授受はしていません。

この場合、Aの借地権が消滅し、借地権価額について、長男Xの贈与税の課税対象となるのでしょうか。また、将来のAの相続における次男Yとの関係についての民事上の注意点を教えてください。

A

原則として、借地権価額が贈与税の対象となりますが、課税実務上は、「借地権者の地位に変更がない旨の申出書」を提出すれば、借地権価額の贈与があったものとされていません。

民事上の注意点については、解説をご参照ください。

1　長男Xの借地権価額についての贈与税について

まず、長男Xは、地主から底地価額で、甲土地を買い取っています。この場合、甲土地上には、Aの借地権が設定されていることから底地価額で買取りをしていますので、通常は贈与税等の問題は生じません。

しかし、今回は、長男Xの甲土地の買取り後、Aと長男Xの間で、地代の授受がありませんので、長男Xの甲土地の買取りのタイミングで、Aと長男Xの間に借地権を消滅させる合意があり、使用貸借に変更したものと評価される場合には、借地権価額について贈与があったものとみなして贈与税が課税されることになります（相法9）。

使用貸借に変更されたかについては、厳密には、長男XとAの関係性、買取りの経緯、地代の授受がなされないこととなった経緯等による事実認定と評価の問題となります。

この点について、課税実務は、以下の通達[18]により、原則として借地権の贈与を受けたものと取り扱うとされています。

> 使用貸借通達5　借地権の目的となっている土地を当該借地権者以外の者が取得し、その土地の取得者と当該借地権者との間に当該土地の使用の対価としての地代の授受が行われないこととなった場合においては、その土地の取得者は、当該借地権者から当該土地に係る借地権の贈与を受けたものとして取り扱う。ただし、当該土地の使用の対価としての地代の授受が行われないこととなった理由が使用貸借に基づくものでないとしてその土地の取得者からその者の住所地の所轄税務署長に対し、当該借地権者との連署による「当該借地権者は従前の土地の所有者との間の土地の賃貸借契約に基づく借地権者としての地位を放棄していない」旨の申出書が提出されたときは、この限りではない。
>
> （注）
>
> 1　上記の「土地の使用の対価としての地代の授受が行われないこととなった場合」には、例えば、土地の公租公課に相当する金額以下の金額の授受がある場合を含み、権利金その他地代に代わるべき経済的利益の授受のある場合は含まれないことに留意する（以下7において同じ。）
>
> 2　上記の申出書は、別紙様式2「借地権者の地位に変更がない旨の申出書」を用いる。

ただし、事実認定と評価の問題として、地代の支払いがなかったことから直ちに借地権の根拠となる賃貸借契約が使用貸借契約に変更されたと認

18 「使用貸借に係る土地についての相続税及び贈与税の取扱いについて」昭和48年11月1日　直資2-189、直所2-76、直法2-92

定できるわけではないため、次ページの「借地権者の地位に変更がない旨の申出書」が提出された場合には、例外的に借地権価額の贈与ではないものと扱われます。この場合、借地権はＡに留保されているものとして扱われ、Ａの相続時には借地権が相続財産となります。

この場合でも、ＸからＡに対して、地代の支払債務の免除があったと評価されるため、みなし贈与となります（相法８）ので注意が必要です。

なお、税法理論上は、当該申出書の提出がなかったとしても、Ａと長男Ｘの間に借地権を消滅させる合意があり、使用貸借に変更したものと評価される場合でなければ、借地権価額の贈与があったものとはみなせませんが、事実認定と評価の問題となるため、課税実務上は、前述のような取扱いとされています。

2　将来のＡの相続における次男Ｙとの関係についての民事上の注意点

(1) 借地権が相続財産（遺産）に含まれるか

民事上は、前述のとおり、Ａと長男Ｘの間に借地権を消滅させる合意があり、使用貸借に変更したものと評価できない場合には、借地権がＡの相続財産に含まれるものとして、遺産分割や遺言により各財産が分配されることとなります。

一方で、Ａと長男Ｘの間に借地権を消滅させる合意があり、使用貸借に変更したものと評価できる場合には、相続財産とはなりませんが、以下のとおり、Ａから長男Ｘに対する特別受益該当性が別途問題となります。

(2) 借地権価額が特別受益の価額となるか

借地権を消滅させる合意があり、使用貸借に変更したものと評価できる場合には、長男Ｘは借地権を無償で取得したこととなりますので、相続開始時の借地権相当額が特別受益に該当することになるでしょう。

借地権者の地位に変更がない旨の申出書

令和　　年　　月　　日

＿＿＿＿＿＿税務署長

（土地の所有者）
＿＿＿＿＿＿＿＿＿＿＿は、令和　　年　　月　　日に借地権の目的となっている
（借地権者）
下記の土地の所有権を取得し、以後その土地を＿＿＿＿＿＿＿＿＿＿＿に無償で貸し付けることになりましたが、借地権者は従前の土地の所有者との間の土地の賃貸借契約に基づく借地権者の地位を放棄しておらず、借地権者としての地位には何らの変更をきたすものでないことを申し出ます。

記

土地の所在＿＿＿＿＿＿＿＿＿＿＿＿＿＿＿＿＿＿＿＿＿＿＿＿

地　　積＿＿＿＿＿＿＿＿＿＿＿＿＿＿㎡

土地の所有者（住所）＿＿＿＿＿＿＿＿＿＿＿＿＿＿（氏名）＿＿＿＿＿＿＿＿＿＿＿＿

借 地 権 者（住所）＿＿＿＿＿＿＿＿＿＿＿＿＿＿（氏名）＿＿＿＿＿＿＿＿＿＿＿＿

〔出典：国税庁ホームページ〕

(3) 想定される主な問題

①遺産分割の場面

遺産分割の場面では、次男Yとしては、借地権価額について、特別受益となるよりも、相続財産となる方が実際の取得できる財産が多くなると考えられる上、特別受益とされると特別受益の持戻し免除があったか（113ページ参照）という争点も生じるため、借地権が存続していると主張することが適切であるケースも多いでしょう。

一方で、借地権がAの相続財産となるという前提の場合、長男Xは、Aの長男Xに対する地代の支払債務が残存しているという主張により、Yの相続分に応じた支払いを請求できる可能性もあります。

実務において紛争化すれば、Aの相続財産や適正な地代の額等を考慮して、お互いに有利となる主張を選択して争うこととなります。

②遺留分侵害の場面

遺言の内容等により、次男Yが遺留分侵害額請求をするという場面では、原則的には、借地権が相続財産となっても「ⅰ相続開始時に被相続人が有する積極財産の価額」（171ページ）」となり、特別受益となっても遺留分の算定基礎財産の価額に含まれることになります。ただし、次男Yとしては、仮に相続財産であるとすると、地代の支払いを請求される可能性もあるため、特別受益と主張する方が有利な場合も多いでしょう。

一方で、相続法改正により、原則[19]として、相続人への特別受益となる贈与の価額が遺留分の算定基礎財産に加算されるのは、相続開始前10年間の贈与に限定されることとなりました（171ページ参照）ので、Xの底地の取得時期が相続開始から10年より前の場合には、次男Yは、借地権が相続財産である旨を主張し、長男Xは、特別受益である旨を主張する方が一般的には有利となるでしょう。

実際の紛争事案では、当事者がどのような主張が最も有利なのか等を検討の上、主張内容および立証方法を検証することとなります。

19　例外は188ページ参照

Q&A 43 権利金の授受のない借地権の設定による贈与税と遺留分等

Q Aの推定相続人には、長男Xと次男Yがいます。Aは、甲土地を所有していますが、今年に入って、長男Xが甲土地上に建物を新築して、Xとその家族が居住しています。長男Xは、甲土地の地代をAに支払っていますが、権利金等の支払いはなされていません。

この場合の長男Xについて、借地権相当額が贈与税の対象となるでしょうか。また、将来のAの相続における次男Yとの関係についての民事上の注意点を教えてください。

A 原則として、借地権相当額が贈与税の対象となります。ただし、課税実務上「相当の地代」の支払いがある場合には、対象とされません。

民事上の注意点については、解説をご参照ください。

1 普通借地権について

借地権とは、「建物の所有を目的とする地上権または賃借権」(借借法2①)をいいます。

普通借地権の存続期間は、30年以上とされ(借借法3)、更新期間も原則として更新の日から10年(最初の更新の場合には20年)となる(借借法4)上、借地権者は、建物が存続していれば借地契約の更新請求をすることができます(借借法5)し、借地権設定者が更新を拒絶するには「正当な事由」が必要であり、高額な立退料などを負担する必要も生じ得ます。

また、賃貸借契約による場合には、本来賃借権は、債権的権利であるものの、借地権上の建物の登記を備えた場合、第三者への対抗力をもち、土地所有者(借地権設定者)が第三者に土地を売却したとしても、その存在を主張することができることから、ほとんど物権と変わらない非常に強力な権利となります。

したがって、この借地権の設定を受ける場合には、その機能として、土地の所有権の一部譲渡（または物権の設定行為）と同視し得るような経済的価値の移転が観念できるため、権利金等の支払いがない借地権設定の場合には、税務上も民事上もどのように評価するのかが問題となるわけです。

本件では、長男Ｘは、Ａに対して地代の支払いはしていることから、建物の所有を目的とする賃貸借契約が成立しており、借地権が生じている一方で、権利金等の支払いがなされていないことから、税務・民事上の問題が生じます。

２　借地権の設定による長男Ｘへの贈与税

土地の使用貸借の場合（Q&A39（260ページ）参照）と異なり、借地権設定に対して権利金等を支払う慣行がある地域において、その授受がなく借地権が設定された場合、原則として、借地権価額について贈与税が課税されます（相法９）。

一方で、権利金等の授受は行われなかったが、権利金に代わるものとして、通常の地代よりも高額な地代が授受されている場合には別途検討が必要です。課税実務上は、通常の地代よりも高額な「相当の地代」が支払われている場合には、借地権価額について贈与税は課税されない取り扱いとされています。

「相当の地代」とは、権利金の授受が全くない場合については、土地の自用地としての価額の過去３年間における平均額に対して概ね６％程度とされています（昭和60年６月５日「相当の地代を支払っている場合等の借地権等についての相続税及び贈与税の取扱いについて」課資２-58直評９）。なお、通常支払われる権利金に満たない金額を権利金として支払っている場合には、自用地価額から権利金の額（権利金の額×自用地としての価額／借地権設定時の当該土地の通常の取引価額）を控除した金額が相当の地代の計算の基礎となる当該土地の自用地としての価額とされます。

本件においても、原則として借地権価額について、長男Xに贈与税が課されますが、長男XがAに対して、「相当の地代」を支払っている場合には、贈与税は課されないということになります。なお、「相当の地代」が支払われている土地について、Aに相続が発生した場合には、当該土地は自用地として価額の80％相当額で評価するものとされています（同通達6項参照）。

一方で、本件において、長男XがAに対して支払っている地代が、通常の地代（自用地としての価額×（1－借地権割合）×6％）を超え、「相当の地代」に満たない場合には、贈与税の対象となる借地権価額の評価が調整されます（同通達2項参照）。

3　将来のAの相続における次男Yとの関係についての民事上の注意点

(1) 特別受益該当性

本件において、XはAに対して地代を支払っており、Xに借地権が認められる（Q&A45（289ページ）参照）ことから、Aの相続財産（遺産）の評価として、甲土地の評価額から、借地権相当額が減価されることとなります。

権利金等の支払いのない借地権の設定が、Aから長男Xへの特別受益に該当する場合、遺産分割等における具体的相続分の算定（112ページ参照）、遺留分侵害額の算定における遺留分の算定基礎財産の価額（170ページ参照）および遺留分侵害額算定における遺留分権利者が得た財産の価額（175ページ参照）に影響を及ぼします。

この点について、権利金等の授受のない借地権の設定行為自体は、借地権者（X）が借地権の設定により借地権相当額の利益を得ておきながらその対価を支払っていない一方で、被相続人（A）の財産はその分減少すると評価されることが多いことから、一般的には相続開始時の借地権相当額について特別受益の価額となると解されます。

もちろん、権利金等の支払いがない代わりに、地代が多く支払われている等の場合には、特別受益には該当しないとされる場合もあるでしょう。ただし、民事の問題は、税務のような一般的基準はないため、地代の設定がなぜその金額でなされているのか等の証拠をしっかりと整理しておく必要があるでしょう。また、A が長男 X の建物に同居などしている場合には、この辺りも考慮されることとなるでしょう。

(2) 遺留分の算定基礎財産の価額への加算の期間制限

遺留分侵害額の算定における遺留分の算定基礎財産の価額（171 ページ参照）へ加算される贈与は、原則[20]として相続開始前 10 年間の贈与に限られるため、相続法改正における新たな問題として、借地契約時の設定行為が 10 年より前の場合には加算されないのかという非常に悩ましい問題があります。この点について、裁判例、書籍や論文等にも解説は見当たりませんので、今後、裁判例等での議論が待たれるところです。

通常の贈与と異なり、本件の借地権は、継続的な契約である賃貸借契約により生じているものです。仮に相続開始時点でも X の借地権が存在している場合、現状の実務として、相続財産としての土地の評価額から借地権相当額を財産評価の問題として減価しているものの、使用借権と異なり（264 ページ参照）、「借地権」は、債権的地位であるものの物権に極めて近い性質を有していますから、借地設定契約時点が相続開始 10 年より前であれば、「物」を贈与した場合と同様に、遺留分の算定基礎財産の価額には加算されないとする考え方が有力と考えます。

20　例外は 188 ページ参照

Q&A 44

建物の無償使用についての贈与税と遺留分等

Q

Ａの推定相続人には、長男Ｘと次男Ｙがいます。Ａは、甲土地および甲土地上に乙建物を所有しています。乙建物には、長男Ｘがその家族とともに居住していますが、長男Ｘとその家族から、Ａに対する賃料の支払い等はありません。

この場合、賃料相当額等について、長男Ｘに贈与税は課税されるでしょうか。また、将来のＡの相続における次男Ｙとの関係についての民事上の注意点を教えてください。

A

理論上は、贈与税が課税されるものと考えられますが、実務上は課税されていないケースが多いでしょう。

民事上は、特別受益とされるケースもありますので、注意が必要です。詳細は解説をご参照ください。

1　長男Ｘに対する賃料相当額等の贈与税

まず、Ａ所有の建物を無償で長男Ｘ（およびその家族）が使用しているということですが、理論上は、原則として相続税法９条のみなし贈与規定の適用を受けると考えられます。

ただし、課税実務上は、「その利益を受ける金額が少額である場合又は課税上弊害がないと認められる場合には、強いてこの取扱いをしなくても妨げないものとする」（相基通９-10）とされています。

実務では、特殊な事情がない限り、Ａも乙建物に居住し、長男Ｘらと同居しているというケースでは課税されていないのが通常でしょう。

なお、特にＡの療養看護や生活支援のために同居がされているケースなどＡの要望により同居している場合には、理論上も「対価を支払わないで……利益を受けた」と評価することが難しいケースもあるでしょう。

2　将来のAの相続における次男Yとの関係についての民事上の注意点

本件においては、長男Xが、乙建物を無償使用しているため、賃料相当額等が、Aから長男Xへの特別受益に該当する場合、遺産分割等における具体的相続分の算定（112ページ参照）、遺留分侵害額の算定における遺留分の算定基礎財産の価額（170ページ参照）および遺留分侵害額算定における遺留分権利者が得た財産の価額（175ページ参照）に影響を及ぼします。

(1) 従来からの伝統的な理解

被相続人（A）の建物に無償で居住している場合、相続人（長男X）が独立の占有権を有するとしても、賃料相当額等は特別受益とならないという理解が一般的です。裁判官が中心となっている実務でも非常に定評のある書籍[21]などでもそのような見解を示すものもあります。

その理由としては、建物使用貸借は恩恵的な要素が強いこと、土地の使用借権と比較しても、明渡しも容易であり経済的価値はないに等しいことなどがあげられています。

裁判例などでも、特に被相続人も同居している事案[22]や親子間の通常の使用貸借に過ぎないとされた事案[23]などで、建物の使用借権や賃料相当額については特別受益とならないと判断されたものが多くあります。

21　第3版「家庭裁判所における遺産分割・遺留分の実務」日本加除出版274頁
22　東京地判平成21年11月27日（平成15年（ワ）865号）
23　東京地判平成26年3月25日（TKC法律情報データベース 文献番号25518710）

(2) 建物の無償使用で特別受益を肯定した裁判例

一方で、建物の無償使用に関して、特別受益に該当すると認めた裁判例も存在します。

例えば、東京地判平成21年7月31日[24]では、新築当初から30年に渡り、相続人が被相続人の建物に当相続人の家族とともに無償で居住していた事案で、相続開始時における建物および土地を一体として評価した評価額の利用権割合の1割に相当する金額を、特別受益と認定しています。この事案は、被相続人の希望により、被相続人の居宅の近くに相続人が居住していたという事実はありましたが、同居はしていない事案でした。また、その他の相続人は、裁判所が認めた金額の10倍となる過去の賃料相当額の合計額を主張していましたが、長期間の居住であったため、バランスをとって、賃料相当額では認定しなかったものといえるでしょう。

一方で、東京地判平成27年3月25日[25]では、相続人が被相続人所有の建物を約20年間無償で使用していた事案において、被相続人が居住していた建物とは別の建物であること、東京都千代田区一番町という好立地で床面積が200平米であったことから、非常に大きな利益であるということを理由に、賃料相当額（約1億5,000万円）が特別受益の価額となると認定しています。

(3) 最近の実務傾向

筆者の個別的な経験に過ぎない面もありますが、最近の実務の傾向としては、従来からの伝統的理解のように建物の無償使用であることから直ちに特別受益を否定するのではなく、個別具体的な事案やバランスに応じて、特別受益の認定がなされているものと考えられます。

例えば、前述の裁判例のような好立地な建物等でなくても、被相続人Aが所有していたマンション等の収益物件の一室を長男Xに無償で利用

24 平成17年（ワ）17805号
25 TKC法律情報データベース 文献番号25524778

させていたという事案などでは、被相続人Ａは、本来長男Ｘに無償利用をさせなければ、他の賃借人に貸し出すことで賃料を得ることができたと考えられ、その分、相続財産が減少しているとの評価もできるため、賃料相当額について、特別受益を認める等の判断もされてきています。一方で、被相続人Ａと長男Ｘが同居しているという事案では、生活補助的な要素も含まれてくるため、裁判所としては、特別受益を肯定するのは非常に抑制的です。

(4) 遺留分の算定基礎財産の価額への加算の期間制限

遺留分侵害額の算定における遺留分の算定基礎財産の価額（171ページ参照）へ加算される贈与は、原則[26]として相続開始前10年間の贈与に限られるため、相続開始から10年より前に行われたものであれば、遺留分の算定基礎財産の価額には加算されないこととなります。

仮に賃料相当額が特別受益の価額とされる場合には、相続開始10年前以降の賃料相当額ということになるでしょう。

26　例外は188ページ参照

Q&A

45 使用貸借と賃貸借契約の区別

Q Aの推定相続人には、長男Xと次男Yがいます。Aは甲土地を所有していますが、長男Xが甲土地上に建物を新築しました。長男Xが甲土地を使用する権限について、使用貸借（Q&A39（260ページ））か賃貸借（借地権）（Q&A43（281ページ））かで、課税関係や民事上の注意点が異なってくるのはわかりましたが、両者はどのように区別されるのでしょうか。

A 「土地の使用収益の対価」の支払いがあるか否かで区別されます。詳細は解説をご覧ください。

1　借地権と使用借権の区別

借地権は、物権に類似する強力な権利です（281ページ参照）。それに伴い税務上・民事上の判断にも強い影響を及ぼします。しかし、実務上は、特に親族間の場合、借地権なのか、使用借権なのかという点が争点になることがあります。

借地権なのか使用借権なのかという点は、借地権は、建物の所有を目的とする地上権または土地の賃借権をいう（借借法2①）とされているところ、土地使用の権限が、賃貸借契約に基づくものであるのか、使用貸借契約に基づくものであるのかという問題に帰結します。そして、賃貸借契約は、賃料を支払う対価として物の使用収益権を認めるものである一方で、使用貸借契約は、無償で物の使用収益権を認めるものです。

したがって、借地権と使用借権の区別は、「土地の使用収益の対価」といえる賃料の支払いがあるかで行われます。

2 「土地の使用収益の対価」とは

実務上、問題となる事例としては、例えば、長男Xが親であるAに対して、金銭を支払っている場合です。最終的には、その金額の多寡、支払いの動機、支払いに至る経緯、貸借に至った経緯、当事者の認識や関係性などからその支払いが、「土地の使用収益の対価」である賃料と評価できるかという点の事実認定と評価の問題となります。

土地を利用していることを理由とする支払いであっても、長男XがAに対して支払っている金額が、固定資産税等の公租公課相当額以下であれば、「土地の使用収益の対価」とは評価されません。使用貸借契約の場合、借主は借用物の通常の必要費を負担するところ（民法594）、固定資産税等の公租公課は、この必要費と解される[27]のが原則だからです。

したがって、公租公課相当額以下の支払いであれば、「土地の使用収益の対価」とは評価できないでしょう。

固定資産税等の相当額を超える支払いがあった場合にどのように考えるのかは、個別事案における事実認定と評価の問題となります。毎月一定金額の支払いがされ、その年間の合計額が固定資産税の2倍以上であっても使用貸借であるとされた裁判例[28]がある一方で、公租公課（固定資産税および都市計画税）の1.3～1.6倍程度の支払いがなされていた事案で、賃貸借と認定した裁決[29]もあります。最終的には個別事案による事実認定と評価の問題となってしまいますので、使用貸借としたいということであれば、公租公課を基準と考えるのが安全でしょう。

27　東京地判平成9年1月30日（判時1612号92頁）
28　仙台高判平成19年1月26日（税資257号順号10617）
29　裁決平成8年6月24日　TAINSコード：F0-3-028

3 実務上の注意点

稀に「使用貸借契約書」という契約書を作成していれば、使用貸借であると認識されている方が散見されますが、契約書がどのようなタイトルであれ、借地権か使用借権かは、「土地の使用収益の対価」の支払いがあるか否かで判断されますので、注意が必要です。

Q&A 46 配偶者居住権の無償の放棄等における贈与税と遺留分等

Q 亡AとBは夫婦で、その子に長男Xと長女Yがいます。Aは、Bと居住していた甲建物について、遺言により、甲建物の敷地も含めて長男Xに相続させつつ、Bに対して、配偶者居住権（終身）を設定しました。このたび、Bが施設に入るということで、Bは配偶者居住権を無償で放棄または長男Xとの合意で解除をしようと考えています。

この場合の課税関係や将来のBの相続における長女Yとの関係についての民事上の注意点を教えてください。

A 長男Xに対して、贈与税が課税されると考えられる一方で、Bの相続における特別受益には該当しないものと考えます。

1　配偶者居住権の概要

配偶者居住権とは、夫婦の一方が死亡した場合に、残された配偶者が、死亡した配偶者が所有していた建物を、死亡するまでまたは一定の期間、無償で使用および収益することができる権利です（民法1028）。残された配偶者を保護する目的で、相続法改正により、2020年4月1日以後に開始した制度です。以下の要件を満たすことにより、認められます。

①残された配偶者が法律上の配偶者であること
②死亡した配偶者の相続開始時において、残された配偶者が対象建物に居住していたこと
③遺産分割（調停・審判によるものを含む）、遺贈または死因贈与により設定されること

2 無償による配偶者居住権の放棄や合意解除の課税関係

配偶者居住権の存続期間は、原則として配偶者が死亡するまで（終身）とされ、別途存続期間を定めたときはその期間となります。配偶者Ｂは、終身の配偶者居住権の設定を受けています。

配偶者Ｂは、存続期間満了前であっても、配偶者居住権を放棄することや所有者Ｘとの合意により解除することで、配偶者居住権を消滅させることができます。

ただし、配偶者Ｂが配偶者居住権を無償で放棄または解除した場合には、その建物と敷地の所有者（長男Ｘ）は、配偶者居住権による不動産の利用制限がなくなるため、「対価を支払わないで……利益を受けた」（相法9）として、みなし贈与の対象となります。

つまり、建物についての配偶者居住権と敷地を使用する権利の価額について、配偶者居住権消滅時点における相続税法23条の2の規定に基づいて計算した金額が、贈与税の対象となります。

3 長女Ｙとの関係についての民事上の注意点

配偶者Ｂの無償による配偶者居住権の放棄や合意解除により配偶者居住権が消滅した場合、甲建物およびその敷地の所有者である長男Ｘは利益を受けることとなります。

この場合、配偶者Ｂから長男Ｘへの配偶者居住権の消滅による利益を「贈与」したとして、遺産分割等の相続分の計算における特別受益や遺留分算定基礎財産に加算される特別受益となる贈与にあたらないかが問題となります。

特別受益の価額の評価は、Ｂの相続開始時の価額で評価するものです（173ページ参照）。そして、配偶者居住権は、配偶者のみに認められる配偶者Ｂの一身専属権とされており、Ｂの相続の対象とはならないものです。つまり、配偶者居住権は、Ｂの相続開始時点で消滅するものですので、その価額についても０円になると考えられます。

したがって、配偶者Ｂが、無償で配偶者居住権を放棄または解除しても、Ｂの相続において、長男Ｘの特別受益とはならないものと考えられます。

第6章

非公開会社の株式の贈与

1 非公開会社株式の贈与契約の会社法上のルール

非公開会社の株式を譲渡する場合、株式に譲渡制限が付されていることから、会社[1]の承認が必要となります（会社法2十七、107①一）。株式の「贈与」も、無償の「譲渡」であるため、同様です。

譲渡の承認を得ていない株式の譲渡は、譲渡（贈与）当事者間では有効ですが、会社に対する関係では効力が生じないと解されています[2]。

つまり、株式を贈与したとしても、譲渡の承認を得たものでなければ、贈与者および受贈者は、会社に対して贈与されたことを主張することができません。

具体的には、贈与者が会社に対して、株式譲渡承認請求を行い（会社法136、138一イ、ロ）、承認を受けることが必要となります。

なお、支配株主が当事者となる贈与の場合には、問題となるケースは少ないですが、譲渡承認請求に対して、会社が2週間以内に承認・不承認を決定の上通知しない場合には、みなし承認（会社法145一）となりますし、会社が譲渡を承認しない場合には、株主は、会社または会社が指定した者に株式を買取るように請求をすることができます（会社法138一ハ、二ハ）。最近ではこの制度を利用して、非公開会社株式の買取業者などが少数株主から株式の譲渡を受け、会社に対して高額な買取りを請求するという事案が多発しています。

本書の趣旨から、会社法上のルールの解説はここまでにしますが、少数株主等の最近の問題や対策、会社法をより詳しく知りたいという方は、拙著『第2版 非公開会社における少数株主対策の実務～会社法から税務上の留意点まで～』（清文社）をご参照ください。

1 原則として、取締役会設置会社は取締役会、取締役会が設置されていない会社は株主総会
2 最判昭和48年6月15日（民集27巻6号700頁）

Q&A 47

株券発行会社の株式譲渡（贈与を含む）の注意点

Q 甲社は、登記簿上、株券発行会社となっていますが、株券は見当たりません。この場合、事業承継の対策（少数株主からの株式の取得や後継者への贈与等）をする場合、株券不発行会社と同様に扱うという対応で問題ないでしょうか。

また、問題がある場合には、過去の株式の譲渡はどのように扱われるのでしょうか。対策を含めて教えてください。

A 株券発行会社における株式の譲渡（贈与を含む）には、株券の交付が必要となります。これを欠く場合には、当該譲渡が無効なものとして、事業承継やM&Aなどにおいて、法務上、重大な影響を及ぼすこともあります。また、税務上も難しい問題が伴います。対応策も含めて、解説をご参照ください。

1　株券発行会社と株式の譲渡

実務上、株券発行会社であるにもかかわらず、株券の交付なく株式譲渡がなされているケースが非常に多く散見されます。会社法のルールが周知されていないことから生じる問題ですが、自社株の承継を含む事業承継対策や少数株主対策に重大な影響を及ぼすことがあるため、まず株券発行会社における会社法上のルールを解説します。

(1) 株券発行会社の経緯

平成16年商法改正以前は、すべての株式会社について、株券を発行するものとされていました。この改正により定款の記載があれば、例外的に株券不発行会社とすることができるとされました。その後、平成18年の会社法の制定により、株式会社は、原則として株券不発行会社とすることとなり、定款で株券を発行する旨を定めた場合に限り、株券発行会社となるというように整理されました（会社法214）。

しかし、会社法が施行された平成18年5月1日以後に設立された会社は、定款に定めをおかなければ、株券不発行となる一方で、それより前に設立された会社については、従前どおり、株券発行会社となっています（会社法の施行に伴う関係法律の整備等に関する法律76条4項）。つまり、事業承継などが問題となる社歴の長い会社では、定款変更などの措置をとっていなければ、株券発行会社のままということになりますので注意が必要です。

なお、平成18年5月1日より前に設立された会社では、平成18年5月1日付で商業登記簿に株券発行会社である旨が、職権により登記されています。

(2) 株券の交付を欠く株式の譲渡の効力

株券発行会社の場合、株式の譲渡は、譲渡の合意（売買や贈与の合意）のみでは効力が生じず、「株券の交付」も併せて行うことが必要となります（会社法128①）。

つまり、株券の交付が伴わない譲渡の合意のみがあったとしても、株主権（株主の地位）は移転しておらず、会社の株主名簿などは真実の株主関係を表していないということになります。これは、譲渡が有効であることを前提とした対抗要件の問題とは異なりますので注意が必要です。事業承継における少数株主からの株式の取得や後継者への贈与が実は無効であるということになり兼ねないということです。

> 会社法128条　株券発行会社の株式の譲渡は、当該株式に係る株券を交付しなければ、その効力を生じない。ただし、自己株式の処分による株式の譲渡については、この限りでない。

2　株券の発行前にした譲渡は、株券発行会社に対し、その効力を生じない。

①実際に株券を株主に発行している場合(会社法128①)

会社が実際に株主に株券を交付している場合には、会社法128条1項により、株券の交付を受けなければ、株主権移転の効力は生じません。

②実際には株券を株主に発行していない場合(会社法128②)

会社が実際には株主に株券を発行していない場合や株券の不所持制度を利用している場合などでは、株券発行前にした譲渡として、会社法128条2項が適用されます。この表現から譲渡の当事者間では有効であると解されますが、「効力が生じない」とされている以上、株主名簿の書換えなどの株式の対抗要件（会社法130）とは異なり、会社側から株式の譲渡の効果を認めることはできないと解されています。つまり、譲受人（受贈者を含む）は会社に株主権を主張できませんし、会社から認めることもできませんので、実態として①と異なるところはありません。

このような会社の場合には、譲渡者（贈与者を含む）は、一度会社に株券の発行を請求した上で、譲受人（受贈者を含む）に「交付」をしなければなりません。

なお、会社が株券発行義務に違反して、株券発行を不当に遅滞しているケースでは、信義則上、譲受人が会社に対して株主であることを主張できるとする判例[3]があります。ただし、現在の会社法では、非公開会社において、株主から請求がある時まで株券を発行しないことができます（会社法215④）ので、単に株券が発行されていないというのみでは、不当に遅滞しているということにならないものと考えられます。

3　最判昭和47年11月8日（民集26巻9号1489頁）

③株券交付の方法について

株券の交付とは、株式の引渡し、すなわち株券の占有を移転することをいうと解されています。

この「引渡し」の方法としては、ⅰ現実の引渡し（現実に株券を引渡して交付する方法：民法182①）のみではなく、ⅱ簡易の引渡し（従前占有していた者に意思表示だけで占有を移転するという方法：民法182②)、ⅲ占有改定（代理人が占有している物を以後本人のために占有する旨の意思表示により本人に占有を移転するという方法：民法183)、または、ⅳ指図による占有移転（代理人が占有している場合、本人が代理人に対し以後第三者のために占有することを命じ、第三者が承諾することにより第三者に占有が移転するという方法：民法184）でも可能であると解されています。

2　事前対策

これから事業承継や少数株主対策として、株式の譲渡（贈与を含む）を行う場合には、**ⅰ株券を交付する形で行うか、ⅱ株券不発行会社に定款変更手続および公告等の手続をし、登記をした上で行う**ことになります。通常は、株券不発行会社に変更した上で、対策を行うことをおすすめします。

3　事後対策（株券交付を失念した場合）

一方で、過去の株式の譲渡において、株券の交付がなかったというケースはどのように対策をすればよいのかという点が、実務上非常に悩ましい問題です。株券不発行会社に変更すれば、過去の株式の譲渡についても、問題がなくなるというような誤解をされている方も多いように感じますが、この変更は、株券発行会社であった時点で行った過去の株式の譲渡を有効にするわけではありませんので注意が必要です。実際に事業承継対策や少数株主対策等では、過去の株式の譲渡履歴表等を作成し、現在の株主名簿と真実の株主関係を比べ、分析した上で、以下の対策を行う行わないも含めて個別具体的に検討することが必須となります。

以下では、このようなケースの一般的な対策および整理について解説します。なお、実務上は対策を講じることにデメリットが大きい場合等には、そのデメリットと比較し、できる限りの範囲で対策を行うことになります。

(1) 改めて株券の交付を行う方法

①交付請求権

譲渡人（贈与者）から改めて、株券の交付を受けるという方法です。仮に譲渡人が拒否した場合には、各契約（売買や贈与）に基づいて、株券の引渡請求をすることとなります。

この部分も誤解が多いところですが、株式譲渡（株主権の移転）という物権的な効力が生じていないのみであって、契約当事者に生じるこれらの契約に基づく個別の債権債務は有効と解されます[4]。

なお、この方法によったとしても、株式の譲渡の効力が契約時に遡って有効となるわけではなく、改めて交付を受けた時に譲渡（株式の移転）の効力が生じると解さざるを得ない点は注意が必要です[5]。

②民事上の消滅時効との関係

この株券の引渡請求をする場合、注意が必要なのが消滅時効との関係です。この株券の引渡請求権は、契約から生じる債権という位置付けですから、消滅時効の適用対象となります。具体的には、引渡請求ができる時の翌日から時効期間が計算されるものと考えられます。2020年4月1日より前に契約があれば旧民法の規律により10年、2020年4月1日以降に契

4　東京地方裁判所商事研究会著「会社訴訟の基礎」168頁以下
5　商事法務会社法コンメンタール3巻314頁等

約があれば５年となるでしょう。

なお、私見ではありますが、時効期間を経過しても、個別具体的な事情により、裁判所が信義則等の一般法理により救済をする可能性はあります。しかし、あくまでも例外的な救済措置の可能性があるというだけで、時効が完成している場合には、交付請求を行うことは、実務上得策ではないことが多いと考えます。

仮に、裁判所が法理論どおりの結論を示した場合には、譲渡者（贈与者を含む）が株主であることが確定してしまうことや下記の取得時効という整理があることも踏まえると、時効期間の間、問題が生じなかったことから今後も問題が生じないであろうと割り切って、交付請求をしないという判断も、実務上は必要となるでしょう。

③課税判断との関係

前述のとおり、改めて株券の交付を受けたとしても、株式の譲渡が遡って有効となるわけではなく、交付時に譲渡があったものと解されます。したがって、例えば、過去の贈与契約に基づいて株券を交付した場合、「純理論的」には、その時点で、贈与税の課税などが問題になると思われます。ただし、現実に税務署が補足することが困難であることや既に納付した贈与税の扱いが問題となること等からか、実務上、課税されたという話を筆者は聞いたことはありません。

ただし、理論上は問題となり得る上、過去に納付していた贈与税の金額について更正の請求の除斥期間との関係なども生じるため、税理士の先生としては、依頼者への説明責任等の関係で、注意をしていただいた方がよいでしょう。

(2) 株主権の取得時効

①民事上の取得時効の対象となるか

（所有権以外の財産権の取得時効）

民法163条　所有権以外の財産権を、自己のためにする意思をもって、平穏に、かつ、公然と行使する者は、前条の区別（筆者注：善意かつ無過失あるいは悪意または有過失）に従い20年又は10年を経過した後、その権利を取得する。

特に株券を実際には発行していないケースにおいては、譲受人が、時効取得をした（またはする）という整理をして割り切るという方法です。なお、株主権も「所有権以外の財産権」として、取得時効の対象となるものと考えられています[6]。

ただし、取得時効が成立するためには、対象となる権利を「公然と行使し」たと評価できる必要があります。

譲受人（受贈者）が株主名簿に記載され、毎年定時株主総会時には招集通知を受領の上、議決権を行使しており、配当を受けていた等株主権を継続的に行使していたということであれば、「権利者として社会通念上承認しうる外形的客観的な状態を備えていた」[7]ものとして、「公然と行使した」と評価できるものと考えます。なお、時効期間は、当事者が株式の譲渡に株券の交付が必要なことを知らなかったとしても、法律で定められたルールである以上、株主権の行使開始時に自分が株主であると信じたことについて、無過失であったという評価はできないものと考えられますので、20年ということになるでしょう。

問題は、同族会社等においては、実際には、株主総会は開催されていな

6　（反対説も存在するものの）東京地判平成15年12月1日（判タ1152号212頁）、東京地判平成21年3月30日（判時2048号45頁）
7　東京地判平成21年3月30日（判時2048号45頁）

い上、配当をしない会社も多いため、この要件を充足しない可能性もあるという点です。ただし、そもそも20年前という要件ですので、問題が発生する確率は低いとして、今後は招集通知の発送および定時株主総会を開催し、議決権行使の事実を証拠とともに完備する前提で、割り切ることも一案です。

②課税判断

仮に譲渡者やその相続人等と争いとなり、取得時効を援用した場合には、その時点で株主権を取得したことになります。このケースでは、「純理論上」は、時効援用時に一時所得が発生するということになるでしょう。

(3) 事業承継型第三者M&Aにおける注意点

親族や親族でない従業員個人に対する事業承継のケースでは、上記 (1) および (2) の整理や方法で割り切ることも可能ですが、事業承継型の第三者に対するM&Aのケースでは、この部分がネックとなり、M&A自体がなくなってしまうということも考えられます。

このようなケースでは、一種の補償金額を支払うという方法も考えられます。もちろん、金額については、M&Aがなくなることのデメリットなどを十分に検討した上で、いくらまでなら支払えるのかを検討する必要があります。

一方で、特に将来、甲社の上場（IPO）や転売すること等（エグジット）を目的としているプライベートファンドなどが買主となるケースでは、金銭の補償ではあまり意味を有しないことがあります。このようなケースでは、株式の譲渡ではなく、事業譲渡や組織再編行為（吸収分割や株式交換等）を利用する（またはそれらを組み合わせる）など、他のスキームを検討することがM&Aを実現するために必要なこともあります。

もちろん、株主総会の承認などが必要になりますので、過去の株式譲渡履歴を分析し、3分の2の議決権を確保することができるのかという点などを把握した上で行うことが必要になります。また、組織再編行為などの場合には、その無効を主張する場合、効力発生日から6ヶ月以内に訴えを提起しなければならない（会社法828①七～十二等）という提訴期間があることから、株式の譲渡を行うよりも安定性が高いということの考慮も、このようなケースではあり得るところでしょう。

4 まとめ

過去の株券の交付を欠く株式の譲渡は、問題を解決する完全な法的手段はないため、時に深刻な問題を生じさせます。これから少数株主からの集約や後継者への贈与を含む承継対策をする場合には、必ず会社法のルールを守った上で対策をすることが大切です。

また、過去の株式譲渡については、実務上は、どうにもならない点もありますので、「**3**の事後対策**(1)**、**(2)**、**(3)**」などを考慮した上で、対策をするかしないかを含めて意思決定が求められます。

2 非公開会社の株式の贈与と課税関係

(1) 非公開会社の株式の贈与と課税関係

非公開会社の株式について、贈与契約をすれば、当事者の個人・法人の別により課税関係が生じます（21ページ参照）。

(2) 会社への自己株式の贈与と課税関係

一部の株主が、その株式会社に対して、その株式を贈与（自己株式化）すれば、以下の課税関係が生じます。

①贈与した株主（贈与株主）への課税

a　個人の場合

個人から法人への贈与となりますので、時価による譲渡がなされたものとして、譲渡所得の計算を行うこととなります（所法59①一）（92ページ参照）。

b　法人の場合

法人の無償による資産の譲渡となるため、時価による譲渡がなされたものとして、その金額が益金となり、同額が寄附金等となります（法法61の2①一、法法22②）（93ページ参照）。

②自己株式を取得した会社

自己株式の取得は、資本等取引にあたりますので、贈与により取得したとしても課税関係は生じないものと考えられます（法法22②、⑤）。

③残存株主

a　贈与株主が個人かつ残存株主が個人の場合

この場合、会社を媒介として、贈与株主から、残存株主が「対価を支払わないで～利益を受けた」として、相続税法9条のみなし贈与規定により、贈与税が課税されます。つまり、贈与株主が株式を会社に贈与することで、その株式が自己株式となるところ、会社が自己の株式を取得するとその株式の株主権の主な機能（議決権や配当を受ける権利等）はないものとされる（会社法308②等）ため、相対的に残存株主の株式の価値が増加する点を捉えて、贈与税が発生することとなります。

b　贈与株主・残存株主の一方または双方が法人である場合

この場合には、相続税法（みなし贈与規定）の適用がありませんので、残存株主については、所得税および法人税の適用があるのかについて考える必要があります。

私見では、所得税の譲渡所得の趣旨がキャピタルゲインに着目した課税であることから保有期間中の株式の価値の変動は考慮されていないことや法人税法22条2項は取引を前提としていること、その他、そもそも時価の増加に伴う受贈益について課税をするような規定もないことから、残存株主については、原則として、課税関係は生じないものと考えます。

ただし、親会社が子会社に新株の有利発行をさせて、親会社の保有する子会社株式の資産価値を発行を受けた関連会社に移転させたことが、親会社が意図し、関連会社が了解したことから実現したとして、親会社の益金の額の計算において法人税法22条2項にいう取引に当たるとされた判例[8]を根拠に、自己株式の贈与による取得における既存株主に対しても、法人税法22条2項を根拠に課税さ

8　いわゆるオープンシャホールディング事件／最判平成18年1月24日（民集219号285頁）

れるとする見解[9]もあります。

その他、同族会社等の行為計算否認（所法157①、法法132）による課税も考えられます。

(3) 非上場株式等に係る相続税および贈与税の納税猶予および免除の特例等

贈与税の申告において、会社の後継者が贈与を受けた一定の非上場株式等に対応する贈与税額を一定の要件の下に非上場株式等の贈与者が死亡する日等まで納税を猶予する制度です。この制度の適用を受けた非上場株式等は、原則として贈与者の死亡の際、受贈者が贈与者から相続や遺贈によって取得したものとみなされ、相続税の課税の対象とされ、その時に納税が猶予されていた贈与税額は免除されます。

なお、非上場株式等についての贈与税の納税猶予および免除の特例等には、非上場株式等に対応する贈与税額に適用がある特例措置（措法70の７の５）と一定の部分に限り、非上場株式等に対応する贈与税額に適用がある一般措置（同法70条の７）の２つの制度があり、特例措置については、平成30年１月１日から令和９年12月31日までの10年間の制度とされています。

特例措置と一般措置の主な違いは右表のとおりです。なお、特例承継計画の提出期限が、令和６年度税制改正により、令和８年３月末まで延長されました。

9 「自己株式の無償・低廉取得に係る法人税の課税関係」清水秀徳379頁

〈特例措置と一般措置の制度の主な違い〉

	特例措置	一般措置
事前の計画策定等	特例承継計画の提出【平成30年4月1日から令和6年3月31日まで】筆者※	不要
適用期限	次の期間の相続等・贈与【平成30年1月1日から令和9年12月31日まで】	なし
対象株数（注1）	全株式	総株式数の最大3分の2まで
納税猶予割合	100％	相続等：80％、贈与：100％
承継パターン	複数の株主から最大3人の後継者	複数の株主から1人の後継者
雇用確保要件	弾力化（注2）	承継後5年間 平均8割の雇用維持が必要
事業の継続が困難な事由が生じた場合の免除	譲渡対価の額等に基づき再計算した猶予税額を納付し、従前の猶予税額との差額を免除	なし （猶予税額を納付）
相続時精算課税の適用	60歳以上の贈与者から18歳以上の者への贈与 （租税特別措置法第70条の2の8等）	60歳以上の贈与者から18歳以上の推定相続人（直系卑属）・孫への贈与 （相続税法第21条の9・租税特別措置法第70条の2の6）

（注）1　議決権に制限のない株式等に限ります。
2　雇用確保要件を満たさなかった場合には、中小企業における経営の承継の円滑化に関する法律施行規則第20条第3項に基づき、要件を満たさなかった理由等を記載した報告書を都道府県知事に提出し、その確認を受ける必要があります。
なお、当該報告書および確認書の写しは、継続届出書の添付書類とされています。

筆者※　令和6年度税制改正により、令和8年3月31日まで延長されました。

〔出典：国税庁ホームページ〕

Q&A 48

非公開株式の「税務上の時価」と低額譲渡・譲受の課税関係

Q

株式会社甲（以下、「甲社」）の株主Ｘは、事業承継に備えて、その他の甲社株主であるＹから合意により、甲社の株式の譲渡を受ける予定です。ＸとＹの話し合いの上、Ｙが甲社に対して行った出資価額で合意できそうですが、甲社の現在価値からすると低額です。

この場合、ＸとＹが話し合いの上、合意している以上、その金額を税務上の時価として評価することができるのか、また、そうでない場合の評価方式と課税関係などについて教えてください。

A

本件において、合意金額を税務上の評価額とすることは難しいでしょう。

その場合の評価方式と課税関係などは、解説をご参照ください。

1　民事上の合意金額と税務上の時価

非公開会社の株式を譲渡するケースにおいて、民事上は合意ができれば、その金額がいくらであれ問題はありません。あくまでも民事の問題は当事者間の問題だからです。

一方で、合意するに際しては、国と納税者の関係である税務についても当然考えなければなりません。事業承継対策や少数株主対策において、いわゆる「低額譲渡・譲受」と税務上の時価の問題については、実務上避けてとおることはできません。

税務上の時価の算定について、識者による見解の相違、整理方法の違い、そもそも議論が進んでいない部分などもあります。以下は、筆者の経験や裁判例等の分析から実務上の考え方の１つの整理方法であり、私見を含むことを申し添えます。

2　低額譲渡における適用税法

まず、低額譲渡における課税関係は、当事者（XおよびY）が個人か法人かにより適用税法が異なってきます（91ページ参照）。

(1) ①「譲渡人：個人　譲受人：個人」の低額譲渡・譲受け

譲渡人については、実際に合意した金額を収入金額として譲渡所得の計算をすれば足りる一方で、譲受人には合意した金額が時価と比して「著しく低い価額」にあたる場合には、時価との差額について、みなし贈与として贈与税が問題となります（相法7）。

(2) ②「譲渡人：個人　譲受人：法人」の低額譲渡・譲受け

譲渡人については、**(1)** と異なり、合意した金額が時価と比して「著しく低い価額」、具体的には時価の2分の1未満の価額の場合[10]には、時価による譲渡があったものとして譲渡所得の収入金額の計算を行う必要があります（所法59①二、同令169）。

一方、譲受人は、時価との差額について受贈益として法人税が課せられることとなります（法法22②）。

(3) ③「譲渡人：法人　譲受人：個人」の低額譲渡

譲渡人については、法人税法上、時価で譲渡したものとみなして、譲渡損益を計算することとなります（法法61の2①一、法法22②）。差額については、寄附金または譲受人の属性により役員賞与等とされます。

一方で、譲受人は、時価との差額について一時所得または譲受人の属性により給与所得の問題となります。

10　同族会社等の行為計算否認が適用される場合は、2分の1以上の価額であっても時価譲渡とみなされる場合があります。

(4) ④「譲渡人：法人　譲受人：法人」の低額譲渡

譲渡人については、法人税法上、時価で譲渡したものとみなして、譲渡損益を計算することとなります（法法61の２①一、法法22②）。差額については、寄附金となります。

一方、譲受人は、受贈益として法人税が課せられることとなります（法法22②）。

3　税務上の「時価」を実務上どのように考えるか

各税法の適用関係について見てきましたが、これは「時価」よりも低い金額であることが前提となります。ここでは実務上、税務上の時価はどのように考えていけばよいのか検討していきます。

(1) 合意金額が税務上の時価として許容される場合

本件では、ＸとＹの合意により譲渡金額が決定されていますが、当事者間で決定された以上、その金額が、税務上の時価として許容される場合を検討していきます。

①純然たる第三者との取引における合意金額

典型例としては、事業承継型第三者M&Aなどにおける当事者の利害が対立する状況において合意した金額について、税務上もこの合意金額を時価と考えてよいものとして、実務上扱われています。つまり、税務上の通達（主に財産評価基本通達）は、「時価」との関係では１つの評価方法ですが、恣意性が入らない客観的な交渉による経済的合理性のある価額による合意（市場原理が働くものと言ってもよいかもしれません）として、合意金額がより「時価」に近いと判断してよいということでしょう。

一方、この「純然たる第三者」とはどこまでの範囲の者をいうのかという問題がありますが、親族関係がないことや支配関係がない等のみならず、取引関係や雇用関係などの合意金額の合理性を疑われる関係性がある場合には、「純然たる第三者」とは評価できないでしょう。また、同一会社の支配株主と少数株主であること以外には関係がない場合についても、直ちに「純然たる第三者」であるとは評価できないでしょう。

この点について、少数株主である従業員から支配株主が株式を取得した事例[11]、子会社の役員および役員の妻から親会社が株式を取得した事例[12]および複数の少数株主から会社の代表取締役かつ支配株主が株式を取得した事例[13]において、裁判所は「純然たる第三者」にあたらないまたはその合意価額は時価ではないとされていることからこれらの関係の者がここでいう「純然たる第三者」とは評価できない（または評価できないことを前提）としています。また、取引銀行と支配株主との株式譲渡金額が、適正な売却価額とはいえないとした裁判例[14]も存在し、この関係も「純然たる第三者」には該当しないことを前提としているものと考えられます。

これらの裁判例からすると、「純然たる第三者」との合意であることを理由として、その合意金額が「時価」であるというのは、冒頭の第三者M&Aなどを除き、実務上は極めて稀なケースであると考えます。

②会社法上の価格決定の申立てにより、裁判所が決定した金額

会社法上の価格決定の申立てにより、裁判所が最終的な非公開会社の株式価値を決定した場合には、税務上も、その金額を「時価」と扱って問題がないものと考えますし、筆者の経験でも税務上問題とされた事案はありません。

こちらについては、当事者が対等な立場で主張し合い、中立な裁判所が決定する非訟事件手続の性質から、恣意性の介入しない客観的かつ合理的

11　大阪地判昭和61年10月30日（税資154号306頁）、同高裁昭和62年6月16日（訟月34巻1号160頁）、最高裁昭和63年7月7日（税資165号232頁）

12　熊本地判平成28年9月21日（税資266号125頁）

13　東京地判平成19年1月31日（税資257号順号10622）厳密には、関係性や取引経緯から分析し、合意価額が「時価」に当たらないと判断した。

14　平成12年7月13日判決（訟月47巻9号2785頁）厳密には、所得税基本通達に定める「売買実例のあるもの」の判断において取引関係等から適正であるとはいえないとしたものです。

な金額と判断できることが理由となるでしょう。したがって、厳密には、当事者が適切な主張などをしていない等の事案において、裁判資料等からその裁判所の判断過程が不合理であるということであれば、「時価」として扱わないということもあり得るかとは思いますが、実務上はそのような判断は現状ではなされていないように思われます（馴れ合い等が明確な場合は除かれるでしょう）。

なお、非訟事件手続の実務や会社法上の株式評価（時価）についての詳細を知りたい方は、拙著『第２版 非公開会社における少数株主対策の実務～会社法から税務上の留意点まで』（清文社）の第８章をご参照ください。

③紛争状態における合意

a　非訟事件手続中の和解

裁判所における価格決定の申立てによる非訟事件などでも、多くのケースで、裁判所の決定までには至らず、和解で解決します。

この場合、その和解による合意金額を、税務上の「時価」と評価してよいかという問題があります。あくまでも和解は、当事者の合意に過ぎず、その金額について、中立な立場にある裁判所が決定しているわけではありません。したがって、必ずしも、合意金額を税務上の時価と評価してよいわけではないでしょう。厳密には、それまでの非訟事件手続の経緯、和解に至った理由等個別具体的に恣意性の介入しない客観的かつ合理的な金額と評価できるのかを判断していくしかないということになります。

b　弁護士等の交渉により決定した金額

実務上、筆者がよく遭遇するケースとして、少数株主に弁護士がつく形で、少数株主との紛争が生じ、最終的に少数株主の株式を支配株主等が合意により買取るというものがあります。弁護士の方からこのようなケースの税務上の時価について相談されることも多いです。

多くの弁護士の方は、実際弁護士が介入する紛争事案であることから合意金額が時価であると考えている一方で、税理士の先生からその金額ではみなし贈与などが発生してしまうおそれがある等の指摘を受けて困惑しているというような内容です。

多くの弁護士の方が思っているように紛争になっているから、その合意金額が税務上も時価と評価されるかというとそう簡単な話ではありません。

具体的には、交渉の経緯やその金額で合意した理由（評価方法を含む）から、恣意性の介入しない客観的かつ合理的な金額とまで評価することが可能なのかを証拠レベルを含めて、判断していくしかないと考えられます。例えば、前述の複数の少数株主から支配株主が株式の譲渡を受け、みなし贈与（相法７）と認定された事案[15]においても、弁護士が介在していました。しかし、裁判所は「本件各譲渡人との関係、本件各譲受けに至る経緯及び本件各譲受価額が形成された過程に照らすと、本件各譲受価額」が、各少数株主と支配株主との「間でのせめぎ合いにより形成された客観的価値である」ものともいえず、「当該株式の客観的交換価値を正当に反映した価額であるということはできない」とし、合意金額を税務上の時価とは評価できないとしました。この裁判例でも、交渉の経緯やその金額で合意した理由などについて、証言等を含む個別事案の証拠関係から詳細に認定した上で、最終的な結論を導いています。

④その他の場合

前述の①～③は、実務上遭遇するケースについて解説していますが、これらのケースを含め、結局のところ、当事者の合意金額が、恣意性が入らない客観的な交渉による経済的合理性のある価額によるものであり、税法

15 東京地判平成19年1月31日（税資257号順号10622）

上も、当該株式の客観的交換価値を正当に反映した価額と評価できるのかという問題に尽きます。

裏を返せば、前述以外の場合にも、合意金額が税務上の「時価」と評価してもよいケースというのは、あり得ることとなります。しかし、この場合、現実の課税実務および裁判例からすると、税務通達上の評価方法によらない合意が、税務上も「時価」と評価されるかというと、その判断過程や証拠の整備等については、現実的には困難なケースが多いと思います。

例えば、第三者委員会等を整備し、公平かつ客観的で中立な立場を担保した専門家による鑑定意見などからその金額を判断するようなレベル感が求められるように思います。

また、合意金額を税務上も時価と判断するケースでは、判断過程や証拠の整備はもちろん、税理士の先生としては、否認および加算税リスクについての説明責任を果たした上で、お客様に最終的な意思決定をしてもらうしかないのが実情でしょう。

⑤本件について

本件について、単にＸとＹの話し合いで、出資価額で合意したということだとすると、合意金額を税務上の時価として、評価することはできないでしょう。

(2) 税務通達により評価する場合の考え方

本件では、「**2**」で検討した各適用税法による通達上の評価が税務上の時価となるものと考えられます。

なお、以下でいう「支配株主」という言葉と「少数株主」という言葉は、その者が相続により、現保有（譲渡前）の株式を取得したと仮定した場合における財産評価基本通達上の原則的評価方式による者と特例的評価方式（税務通達上の配当還元方式）による者という意味で使用します。

〈同族株主算定〉の表

<table>
<tr><th colspan="5">株主の態様</th><th>評価方式</th></tr>
<tr><td rowspan="6">同族株主がいる会社</td><td rowspan="5">同族株主</td><td colspan="3">取得後の議決権割合５％以上</td><td rowspan="4">原則的評価方式（支配株主）</td></tr>
<tr><td rowspan="4">取得後の議決権割合５％未満</td><td colspan="2">中心的な同族株主がいない場合</td></tr>
<tr><td rowspan="3">中心的な同族株主がいる場合</td><td>中心的な同族株主</td></tr>
<tr><td>役員である株主または役員となる株主</td></tr>
<tr><td>その他</td><td rowspan="2">特例的評価方式（少数株主）</td></tr>
<tr><td colspan="4">同族株主以外の株主</td></tr>
<tr><td rowspan="5">同族株主がいない会社</td><td rowspan="4">議決権割合の合計が15%以上のグループに属する株主</td><td colspan="3">取得後の議決権割合５％以上</td><td rowspan="3">原則的評価方式（支配株主）</td></tr>
<tr><td rowspan="3">取得後の議決権割合５％未満</td><td colspan="2">中心的な株主がいない場合</td></tr>
<tr><td rowspan="2">中心的な株主がいる場合</td><td>役員である株主または役員となる株主</td></tr>
<tr><td>その他</td><td rowspan="2">特例的評価方式（少数株主）</td></tr>
<tr><td colspan="4">議決権割合の合計が 15 ％未満のグループに属する株主</td></tr>
</table>

①「譲渡人：個人　譲受人：個人」の低額譲渡（相法７）

このケースでは、前述のとおり、譲受人のみなし贈与（相法７）となるかが問題となります。相続税法上の問題ですので、財産評価基本通達により判断することとなります。

a　財産評価基本通達の「時価」の考え方

財産評価基本通達上は、株式譲渡の譲受人の取得後の議決権割合を基準にその評価方法を選定することとなります。

つまり、支配株主から少数株主に対して、譲渡があった場合には、特例的評価方式による評価が可能ですので、配当還元方式による評価金額を時価として考えればよい一方で、少数株主対策などで行われる少数株主からの支配株主の取得については、原則的評価方式が適用されることとなります。

例えば、少数株主から支配株主等が譲渡を受ける場合に、税務上の配当還元方式の評価額で合意ができるケースも少なくありませんが、その場合、みなし贈与として贈与税の申告をする前提でその金額で合意するのか（みなし贈与はそうそう発動されないとして、無申告とするという専門家の方もいらっしゃいますが、加算税リスクを考慮すると説明責任は果たすべきかと考えます）、それとも合意金額を見直すのかという税務的な視点からも、合意金額を考慮しなければなりません。

b　「著しく低い価額」

財産評価基本通達上の計算により、「時価」が決定されるとしても、相続税法７条は、その時価から「著しく低い価額の対価で譲渡を受けた場合」に適用されます。ここでいう「著しく低い」とは、所得税法上のみなし譲渡と異なり、どの程度低い金額をいうのかは法令上明らかではありませんし、専門家の方の中でも、実務上の考え方やアドバイスの内容はまちまちのように思います。

過去の相続税法７条に関する裁判例[16]でも、「「著しく低い価額」の対価とは、その対価に経済合理性のないことが明らかな場合をいうものと解され、その判定は、個々の財産の譲渡ごとに、当該財産の種類、性質、その取引価額の決まり方、その取引の実情等を勘案して、社会通念に従い、時価と当該譲渡の対価との開差が著しいか否かによって行うべきである」としており、一定の基準を導くこと

16　東京地判平成19年８月23日（判タ1264号184頁）

はできません。ただし、同裁判例は不動産に関する事案ですが、その理由中の判断において、「仮に時価の80パーセントの対価で土地を譲渡するとすれば、これによって移転できる経済的利益は当該土地の時価の20パーセントにとどまるのであり……省略……「贈与税の負担を免れつつ贈与を行った場合と同様の経済的利益の移転を行うことが可能になる」とまでいえるのかはなはだ疑問である」としています。

また、非上場株式について、「相続税法７条、９条は対価をもって財産の譲渡を受けた場合、「著しく低い」価額の対価で財産の譲渡があったときに限り、時価と対価との差額に相当する金額を贈与により取得したものとみなされる旨規定しており、従って取得財産の時価に比し対価が「著しく低い」といえない場合には贈与税はこれを課さないものと解される……省略……資産一般についてはともかく、本件のごとき非上場株式について、贈与税における時価より「著しく低い」価額とは、○○鑑定等を斟酌して考えると、時価の４分の３未満の額を指すと解するのが相当である」とする裁判例[17]が存在します。

これらの裁判例を読み込んでも、なぜ「80％」なのか、「４分の３」なのかという点は不明であり、どこまで先例性があるかについては疑問がありますが、時価の概ね75％～80％であれば、安全ラインとして考えている専門家の方々が多いように思います。なお、みなし贈与は発動可能性が低く、所得税法の２分の１未満でなければ問題ないというアドバイスをされる方も一部にはいらっしゃるようです。

17　大阪地判昭和53年５月11日（行政事件裁判例集29巻５号943頁）

②「譲渡人：個人　譲受人：法人」の低額譲渡（みなし譲渡および受贈益課税）

a　譲渡人（個人）における税務上の時価と課税関係

譲渡人に対しては、合意した金額が時価の２分の１未満の価額の場合[18]には、時価により譲渡があったものとして譲渡所得の収入金額の計算を行うこととなります（所法59①二、同令169）。この所得税法上の時価については、所得税法基本通達23～35共－9に準じて算定した価額によるとされています（所基通59-6）。

非公開会社の株式評価においては、「売買実例のあるもの」、「公開途上にある株式で、当該株式の上場又は登録に際して株式の公募又は売出しが行われるもの」及び「その株式の発行法人と事業の種類、規模、収益の状況等が類似する他の法人の株式の価額があるもの」については、それに応じた価額とされますが、「売買実例のあるもの」においては「適正と認められる価額」[19]に限定され、「類似する他の法人」を認定できるケースはほとんど考えられないため、実務上は、「純資産価額等を参酌して通常取引されると認められる価額」とされます（所基通23～35共－9(4)）。そして、「純資産価額等を参酌して通常取引されると認められる価額」については、所得税法基本通達59-6により、一定の条件[20]の下、財産評価基本通達178～189-7までの例により算定した価額とするとされています。そして、財産評価基本通達における原則的評価方式、特例的評価方式の判定については、株式の譲渡直前の議決権の数によりなされます（所基通59-6(1)および最高裁令和2年3月24日判決）。

つまり、譲渡人の譲渡所得計算上の時価は、少数株主から支配株

18　同族会社等の行為計算否認が適用される場合は、２分の１以上の価額であっても時価譲渡とみなされる場合があります。
19　(1)の合意した金額が税務上の時価と評価できるレベルが要求されると思われます。
20　「中心的な同族株主」の場合には小会社に該当するものとすること、当該株式の発行会社が土地（土地の上に存する権利を含む）または金融商品取引所に上場されている有価証券を有している場合には算定基準日の時価によることおよび純資産価額方式の計算については、法人税額等に相当する金額を控除しないこと。

主への譲渡の場合には、特例的評価方式（税務通達上の配当還元方式）、支配株主（譲渡直前の議決権数が前提）から少数株主への譲渡の場合には、原則的評価方式で時価を評価すると考えられます。

b　譲受人（法人）における税務上の時価と課税関係

譲受人は、時価と譲受金額の差額について、受贈益として法人税が課せられることとなります（法法22②）。この譲受人の「時価」の法人税法上の評価については、直接の通達規定はありませんが、実務上は譲渡人に関する定めである法人税基本通達2－3－4に準用される同4－1－5、4－1－6の考え方によることになるとされています。

ただし、財産評価基本通達により算定するケースにおいて、譲渡人の立場での時価を算定する場合には、原則的評価方式、特例的評価方式の判定については、株式の譲渡直前の議決権の数によりなされると考えますが、譲受人の立場では、財産評価基本通達のとおり、取得後の議決権数で判断することになると考えます。

例えば、支配株主がすべての保有株式を譲渡した場合、譲受人が支配権を保有することになりますが、譲渡直前の議決権の数で評価されると特例評価方式で譲受人の時価を判断することとなります。しかし、税法が各人の担税力に着目したものであることを考えるとそのようには考え難いからです。

前述の最高裁令和2年3月24日判決においても、財産評価基本通達の議決権割合の判定は、税法の課税の趣旨から判断するとされており、法人税法上の譲受人の財産評価基本通達の適用に関しても、このように考えるべきでしょう[21]。

したがって、少数株主から支配株主への低額譲渡の場合、支配株主の受贈益は、原則的評価方式でなされる一方で、支配株主から少

21　熊本地判平成28年9月21日（税資266号125順号12903）もこのように解しています。

数株主（取得後の議決権数が前提）への低額譲渡の場合、少数株主の受贈益は、特例的評価方式でなされるものと考えます。

c　一物二価の問題

この場合、同一の株式譲渡について、譲渡人の立場と譲受人の立場で、株式の評価額が異なることが想定されます。個人的な意見では、このような一物二価の状況は、望ましいものとはいえず、会社法や民法上の時価評価のように、税務通達上も両者にとって統一の価格を定められることができればよいとは思います。

ただし、租税通達の意義、課税根拠となる担税力は納税者単位で見られること、および不服申立てや裁判の仕組みが各税法に基づく行政処分に対して個別になされることを想定されていることなどからすると、裁判所や国税庁が、この状況について適切ではないと判断する可能性はあまり想定できません。

③「譲渡人：法人　譲受人：個人」の低額譲渡（時価譲渡と受贈益）

a　譲渡人（法人）における税務上の時価と課税関係

譲渡人については、法人税法上、時価で譲渡したものとみなして、譲渡損益を計算することとなります（法法22②、法法61の２①一）。所得税の譲渡人と異なり、時価の２分の１以上の価額で譲渡した場合でも、この取扱いになります。

「時価」の法人税法上の評価については、法人税基本通達２－３－４に準用される同４－１－５、４－１－６によることとなります[22]。通達の内容については、所得税法のものと基本的には同様ですので、詳細は割愛します（320ページ参照）。

所得税基本通達と大きく異なる点として、法人税基本通達４－１－６には、財産評価基本通達の例によって算定する場合、原則的評

22　評価損に関する法人税基本通達９－１－13、９－１－14から考えるものや裁判例もありますが、内容は異なりません。

価方式、特例的評価方式の判定については、株式の譲渡直前の議決権の数によりなされるとの規定がありません。特に規定がない以上、株式取得後の議決権の数で判定するという見解も存在します[23]。

しかし、前述の最高裁令和2年3月24日判決の考え方から、この規定がないからといって財産評価基本通達と同様に取得後の議決権の数で判定することにはならないものと考えます。つまり、所得税と法人税は、一定期間の所得に対して各人の担税力を見出して課税するもので、譲渡人に対する課税に関しては、所得税でも法人税でも、譲渡人にとっての価値をより反映できる方法で評価すべき点は、異ならないからです。

つまり、少数株主から支配株主への譲渡の場合、譲渡人の立場の「時価」は特例的評価方式によることとなり、支配株主（株式の譲渡直前の議決権の数が前提）から少数株主への譲渡の場合、譲渡人の立場の「時価」は原則的評価方式によると考えます。

なお、低額譲渡となる場合について、時価との差額については、寄附金または譲受人の属性により役員賞与等とされるものと考えられます。

b　譲受人(個人)における税務上の時価と課税関係

「時価」の算定において、所得税基本通達23～35共－9により評価することとなると考えられますが、所得税基本通達59-6の適用がないため、「純資産価額等を参酌して通常取引されると認められる価額」を財産評価基本通達で評価できるというような直接的な通達はありません。しかし、実務上はこの財産評価基本通達の流用が認められるものと考えます。

ただし、「前述②-b」と同様の理由で、譲受人の取得後の議決権

23　非上場株式の評価ガイドブック（編著：品川芳宣）23頁（ぎょうせい）

数を前提とした評価方式によることとなると考えます[24]。財産評価基本通達の適用について、法人税と所得税で異なる解釈をとる理由がないからです。

合意金額と時価との差額については、譲受人が会社の役員や従業員である場合には給与所得、それ以外の場合には一時所得の収入金額となるものと考えます。

なお、一物二価の問題は、前述「②-c」をご参照ください。

④「譲渡人：法人　譲受人：法人」の低額譲渡（時価譲渡と受贈益）

a　譲渡人（法人）における税務上の時価と課税関係

「③-a」と同様となります。

b　譲受人（法人）における税務上の時価と課税関係

「②-b」と同様となります。

なお、一物二価の問題は、前述「②-c」をご参照ください。

4　自社株式の合意の価額と税務について

民事上は、お互いに納得する金額で合意ができれば問題ありませんが、以上のように税務的な視点を無視した合意をすると、思わぬ課税に苦しめられることもあります。自社株式について、合意による取得をする場合には、税務上のリスクも勘案の上（納税資金等を含む）、意思決定していく必要があります。

24　裁判例等は見当たりません。

Q&A
49 自己株式（金庫株）の低額による取得と課税関係

Q

甲株式会社の株主には、経営株主Ｘの他に株主Ｙおよび株主Ｚが存在しています。このたび、甲株式会社は、株主Ｚとの合意により、実際の出資額面で自己株式の取得を考えています。出資額面は、甲社の現在価値からするとかなり低額です。

この場合の自己株式の取得の注意点および課税関係などを教えてください。

A

特定株主との合意による有償の自己株式の取得には、会社法上、各種手続の履践および財源規制がありますので注意が必要です。また、低額による自己株式の取得には、みなし贈与課税の問題なども生じ得ますので注意が必要です。

1　特定株主との合意による有償の自己株式の取得

まず、特定の株主Ｚとの合意により、有償の自己株式の取得を行う場合には、実質的な資本の払戻しにあたるため、株主間の平等と会社財産の流出から債権者を保護する関係で、会社法上の規制があります。株主間の平等を図るための手続規制と債権者保護のための財源規制がこれにあたります。本書のメインテーマではないため、ここでは簡単に触れることとします。なお、より詳細を知りたい方は、拙著『第２版 非公開会社における少数株主対策の実務～会社法から税務上の留意点まで～』（清文社）第３章をご参照ください。

(1) 手続規制

特定の株主から合意により自己株式を有償で取得する場合には、原則として、以下の手続きが必要となります（会社法156～165参照）。

①その他の株主に対する売主追加請求権が行使できることの通知
②株主総会の特別決議
③会社による株式の取得価格などの決定
④特定の株主に対する通知
⑤特定株主からの株式譲渡の申込み

(2) 財源規制

自己株式の取得は実質的な資本の払い戻しとなるため、債権者保護の観点から、財源規制が設けられています。分配可能額の範囲でのみ、自己株式の取得ができることとなります（会社法461①二、三）。

2　自己株式の低額による取得と課税関係

本件では、株主Ｚから甲株式会社が株式を取得しますが、Ｚが実際に出資した金額での取得を考えているということです。出資額面が甲株式会社の時価より低額である場合には、課税関係に注意が必要です。説明の便宜上、まずは、時価による自己株式の取得の課税関係を解説した後、低額取得の場合の課税関係を解説します。

(1) 時価による自己株式取得の課税関係

①売却株主への課税

a　みなし配当

売却株主（個人・法人）が、会社から自己株式の取得により交付を受ける金銭および金銭以外の資産価額の合計額（以下、「譲渡の対価」）が、会社の資本金等の額のうちその交付の基因となった株式に対応する部分の金額を超えるときは、その超える金額について、みなし配当とされます（所法25①五、法法24①五）。

b　譲渡損益

また、売却株主（個人・法人）からすると、譲渡（損益）取引であるため、譲渡の対価の額からみなし配当に相当する金額を控除した上で、譲渡損益を計算することとなります（法法61の12①一、措法37の10③五）。

なお、売却株主が、個人である場合、譲渡所得の金額の計算上損失の金額があったとしても、配当所得との損益通算はできません（措法37の10①）。

②自己株式を取得した会社

自己株式は、「有価証券」（法法2二十一）から除外され、資本等取引に該当しますので、課税関係は生じません（法法22条④、②）。

(2) 低額による自己株式の取得の課税関係

低額による合意による自己株式の取得の場合、株式の低額譲渡の場合と同様に、関係者のみなし譲渡、受贈益課税、みなし贈与（相法9）などに注意する必要があります（310ページ参照）。

①売却株主Ｚへの課税

a　個人の場合

まず、前述「**(1)**-①-a」と同様に、実際の譲渡の対価の額を基準に、みなし配当の計算がされます。

次に、個人から法人への低額譲渡（311ページ参照）と同様に譲渡の対価が時価の２分の１未満の価額による場合には、時価による譲渡がされたものとして、譲渡損益の計算を行うこととなります（所法59①二、同令169）。

なお、ここにいう税務上の時価については、個人から法人への低額譲渡と同様に解することとなるものと考えます（320ページ参照）。

b　法人の場合

こちらについても、「a」と同様にみなし配当の計算がされます。

次に、売却株主が法人の場合、時価で譲渡を行ったものとして、譲渡損益の額を計算することとなります（法法61の2①一、法法22②）。

なお、ここにいう税務上の時価については、法人から法人への低額譲渡と同様に解することとなるものと考えます（324ページ参照）。

②自己株式を取得した会社（甲株式会社）への課税

自己株式の取得は、前述「(1)-②」のとおり、資本等取引にあたりますので、低額で取得したとしても、課税関係は生じないと考えます。

③残存株主（XおよびY）への課税

売却株主から低額で会社が自己株式を取得した場合には、相対的に既存株主の株式の価値が増加することとなるため、残存株主への課税関係も問題となります。

a　売却株主が個人かつ残存株主が個人の場合

自己株式の低額による取得の場合、売却株主と既存株主の直接の取引関係はありませんので、相続税法7条の「著しく低い価額の対価で財産の譲渡を受けた場合」には該当しません。しかし、相続税法9条に規定する「著しく低い価額の対価で利益を受けた場合」に該当する可能性がでてきます。

相続税法基本通達9-2(4)では、同族会社に対する著しく低い価額の対価で財産の譲渡があった場合について、相対的に残存株主の株式の価額が増加した場合には、残存株主が売却株主から贈与により取得したものと取り扱う旨定められています。株式の取得による相続税法9条のみなし贈与課税を適法とした裁判例[25]も存在します。

なお、直接的な取引がない相続税法９条のみなし贈与は実務上ほとんど発動されないものとして、売却株主のみなし譲渡とならない範囲であれば問題ないとアドバイスされる専門家の先生もいらっしゃいます。確かに、直接的な取引がない相続税法９条の適用については、国も謙抑的な印象もありますが、少なくとも、残存株主が支配株主であるという場合には、会社の意思決定は比較的自由に行うことができることや前述の裁判例などもあることから、無視してよい問題ではないでしょう。

(a) 財産評価基本通達の適用をどのように考えるか

この場合、税務上の時価を財産評価基本通達で評価する場合における評価方法について、売却株主は譲渡前の議決権を基準に、残存株主は取得後の議決権を基準に判断することになると考えられます（Q&A48（310ページ）参照）。つまり、本件では、株主ＸとＹの間でも、その議決権数により、株式の評価方式が異なる可能性があるということになります。

なお、本件では、Ｚから出資額面で合意して取得するとのことですが、この合意金額が税務上の評価額としても許容されるには、株式の客観的交換価値を正当に反映した価額と評価できるだけの事情が必要なため、実際には難しいでしょう（312ページ参照）。

(b)「著しく低い価額」

相続税法９条も相続税法７条と同様（318ページ参照）に時価より「著しく低い価額」について、みなし贈与となるとしています。

この「著しく低い」とはどのくらい低い場合を指すのかについても、相続税法７条のみなし贈与と同様に、どの程度低い金額をいうのかは法

25　東京高判平成27年4月22日（税資265号順号12654）、大阪地判昭和53年5月11日（行政事件裁判例集29巻5号943頁）など

令上明らかではありませんし、専門家の方の中でも、実務上の考え方やアドバイスの内容はまちまちのように思いますが、過去の裁判例から75％～80％を目安に考えている専門家の方々も多いかと思われます（319ページ参照）。ただし、これらの裁判例もなぜこの割合としたのかは不明であり、個別事案における金額の多寡も含めて、判断が必要です。

b　売却株主・残存株主の一方または双方が法人である場合

この場合には、「会社への自己株式の贈与と課税関係」と同様（307ページ参照）に、残存株主には、原則として、課税関係は生じないものと考えます。

④低額による自己株式の取得の実務上の留意点

本件では、Zの出資額面で自己株式取得を行うとされていますが、Zが個人かつXまたはYが個人の場合、個人であるXまたはYに対して、みなし贈与課税がなされるおそれがあります。

実際に、出資額面で合意を行う場合には、みなし贈与として申告をするのか（申告しない場合、加算税リスク等があります）、するとして贈与税はいくらか、場合によっては合意金額を引き上げるか等について、検討した上で、合意金額を決定する必要があるでしょう。

例えば、Xが経営株主（原則的評価方式による者）であり、Yが少数株主（特例的評価利用可能な者）である場合、XがZから直接、出資額面で取得するよりも、みなし贈与とされる金額が低くなる点や贈与税率なども考慮の上で、意思決定が必要でしょう。

3 株式譲渡者にとっての通達上の適正対価による自己株式の取得とみなし贈与

(1) 財産評価基本通達による一物二価の評価と相続税法9条適用の問題点

本件（出資額面での自己株式の低額取得）を離れますが、財産評価基本通達を適用した場合、これまでの判例および裁判例を前提にすると、316ページ以下のとおり、譲渡した個人（譲渡前の議決権数基準）と残存株主個人（取得後の議決権数基準）により評価方式が異なり、一物二価の状態が生じます（322ページ参照）。

例えば、発行会社である甲社が、少数株主である個人Ｚから Z の譲渡前の議決権数から特例的評価方式で算定した株価で自己株式を取得した場合、Ｚにとっての株式評価額からすると低額ではないが、残存株主である経営株主個人Ｘにとっての評価額は増加するというケースがあります。この場合、相続税法９条の適用があるのかという問題があります。

(2) 大阪高判平成26年6月18日との関係

この点について、大阪高判平成26年6月18日[26]を根拠に、Ｚが適正対価を受ける以上、相続税法９条の適用は困難であるとする見解[27]が存在します。

相続税法９条自体は、「利益を受けた場合」として、あくまでも利益を受けた者に着目する規定の作りになっていますが、この見解の根拠は、同裁判例が、相続税法９条の「対価を支払わないで、又は著しく低い価額の対価で利益を受けた場合」とは、「贈与と同様の経済的利益の移転があったこと、すなわち、一方当事者が経済的利益を失うことによって、他方当

26 税務訴訟資料264号順号12488。なお、同裁判例の事案は、相続税法９条による更正・決定等の取消訴訟ではなく、納税者が受領した死亡共済金が一時所得に当たるとした所得税の更正処分について、納税者のかかる共済金がみなし贈与に該当するため、所得税法９条１項15号（当時：現行17号）により非課税所得となるとの主張が排斥された事例。

27 国税速報令和6年1月22日第6788号等。国税速報の解説事案は、自己株式の取得前後における原則的評価方式での増加額についてのものですが、その根拠を大阪高判平成26年6月18日に求めています。

事者が何らの対価を支払わないで当該経済的利益を享受したことを要する」としていることにあるようです。つまり、Ｚは、（通達上の）適正対価で譲渡した以上、経済的利益を失っていないということから、当該裁判例の文言からするとそのとおりであるように思われます。

ただし、当該裁判例は、父親の死亡に伴い父親が会員であった社団法人の共済制度に基づき受給した死亡共済金は、会員の相互扶助を目的とする各種共済金の１つであって、父親が納付していた負担金も、共済金の受給資格に関するものとして一定で、共済金の額も会員が支払った負担金の額とは全く連動しない一定の額とされ、退会の際は原則として返還されないという性質のものであるため、そもそも、父親の負担金と共済金の関連性が問題となった事案です。これを、実際に譲渡者が譲渡行為を行い、その行為の結果として、既存株主が経済的利益を受けたと評価できる自己株式の取得事案まで射程を広げて考えて良いものかは疑問があるところです。

また、この理由を前提とすると、例えば、発行会社甲社がＺにとっての通達上の適正対価より低額で取得した場合や贈与で取得した場合においても、相続税法９条の適用には、少数株主Ｚの失った利益との対応が必要と解するのであれば、経営株主個人Ｘへのみなし贈与の課税価格はこれまでの判例等が一定程度、定式化してきた（316ページ以下参照）、納税者の議決権数による評価（財産評価通達上の評価）ではなく、少数株主Ｚの通達上の評価額と実際の取得価額の差額によることになるのかという疑問点もあり、前述の裁判例が、自己株式の取得のケース（通達評価上、一物二価が生じるケース）まで想定して判決を下したかというと考慮に入れていないのが実態ではあると考えます（個別の裁判例は基本的に個別事例を前提とする判断に過ぎません。）。そもそも、筆者としては、通達の評価方式により、法令である相続税法９条の適用関係自体が左右されるという点において、租税法上の解釈としての法論理の話ではないと考えています。

その他、支配株主が、少数株主から通常の株式譲渡により株式を取得したケースにおいては、相続税法７条を根拠とする支配株主への原則的評価方式によるみなし贈与課税について、これを肯定している裁判例は多数存在（前述東京高判平成19年1月31日[28]等）しており、株式（持分）に関する相続税法9条の適用を適法とした東京高判平成27年4月22日[29]でも是認されているその原審である東京地判平成26年10月29日[30]が、相続税法9条が「同法4条から8条までの規定を補充する性格のものであることは、その文理から明らかである」としていることからも、通常の株式譲渡の場合の相続税法7条の適用は認められ、自己株式の取得の場合である相続税法9条の適用は認めないという解釈を今後裁判所がするかというと、少なくとも、大阪高判平成26年6月18日の判示した内容だけでは、その根拠は乏しいと考えます。

(3) 筆者の私見と税理士の実務対応

もちろん、弁護士であり税務訴訟等を専門的に扱っている筆者としては、相続税法9条のような一般規定の適用は、租税法律主義の観点から限定的であるような解釈が望ましいと考えますし、実際に譲渡者（Z）にとっての通達上の適正評価額で発行会社が自己株式を取得した場合に、相続税法9条の適用は制限的であって欲しいという個人的な願望はあります。

つまるところ、この問題は、一般的な条項である相続税法9条自体は租税法律主義の観点（特に課税要件明確主義）については現実的な立法政策として認めつつ、取引相場のない株式の評価は、相続税法22条の「時価」と立法されているものを納税者間の公平、徴税費用の節減という観点から財産評価基本「通達」によることを原則的な処理としていることから生じる現実論的な問題となってしまっており、他の制度とも整合性等を含む統一的理論的な解明は極めて困難な分野であると考えられますし、裁判所は

28 税務訴訟資料257号順号10622
29 税務訴訟資料265号順号12654
30 税務訴訟資料264号順号12556

個別事例を前提とした論点を判断するのみですので、統一的整合性をとる機能を期待できません（一物二価の問題についての裁判制度などは、322ページ参照）。最近の筆者の体感としては、これに加えて、取引相場のない株式に関する総則6項の適用事例も増えてきており、さらに問題は複雑化しています。

筆者としても、このような様々な問題を含むため、税務当局が、株式譲渡者にとっての通達上の適正対価による自己株式の取得に関するみなし贈与課税の発動はしにくいという側面はあると考えますが、少なくとも大阪高判平成26年6月18日だけを根拠とすることは、専門家としては難しいと考えます（筆者としては、実際に更正等された事案であれば争うこと自体に意味があると考えますが、これまでの取引相場のない株式に関する裁判例からは相続税法9条の適用がないと裁判所が判断するかというと傾向としては難しいものと考えています。）。

申告業務や日々の税務相談に対応する税理士の先生としては、リスク説明（みなし贈与の適用可能性と加算税等の附帯税に関する説明）をした上で、医療でいうところのインフォームドコンセントを行い、最終的には（リスクを負担する）納税者が意思決定せざるを得ないものと考えます。

3　名義株主対策と注意点

事業承継などの対策において、しばしば問題となるのが、名義株主の存在です。名義財産についての一般論は、45ページをご参照ください。

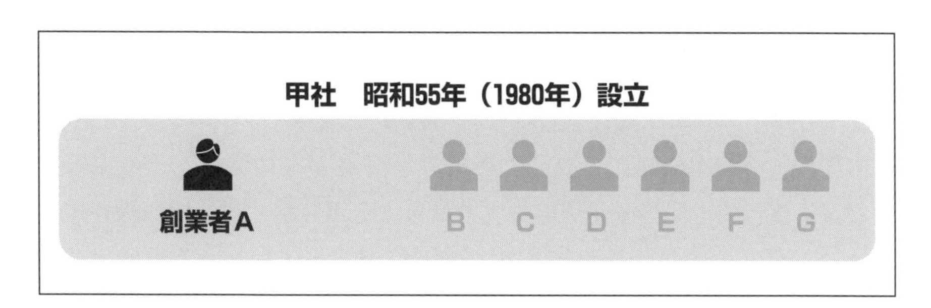

平成2年（1990年）商法改正の施行前に株式会社を設立するには、原則として7名の発起人が必要でした。したがって、甲社のように平成3年（1991年）3月31日までに設立された株式会社については、「B～G」のような名義株主が複数存在するケースが散見されます。このようなケースにおいては、特に創業者Aから後継者へ事業承継などを考える場合には、この名義株主の整理も重要な課題となります。

(1) 名義株主の法的・税務判断と整理の必要性

単に名義株主といっても、法的には、個別の事情等を総合的に考慮して、真実の株主は誰かを決めることになります。仮にAが資金を拠出していたとしても、Aからその他の株主に対して、資金の貸付または贈与をした上で、その他の株主がその資金により払込みをしたとして、真実の株主であるという認定も理論上あり得るので、簡単に考えることはできません。

株式についての名義財産の考慮要素（46ページ参照）をより具体的にすると次のようになります。

○資金の拠出者は誰か
○管理や運用は誰が行っているか
○配当金などは誰が受領しているか
○議決権の行使状況
○名義貸与者、名義借用者、会社の関係など
○名義貸しの合理的理由の有無

本件のようなケースで、資金の拠出者が創業者Aであり、その他の株主が議決権行使や配当受領など株主であることから生じる一切の行為等をしておらず、代わりに創業者Aが行っていたということであれば、当時の会社設立のための要件から、創業者Aがその他の株主から名義を借りることに一定の合理性もあるため、真実の株主はAとされる可能性が高いでしょう。

そして、Aや名義株主が、健在な（認知症などでもない）ケースであれば、当時の事情を知っており、Aの創業者としての影響力も強いので、実務上紛争となることは稀と考えられます。

しかし、両者（特に名義上の株主）に相続などが生じてしまうと、その相続人は経緯を知らないため、株主の地位をめぐって紛争になることがあります。そして、紛争になれば、最終的には裁判所において、前述の事情（証拠の有無を含む）を総合的に考慮して決定するという不安定な状況になります。

事業承継を考える事案の場合には、株式の価値が設立時に比して非常に高額となっていることが多く、後継者の経営に支障がでるおそれもありますので、このような紛争は、できる限り創業者Aの代で予防しておくことが重要となります。

(2) 実務上の対応

①覚書や確認書の締結

創業者Aおよび名義上の株主が健在の場合には、お互いに経緯を知っているため、名義株主であることを確認する覚書の締結は、比較的容易です。

民事上は、真実の株主がAであることの確認と名義上の株主から真実の株主へ株主名簿などを書き換えることについての承諾をとっておけばよいと考えられます（次ページのひな型第1条および第3条）。

ただし、税務上は、当事者の合意や確認があったとしても、名義株ではなく実質的には贈与があった等の認定も、一応あり得るところです（あくまでも国との関係で真実の株主は誰かという問題です）。

したがって、名義株主であった旨の証拠の1つとして、真実の株主がAであることを基礎付ける事実の確認もしておくことが望ましいでしょう（ひな型第2条）。

②確認書等の締結が難しい場合の実務対応

確認書などの締結が難しい場合には、以下の方法を検討することになります。

ｉ）紛争になった場合に備えて、証拠を揃える

まず、過去の株主総会について、名義上の株主に招集通知を送っていないことや当該株主が議決権の行使もしたことがないこと、配当も受け取ったことがないことなどが大きなポイントとなりますので、それを基礎付ける資料があれば揃えておくべきでしょう。また、弁護士などに依頼して、これまでの株取引の調査を行うと名義上の株主が、株主であることと矛盾が生じる証拠がでてくることもあります。

また、創業者Aが仮に亡くなると、当時の状況を説明できる創業者

名義株式確認及び株主名簿変更許諾書

【名義貸人】（以下、「甲」という。）、【名義借人】（以下、「乙」という。）及び【会社名】（以下、「丙」という。）は、甲の名義となっている丙の株式　○○株（以下、「本株式」という。）について、以下の事項を確認する。

（確認事項）
第1条　甲と乙は、本株式について、甲がその名義を乙に貸与したのみであり、真実の株主は、乙であることを相互に確認する。
（経緯）
第2条　甲、乙及び丙は、本株式について、以下の事実を確認する。
一　甲は、乙から丙を設立するため株主の名義人になるよう依頼を受け名義のみの利用を許諾し、丙の株主であるとの認識はなかったこと
二　乙は、丙を設立するために甲の名義を借りたのみであり、甲を株主として認識したことはなく、本株式の払込金も乙が負担したこと
三　丙は、甲に対して、配当金の支払いや議決権の行使を認める等、甲を株主として扱ったことは、一切ないこと
（株主名簿の書換許諾）
第3条　甲及び乙は、丙に対して、本株式について、真実の株主である乙に名義を変更をすることを許諾し、請求する。

以上を確認したことを証するため、本書面を作成し、甲、乙及び丙それぞれ署名・捺印の上、各1通を保有する。

令和●●年●●月●●日

（甲：名義貸人）
住所：●●
氏名：●●　印
（乙：名義借人）
住所：●●
氏名：●●　印
（丙：対象会社）
所在地：●●
会社名：●●
代表取締役　印

A側（名義株主であると主張する側）の人物がいなくなるため、Aが遺言などを残す際の「付言事項」に、その経緯も含めて、名義株であり、真実は相続財産であることなどを記載しておくことも大きな意味があると思われます。さらに、後述する「iii」より、Aの取得時効の援用も視野に入れ、議決権行使をした証拠なども整備しておくとよいでしょう。

ii）株主として取扱った上での買取り

事業承継のケースなど、早期に（承継前に）紛争の種を摘んでおきたいという要望があるケースでは、株価などにもよるところですが、名義上の株主を実際の株主と扱い合意により、株式を買い取るということもあります。

その他、ケースによっては、所在不明株主の株式売却制度を利用したり、スクイーズアウト等の強制的な買取り手法を活用するという方法もあるでしょう。

iii）Aが株主権（株主としての地位）を取得時効の援用で備える

Aが真実の株主という認識で、その他の株主名義の株式について、議決権の行使や配当金を受領していたということであれば、「権利者として社会通念上承認しうる外形的客観的な状態を備えていた」（既出の東京地判平成21年3月30日）ものとして、「公然と行使した」と評価できるものと考えます（303ページ参照）。

ただし、名義株の事案では、株主権の行使開始時に自分が株主であると信じたこと（303ページ参照）について、無過失であったという評価はできないと考えられますので、時効期間は20年ということになるでしょう。

仮に、名義上の株主（またはその相続人）が、自分が真実の株主であるという主張をしてきた際には、取得時効を援用することも、これらの要件を満たしていれば可能です。つまり、民事上は、「仮に名義株主でなかったとしても、取得時効を援用する」という主張により、名義株主の主張を排斥することができます。

この場合の時効の援用による課税関係が生じるのか、従来よりAが株主であったとして特に課税関係は生じないのかについては、民事上（当事者）の問題を離れて、税務（国）との関係で、真実の株主は誰であったのかという点で判断されます[31]。

iv）その他、検討事項（名義株主の側の取得時効の主張は認められるのか）

この名義株対策に関連して、ご質問いただく事項として、仮に名義株主であっても、長年にわたり名義人となっている以上、民事上、取得時効は成立しないかというものがあります。

しかし、名義株主であることを前提とすると、株主権の行使（議決権の行使や配当金の受領等）はなされていなかったということになり、財産権を「公然と行使する者」とは評価できないと思われますので、名義株主の取得時効については心配する必要はないでしょう。

(3) まとめ

創業者Aが健在であれば、後継者への承継前等に整理をしておくことは難しくないというのが、実務上の感覚です。相続等が生じたケースですと、税務面も含め問題が紛糾するケースが増えますので、早めの対策が必要でしょう。

31　筆者著『民事・税務上の「時効」解釈と実務～税目別課税判断から相続・事業承継対策まで～』（清文社）181ページ以下

自社株式の贈与と遺留分侵害額請求

事業承継などにおいて、先代経営者から後継者に自社株式を承継する場合には、株価が非常に高くなっていることもあり、後継者が買取資金を準備できず、贈与契約などを税金に配慮しつつ、行うことが多くあります。一方で、生前贈与で承継されると当然ながら、他の相続人との遺留分侵害の問題が生じます。

ここでは、Q&A（ケーススタディ）により、自社株式における遺留分侵害額の計算方法や自社株の贈与に特化した民法の特例である経営承継円滑化のための遺留分の民法特例などについて解説します。

Q&A 50 自社株式の贈与の遺留分侵害額への影響と株式の時価評価

Q Aの推定相続人には、長男Xと次男Yがいます。Aは、甲株式会社（以下、「甲社」）の創業者です。特例事業承継税制を利用して、Aが保有する甲社株式の全てを後継者である長男Xに贈与しようと考えています。Aの財産には、少々の現預金があるものの、そのほとんどの価値をこの甲社株式が占めています。

将来Aに相続が発生した場合、甲社株式の贈与が遺留分侵害額の計算にどのような影響を及ぼすのでしょうか。また甲社株式価額は相続税評価額となると考えてもよいでしょうか。

A 株式の贈与の遺留分侵害額計算の影響および遺留分算定における非公開会社株式の評価について、解説をご参照ください。

1　長男Xに対する株式の贈与と遺留分侵害額計算への影響

(1) 遺留分侵害額の一般的な計算方法の概要

まず、一般的な遺留分侵害額の計算についての詳細は168ページ以下をご参照ください。

遺留分侵害額＝
①各遺留分権利者が有する具体的な遺留分額－②各遺留分権利者が得た財産額

Yを権利者とする遺留分侵害額の計算について、AからXへの甲社株式の贈与は、①遺留分権利者が有する具体的な遺留分額に影響を及ぼします。

①各遺留分権利者が有する具体的な遺留分額
　＝遺留分の算定基礎財産の価額×（遺留分率×法定相続分率）

より具体的には、Aから X への甲社株式の贈与は相続人に対する贈与となりますので、原則として相続開始前10年間になされたものである場合、「遺留分の算定基礎財産の価額」に甲社株式の価額が加算されることとなります（171ページ参照）。

(2) 自社株贈与の注意点

遺留分の算定基礎財産の価額を評価する場合、（贈与時ではなく）Aの相続開始時の評価額によることとなります（173ページ参照）。つまり、後継者である長男 X が甲社の価値（成果）をあげればあげるほど、次男 Y に認められる遺留分額が大きくなっていくこととなります。

例えば、以下の図のように贈与時点の株式の価値が1億円であったとしても、A死亡時に3億円に上昇した場合、次男 Y の遺留分の算定基礎財産の価額は、2億円増加することとなります。

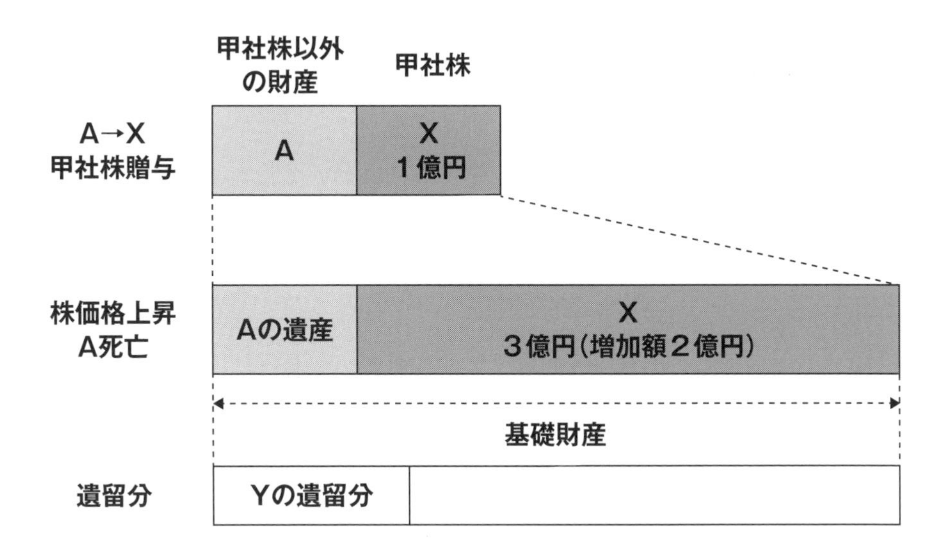

(3) 長男Xへの生前贈与の加算は、Aの相続開始前10年に限定されるのか

本件では、Aの財産のほとんどの価値を甲社株式が占めているということですので、例外的に甲社株式の生前贈与より10年経過した後にAに相続が発生した場合でも、遺留分の算定基礎財産に加算される可能性があります（Q&A21（188ページ）参照）。

この点について配慮するならば、Aは甲社の取締役に残ることで役員報酬を受領することを予定したり、役員退職金を受領し、資産運用をする等も見据えた上で、189ページの例外の要件を満たさないように注意することも必要です。

2　甲社株式の遺留分における民事上の評価額（時価）

前述のとおり、遺留分の算定基礎財産の価額の算定の場合には、甲社株式をAの相続開始時で評価することになりますが、その評価額については、相続税評価額となるわけではありません。

実務上は、相続税評価額を参考にして和解することも多いのですが、例えば次男Yが株式の評価額を真正面から争った場合、昨今の裁判所が民事上の時価を財産評価基本通達等により、算定することは稀です。具体的には鑑定評価によるところになると考えられ、会社法上の時価に近い算定方法を用いることも多くなってきている印象です。

会社法上の株式評価についても、その局面において裁判所の採用する評価方式の傾向に違いがある上、様々な議論があるところですが、詳細を知りたい方は、拙著『第2版 非公開会社における少数株主対策の実務～会社法から税務上の留意点まで～』（清文社）の第8章をご参照ください。

筆者の経験等からの私見となりますが、最近の裁判所は、特に継続企業を前提とする場合、原則として、純資産法等のコスト・アプローチによる評価手法を積極的には採用しないことが多くなってきているものと思われます。つまり、純資産法はあくまでもその時点における清算価値というよ

うな静的な価値評価に過ぎないからです。一方で、非公開会社においては、マーケット・アプローチなども類似の上場企業を選定することが困難である（実態との乖離が激しい）ことや取引先例方式も、過去の取引が客観的な価値を反映していると評価できる場面が稀であることから、採用には消極的です。

つまりは、インカム・アプローチの採用が主流となっており、特に贈与者Aが、創業者であるという場面では、会社（支配株主）としての株式評価方式であるDCF方式や収益還元方式などが採用される可能性が高いものと考えます[32]。もちろん、相続の場面は、通常の株式の譲渡などの場合と異なることから、会社法上重視される動的な価値よりも純資産法などの静的な価値を重視すべきであるという考えもあり得るという側面も否定はできないところです。

特に遺留分に関する紛争については、企業価値の評価等に明るい弁護士等が関与していることも比較的少なく、貸借対照表からわかりやすい簿価純資産法や相続税評価額等を前提に遺留分侵害額請求を受けるというケースも実務上は多いため、会社法上の評価よりも傾向がつかみにくいという現状もあります。実際に紛争になった場合には、各立場に合わせた有利な主張などをしていくこととなるでしょう。

32 詳細な評価方式等の解説は、『第2版 非公開会社における少数株主対策の実務～会社法から税務上の留意点まで～』（清文社）参照。

Q&A
51 自社株式の贈与と遺留分の民法特例

Q

Aの推定相続人には、長男Xと次男Yがいます。Aは、甲株式会社（以下、「甲社」）の創業者です。特例事業承継税制を利用して、Aが保有する甲社株式の全てを後継者である長男Xに贈与しようと考えています。この贈与について、Aは、次男Yに対しても話をしており、現時点では次男Yも了承しています。

ただ、甲社株式の価値が非常に高いので、将来Aの相続が発生した場合に次男Yから遺留分侵害額請求される可能性自体は否定できず、その金額は多額になります。中小企業の自社株式の贈与のケースでは遺留分に関する民法特例が利用できると聞きましたが、利用のための要件や手続きについて教えてください。

以下の解説をご参照ください。

1　遺留分の民法特例の概要

自社株式はその評価額が大きな額となるケースが多く、その場合、後継者（長男X）が多額の金銭の支払義務を負うこととなります。また、その支払いのための資金を準備できない場合にあっては、後継者が贈与を受けた自社株式を処分せざるを得ない場合も想定されます。そうすると、経営権（支配権）の基盤となる株式が分散してしまうこととなり、円滑な事業承継を阻害するリスクが高いため、事業承継のための遺留分の民法特例という制度が設けられています。

本来、遺留分は相続人の最低限の平等を維持するための制度（166ページ参照）であり、原則として、被相続人（A）の相続開始前には、遺留分権利者（次男Y）の意思によるとしても、放棄することはできません（民法1049①)。一方で、民法上、家庭裁判所の許可を得た場合には、例外的に遺留分権利者(次男Y)は、相続開始前に放棄をすることができるとされています。

しかし、この民法上の遺留分の放棄制度を利用するには、放棄をする者(次男Y)自体がデメリットしかないにもかかわらず、家庭裁判所に対して手続きを行わなければならないこと等から、相当な負担となり実現しないという問題点がありました。

そこで、中小企業における経営の承継の円滑化に関する法律により、自社株式の贈与について、推定相続人全員の合意の下、遺留分の算定基礎財産から除外すること(除外合意)や遺留分の算定基礎財産に加算される金額を固定すること(固定合意)を可能とする制度が設けられました。

実務上は、特に民事上の自社株式の評価が裁判所によってもまちまちになるケースが多いため(344ページ参照)、そういう意味でも利用しておきたい制度となります。

なお、事業承継税制が個人事業者に拡大されたのと同じタイミングで、この民法特例も会社の株式および持分だけではなく個人事業者の事業用財産にも拡大されました。ただし、実務上は、株式会社での利用が多いためここでは株式会社の自社株式の贈与に限定して解説します。

2 合意の内容

(1) 除外合意

除外合意とは、その名のとおり、後継者(長男X)が先代経営者(A)から贈与により取得した自社株式について、その株式の価額は、遺留分の算定基礎財産の価額から除外する書面による合意です。

一例として、次ページの財産状況であれば、原則として、Aから長男Xに対する贈与がAの相続開始前10年間になされていれば、次男Yの遺留分の算定基礎財産に相続時の甲社株式の価値である1億2,000万円が加算されることになりますが、それを計算から除外するという合意になります。

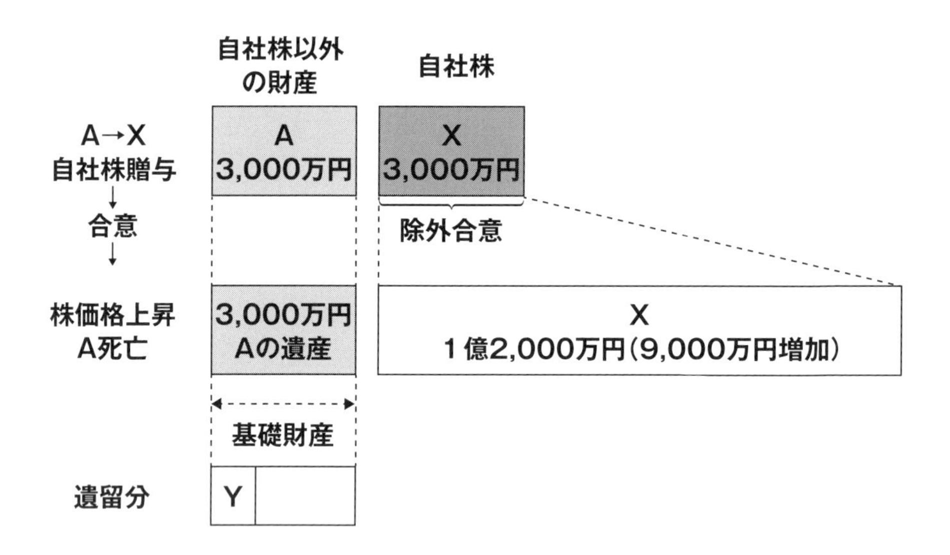

(2) 固定合意

固定合意とは、後継者（長男 X）が先代経営者（A）から贈与により取得した自社株式について、その株式の価額を「合意の時の価額」に固定する書面による合意です。遺留分の算定基礎財産に加算される価額は、先代経営者 A の相続開始時の価額となるため、後継者長男 X が成果を出すほど遺留分の算定基礎財産の価額が上昇することになってしまう（343 ページ参照）ことを防止するための合意です。なお、「合意の時の価額」については、税理士、公認会計士または弁護士等により「相当な価額」であることの証明がされたものである必要があります。

一例として、次ページの財産状況であれば、原則として、A から長男 X に対する贈与が A の相続開始前 10 年間になされていれば、次男 Y の遺留分の算定基礎財産に相続時の甲社株式の価値である 1 億 2,000 万円が加算されることになりますが、その金額を 3,000 万円とするという合意になります。

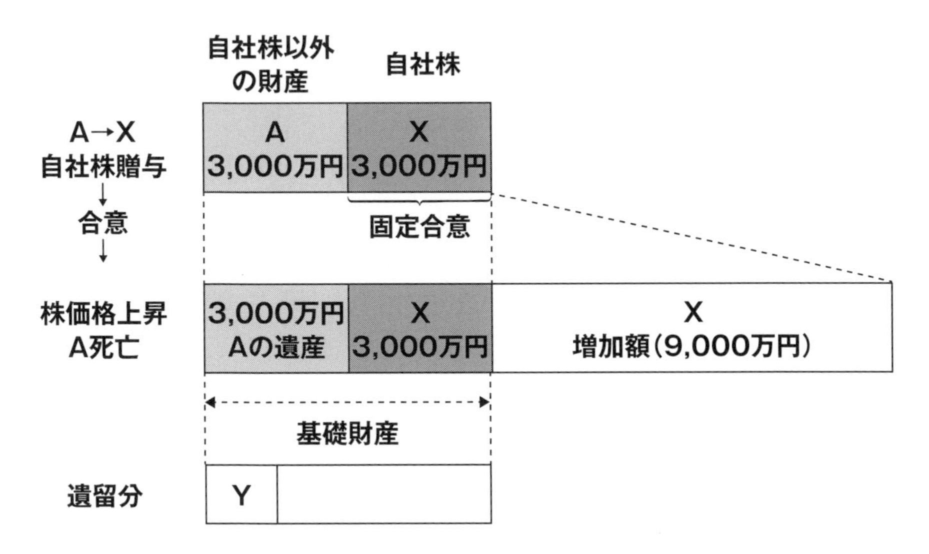

なお、制度上は、除外合意と固定合意を併用することも可能です。

(3) オプション合意

民法特例を利用する場合、前述の除外合意または固定合意があることを前提として、追加で以下のような追加（オプション）合意をすることができます。

①自社株式以外の財産の除外合意

後継者（長男X）が、先代経営者（A）から受けた自社株式以外の財産の贈与についても、遺留分の算定基礎財産に加算される価額から除外することができます。

例えば、甲社の工場の敷地をAが所有している等の財産がある場合に、事業承継に合わせて、長男Xに贈与し、遺留分の算定基礎財産に加算されないようにするという合意もすることができます。

②推定相続人間の公平を図る代償についての合意

後継者とその他の推定相続人間の公平を図る措置を講じる場合には、その内容についても、書面で定めることとなります。もちろん、措置を講じないことも可能ですが、その他の推定相続人（次男Y）の納得を得るためにも、実務上は非常に重要な定めになります。一例としては、以下のようなものが考えられます。

> ○後継者長男Ｘは、次男Ｙに対して、一定の金額を支払う。
> ○後継者長男Ｘは、先代経営者Ａに対して、生活費として毎月一定額の金銭を支払う。
> ○後継者長男Ｘは、先代経営者Ａの医療費を支払う。
> ○先代経営者Ａから次男Ｙに対してなされた○○○万円の贈与については、遺留分の算定基礎財産の価額に算入しない。

(4) 対象会社の経営および経営権を手放した場合の措置の定め

除外合意または固定合意をした後に、後継者（長男Ｘ）が、①合意の対象となっている株式を処分した場合および、②先代経営者（旧代表者）が生存中に対象会社の代表者として経営に従事しなくなった場合において、他の推定相続人が取り得る措置をあわせて定めておくことが必要です。

事業承継の円滑化を目的とする民法特例をこのような場合にまで維持すべきかということについて、推定相続人でどうするのかを決定しておくことが求められているということです。もちろん、その場合でも、他の推定相続人は何ら異議を述べない等とすることも可能です。例としては以下のような定めが考えられます。

> ○次男Ｙは、何ら異議を述べず、長男Ｘに対して、金銭の請求をしないものとする。
> ○次男Ｙは、本件合意を解除することができる。
> ○長男Ｘは、次男Ｙに対して、○○○万円を支払うものとする。

3　合意時点で必要な要件

以下では、合意時点で法律上求められる要件について解説します。

(1) 対象会社（甲社）の要件

まず、除外合意等の対象となる株式は、以下の「特例中小会社」のものである必要があります。

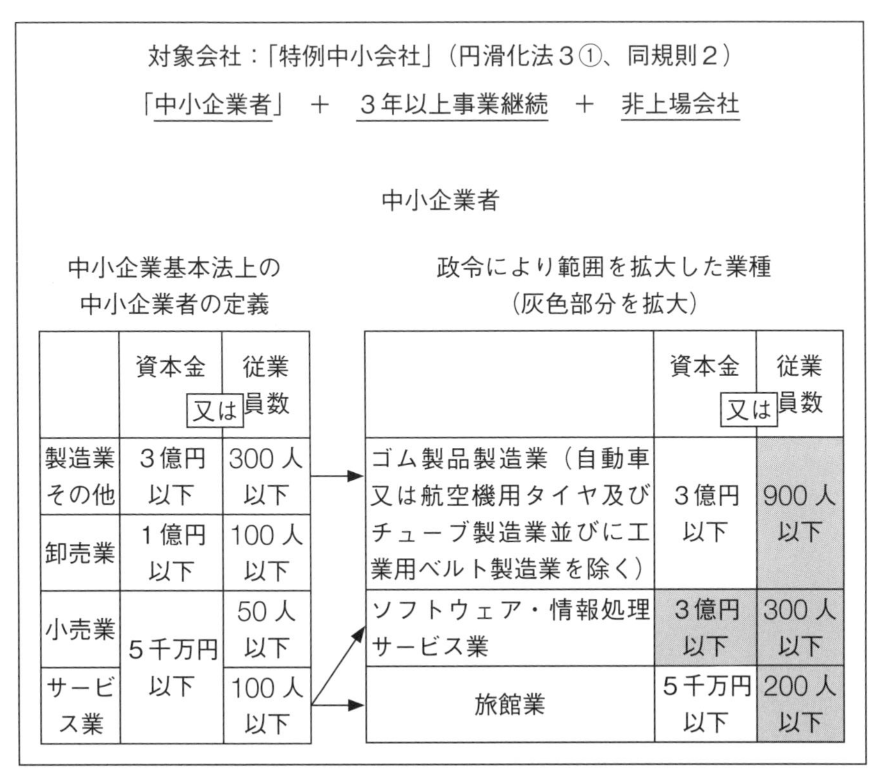

対象会社：「特例中小会社」（円滑化法３①、同規則２）

「中小企業者」　＋　３年以上事業継続　＋　非上場会社

中小企業者

中小企業基本法上の中小企業者の定義

	資本金 又は	従業員数
製造業その他	３億円以下	300人以下
卸売業	１億円以下	100人以下
小売業	５千万円以下	50人以下
サービス業		100人以下

政令により範囲を拡大した業種（灰色部分を拡大）

	資本金 又は	従業員数
ゴム製品製造業（自動車又は航空機用タイヤ及びチューブ製造業並びに工業用ベルト製造業を除く）	３億円以下	900人以下
ソフトウェア・情報処理サービス業	３億円以下	300人以下
旅館業	５千万円以下	200人以下

〔出典：中小企業者の表については、「中小企業経営承継円滑化法申請マニュアル「民法特例」」令和３年２月中小企業庁財務課８頁から引用〕

(2) 先代経営者(A)の要件(「旧代表者」)

株式を贈与する先代経営者（A）（「旧代表者」）は以下の者である必要があります。

①対象会社の代表者であった者(現代表でも可)

事業承継税制と異なり、後継者と共同代表となっている者でも可能です。

②他の者に株式を贈与した者

「他の者」は、基本的に後継者となりますが、後述（「(3)-①」）のとおり、株式等受贈者から当該株式を相続した者も「後継者」に含まれるため、先代経営者の要件としては単に「他の者」とされています。

(3) 後継者(長男X)の要件(「会社事業後継者」)

民法特例を受けることができる後継者（長男X）（「会社事業後継者」）は、以下の者である必要があります。

①旧代表者から対象株式の贈与を受けた者

旧代表者から直接贈与を受けた者または旧代表者から贈与を受けた者（「他の者」）に相続が開始し、その相続により対象株式を取得した者も含みます。

実務上は、先代経営者（A）から贈与を受けた者（長男X）と考えておけば問題ないと思われますが、例えば、先代経営者（A）が、Xに株式を贈与した後にXが死亡し、Xの子がその株式を相続したという場合には、このXの子も後継者の要件を満たすことがあることになります。

なお、贈与を受けたというためには、後継者は株式の贈与契約を締結するのみではなく、完全な履行を受ける必要があります。株券発行会社であれば株券の交付を受けることも必須となります（Q&A47（297ページ）参照）。

②総株主の議決権の過半数を有している者

後継者となる者ですから、合意時点において、対象会社の議決権の過半数を保有していることが必要です。実務上は、株式の贈与と合わせて合意を行うことが多いですが、法的には、贈与後の合意となるため、この過半数は、長男Xが贈与を受けた後の議決権を基準にすればよいことになります。

③対象会社の代表者である者

合意時点において、対象会社の代表者となっていることが必要な要件となります。

(4) 合意対象株式の数

合意時点における後継者（長男X）の保有する株式の議決権数が、除外または固定合意の対象となる贈与に係る株式を除いた場合にも、対象会社の過半数を確保できる場合には、民法特例は利用できません。つまり、除外合意等の対象となる株式を除いても、対象会社の過半数を確保できている場合には、そもそも会社の経営承継のための民法特例を認める必要はないと法律は考えていることになります。

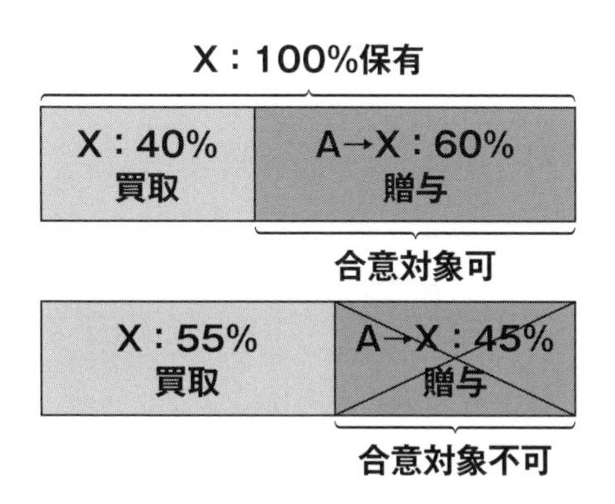

4　手続きの流れ

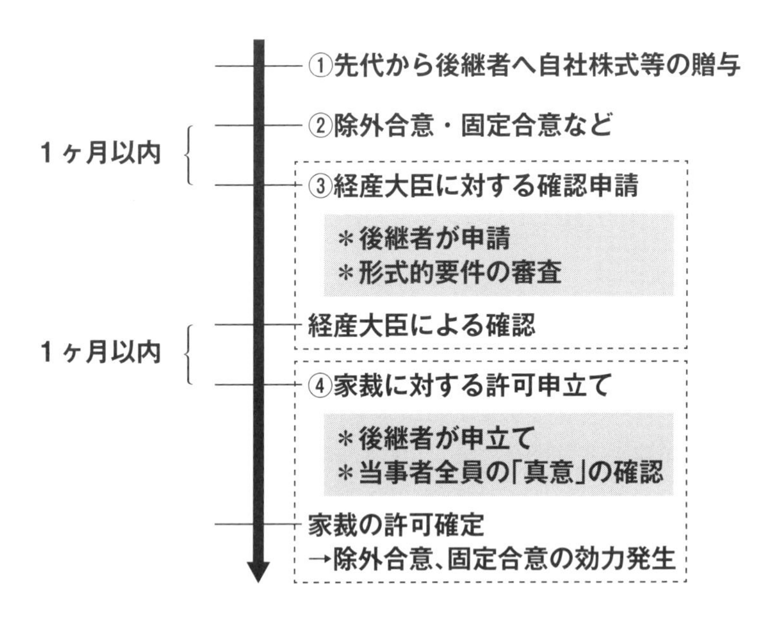

(1) ①先代経営者からの贈与と②除外または固定合意

法律上の立て付けとしては、除外または固定合意は、既に贈与された株式を対象としてなされるものです。

実務上は、除外合意ができないにもかかわらず、贈与をしてしまうと遺留分の問題を回避できないため、推定相続人（次男Ｙ）と合意可能なことを確認してから、贈与契約をするというケースが多いでしょう。

つまり、理論および契約上は、①が先になりますが、実質的には②も同時進行で進めていくことになるでしょう。

(2) ③経済産業大臣の確認申請

法律上、除外または固定合意から１ヶ月以内に経済産業大臣に確認を申請する必要があります。この申請は、後継者（長男Ｘ）が単独で行うこととなります。

経済産業大臣の確認は、形式的に前述の要件を確認することとなりますので、要件を満たす合意がなされていれば、特に問題なく確認がなされます。

(3) ④家庭裁判所に対する許可申立て

経済産業大臣の確認書の交付を受けた上で、確認を受けた日から1ヶ月以内に先代経営者（A）の住所地を管轄する家庭裁判所に申立てをし、許可を受ける必要があります。家庭裁判所では、推定相続人全員の合意が真意に基づくものであるかを判断します（円滑化法8）。

実務上は、民法特例制度の利用の場合、以下のとおり、ほとんどのケースで真意に基づくものとして、許可がでています。平成28年までは100％の認容率でしたが、平成29年で1件、令和元年で2件、令和3年で1件、令和4年で2件認容されない事案もでてきています。どのような事案であったかは不明ですが、筆者の実務上の経験では、許可されなかった例はありませんので、かなり特殊な事案であったのではないかと思料されます。

家庭裁判所既済 （司法統計）	認容割合	
	総数	認容
H21	**5**	**5**
H22	20	20
H23	15	15
H24	13	13
H25	11	11
H26	11	11
H27	22	22
H28	30	30
H29	**37**	**36**
H30	17	17
R 1	**60**	**58**
R 2	51	51
R 3	**43**	**42**
R 4	**58**	**56**

Q&A 52 債務超過会社への貸付金の放棄における贈与税と遺留分等

Q

Aの推定相続人には、長男Xと次男Yがいます。Aは、長男Xが100％株主である甲株式会社（以下、「甲社」）に対して、貸付金（甲社からすると借入金）債権3,000万円を有していますが、無償による債権放棄（債務免除）を検討しています。現状で、甲社は、債務超過会社であり、Aからの債権の放棄を受けたとしても、債務超過のままで、長男Xの財産評価基本通達による甲社株式の評価額も0のままです。

Aの債権放棄により、甲社の株主であるXへのみなし贈与課税が生じるでしょうか。また、この債権放棄が、将来のAの相続において、長男Xの特別受益として、遺留分の算定基礎財産の価額に加算されることはありませんでしょうか。

A

Aの債権放棄によりXへのみなし贈与課税が生じることはないでしょう。また、Aの甲社への債権放棄が、長男Xの特別受益となることは原則としてないと考えます。詳細は解説をご覧ください。

1　長男Xへのみなし贈与課税について

まず、Aが甲社に対して、無償で債権放棄をする場合、甲社の株主Xに対して、原則として、相続税法9条により、みなし贈与課税が生じます（相基通9－2－(3)）。

しかし、本件の甲社は、債務超過会社であり、Aの債権放棄により債務免除益が益金となったとしても、長男Xの株式の価値は0円のままとなっています。

株式会社の場合、株主有限責任の原則が妥当しますので、債務超過であったとしても、株式の価値はマイナスとなることはなく０円と評価されます。つまり、Ａの甲社に対する債権放棄があったとしても、長男Ｘの保有する甲社株式の価値は、０円として変動がないため、「利益を受けた」（相法９）とは評価できず、みなし贈与の適用はないものと考えます。債権放棄により、甲社の収益が将来改善すれば、より早く株式の価値が増加するという側面がありますが、相続税法９条のみなし贈与は、あくまでも利益を受けさせる行為があった時点において問題となり、甲社の株主が利益を受けるのはその時点における株式価値の上昇によるものであるため、長男Ｘへのみなし贈与の問題は生じないと考えてよいでしょう。

なお、一方で、甲社が合名会社等で、Ｘが無限責任を負う場合には、債務が減少するという経済的利益を受けたものと評価されると考えられます。

２　Ａの甲社への債権放棄が長男Ｘの特別受益とされるか

(1) 原則的な考え方

まず、Ａが甲社に対しての貸付金債権を放棄しなかった場合、この貸付金債権は、Ａの相続における相続財産となります。一方で、本件において、Ａが債権放棄をした場合には、貸付金債権は消滅し、相続財産には含まれないこととなりますが、長男Ｘが甲社の100％株主であることから、その実質的利益は、長男Ｘが得ているとも考えられなくはありません。

しかし、特別受益は、あくまでも相続人に対する贈与を問題とするものであり、甲社は長男Ｘとは別人格である以上、原則として特別受益には該当しません。

(2) 例外的な場合

では、相続人の配偶者や子に対して、実質的に相続人に対する贈与と同視できる場合には、例外的に特別受益とするケースがある（Q&A26（205ページ）参照）ことと同様に、例外的に甲社への債権放棄（贈与）が、長男Xの特別受益とされる場合があり得るのでしょうか。

①例外を認めた裁判例

この点について、被相続人による相続人の一人会社に対する実質的な贈与があった事案において、100％株主である相続人に対する特別受益に該当するとした裁判例[33]が存在します。

この事案では、会社への贈与をなぜ相続人に対する贈与と評価することが可能であるのかという法律構成自体については判示されていない上、詳細な背景事情も明らかではない点が多いですが、相続開始約5年前には、当該会社は、事実上廃業状態であり、確定申告も行われていなかったという事案で、さらに会社が稼働している当時も、当該会社の従業員が1名いるものの、株主である相続人と男女の関係があり、子も設けていたということで、裁判所としては、この贈与は、相続人家族の生計維持のために利用されていたという事情があったため、会社と相続人を同視したものとも考えられます。

当裁判例からは、どのようなケースで、一人会社への贈与を相続人である株主への贈与と同視するのかというのは明らかではありませんが、私見では、以下の法人格否認の法理が妥当するような極めて例外的な場合であると考えます。

相続に関する問題ついて、法人格否認の法理がそのまま適用されるかという点についても疑義がありますが、どのようなケースで、株主である相続人と会社が同一視される可能性が高いかの参考となるため、ここでは法人格否認の法理についてご紹介します。

②法人格否認の法理

法人格否認の法理とは、特定の事案に限り、株主と会社が別人格であることを否定する法理論で、極めて例外的な場合に裁判所が妥当な結論を導くために利用するものです。

33 東京地判平成26年4月18日（TKC法律情報データベース 文献番号25519366）

判例[34]は、ⅰ法人格が全くの形骸に過ぎない場合（形骸化事例）または、ⅱ法人格が法律の適用を回避するために濫用される場合（濫用事例）に、法人格を否認すべきとしています。

a）ⅰ形骸化事例の場合

事業活動混同の反復・継続、会社と株主の義務・財産の全般的・継続的混同、明確な帳簿記載や会計区分の欠如、株主総会等の継続的な不開催などの事情を総合判断し、会社と株主の一体性を判断するべきとされています。

判決文からは必ずしも明らかではありませんが、前述の裁判例では継続的な財産の混同などがあり、この形骸化事例に近いものであると判断されたのではないかと思料します。

b）ⅱ濫用事例の場合

濫用事例とは、より具体的には、会社の背後にあって支配する者が、違法不当な目的のために会社の法人格を利用する場合といわれています。

具体的には、背後者が会社を自己の意のままに道具として用い得る支配的地位にあって、法人格を利用している事実（支配の要件）に加え、違法な目的という主観的要素（目的の要件）が必要であるとされています。

(3) 長男Ｘの特別受益となるか

本件では、甲社が、従業員等も存在し、通常の事業活動をしている会社である場合には、Ａの甲社に対する債権放棄が、Ｘの特別受益となることはないでしょう。

ただし、例えば、甲社に従業員がおらず、事業活動も行っていない場合（形骸化事例）や遺留分潜脱の目的で、甲社を設立したというような場合（濫用事例）等の極めて例外的な場合には、長男Ｘへの特別受益となる可能性もあるので、注意が必要です。

34　最判昭和44年2月27日（民集23巻2号511頁）

◆ 著者紹介 ◆

弁護士法人 ピクト法律事務所
代表弁護士　**永吉 啓一郎**（ながよし けいいちろう）

愛知県知多市出身
2011年　司法試験合格
2012年　鳥飼総合法律事務所入所
2015年　弁護士法人ピクト法律事務所を設立し、代表に就任

現在、300名以上の「税理士」が会員となっている「税理士法律相談会」を運営し、年間400件以上の相談を受けている。

特に法務と税務がクロスオーバーする領域に定評があり、税理士と連携した税務調査支援、税務争訟対応、相続・事業承継対策、少数株主対策、税賠対応（税理士側）や税理士事務所内部の法的整備などを多く取り扱っている。

その他、税理士を対象とした研修講師や約3,000の税理士が購読する「税理士のための法律メールマガジン」等を通じて、税理士実務に必要な法律情報などを広く発信している。

主な著書に『非公開会社における少数株主対策の実務～会社法から税務上の留意点まで～』第1版・第2版（清文社）、『民事・税務上の「時効」解釈と実務～税目別課税判断から相続・事業承継対策まで』（清文社）、『企業のための民法（債権法）改正と実務対応』（清文社）がある。

■弁護士法人ピクト法律事務所
現在、13名の弁護士が所属し、各弁護士が専門分野を持ち活躍している。
税理士向けのサービスには、以下のものがある。
◯税理士法律相談会
https://pct-law.jp/service/zeirishi-mail/
◯税理士×法律
https://zeirishi-law.com/
◯税理士のための法律メールマガジン
https://pct-law.jp/service/zeirishi-magazine

第2版　民法・税法2つの視点で見る贈与

2024年5月20日　発行

著　者　永吉 啓一郎 ©

発行者　小泉 定裕

発行所　株式会社 清文社
東京都文京区小石川1丁目3－25（小石川大国ビル）
〒112-0002　電話 03(4332)1375　FAX03(4332)1376
大阪市北区天神橋2丁目北2－6（大和南森町ビル）
〒530-0041　電話 06(6135)4050　FAX06(6135)4059
URL https://www.skattsei.co.jp/

印刷：藤原印刷㈱

■本書の内容に関するお問い合わせは編集部までFAX（03-4332-1378）又はメール（edit-e@skattsei.co.jp）でお願いします。

■本書の追録情報等は、当社ホームページ（https://www.skattsei.co.jp/）をご覧ください。

ISBN978-4-433-74554-7